24709

Retour   26.06.98

Institut Teccart Inc.

Barbara SCHÜTTE

MA FORMATION

Microsoft®

EXCEL

5

EDITIONS MICRO APPLICATION

Copyright   © 1995   Data Becker GMBH & Co KG
                            Merowingerstr. 30
                            40223 Düsseldorf
                  © 1995   Micro Application
                            20/22, rue des Petits Hôtels
                            75010 Paris
                            Téléphone :   53 34 20 20
                            Télécopie :   53 34 20 00
                            Internet :   microapp @ dialup. francenet. fr
                            CompuServe :   100270,744

Auteur   Barbara SCHÜTTE

Traducteur   Hassina ABBASBHAY

ISBN : 2-7429-0312-7

Référence DB : 441123

Préface

N'avez-vous surtout pas envie d'avoir sous la main l'un des classiques manuels riches en théorie mais avares de résultats concrets ? Un de ceux que vous parcourez sans grande joie d'un chapitre à l'autre ne vous sentant à la fin pas plus intelligent qu'au départ ?

Préférez-vous plutôt un guide d'apprentissage grâce auquel vous franchissez activement les divers obstacles du programme ? Un ouvrage dont l'étude vous donne réellement le sentiment d'être en mesure d'affronter Excel 5 en toute sécurité ?

Dans ce cas, la collection MA Formation de Micro Application représente pour vous le meilleur des achats.

Réussir avec méthode

Les leçons didacticielles, très bien conçues, vous permettent rapidement de savourer votre première victoire. Depuis les fonctions élémentaires jusqu'aux techniques approfondies d'Excel 5, les ouvrages MA Formation de Micro Application vous transmettent toutes les connaissances générales à travers des exemples.

Conserver la vue d'ensemble

La composition structurée des leçons vous donne à tout moment une vue d'ensemble globale.

Deux indications vous sont données au début de chaque leçon : la durée nécessaire pour parcourir la leçon et le résumé des sujets étudiés.

Des instructions à chaque étape, de nombreuses images, des exemples pratiques et un résumé à la fin de la leçon facilitent l'approche de l'étude.

Chaque leçon se termine par un contrôle des connaissances présenté sous la forme d'une grille de mots croisés. Vous pouvez tester votre savoir-faire tout en jouant.

Le certificat délivré par Micro Application

Après avoir achevé l'étude de la MA Formation et répondu aux questions des mots croisés, vous avez la possibilité d'appliquer les connaissances acquises au moyen du test final (sur la disquette du livre). Ayant réussi votre test avec succès, vous pouvez vous faire adresser le certificat Micro Application.

Toute l'équipe Micro Application vous souhaite beaucoup de joie et de réussite tout au long de la MA Formation.

Sommaire

Leçon 2 :
Eléments du programme 51

Leçon 3 :
Construction d'une feuille de calcul 73

Leçon 4 :
Formules et fonctions. 89

Leçon 5 :
Recopie de cellules 109

Leçon 6 :
Mise en forme d'une feuille de calcul . . . 123

Leçon 7 :
Modification d'un format numérique 145

Leçon 8 :
Impression d'une feuille de calcul 163

PARTIE C : Les graphiques 183

Leçon 9 :
Représentation graphique des données . . . 185

Leçon 10 :
Mise en forme d'un graphique 201

Leçon 11 :
Impression et copie de graphiques 227

PARTIE E : Techniques de travail étendues . . . 307

Leçon 15 :
La base de données Excel 309

Leçon 16 :
Tableau croisé dynamique 337

Leçon 17 :
Les macros. 365

PARTIE F : Annexes. 385

PARTIE A : Introduction

Avant d'entrer dans le vif du sujet, notez d'abord ces quelques informations générales à propos de la collection MA Formation.

Symboles utilisés dans le livre

Trois symboles vous aideront à mieux comprendre les explications :

Ce symbole attire votre attention sur des spécificités ou des techniques particulières concernant une fonction ou une commande.

Le symbole Attention vous met en garde contre des erreurs ou des difficultés pouvant se produire lors de l'utilisation de certaines fonctions. Lisez attentivement les passages précédés de ce symbole pour éviter des désagréments.

Le symbole de disquette indique que l'exemple évoqué se trouve dans la disquette fournie avec le livre.

Au début de chaque leçon, ce symbole qui représente une horloge vous donne la durée nécessaire de la leçon en question.

Le clavier

L'intitulé des touches du clavier peut varier selon le modèle d'ordinateur dont vous disposez. La figure suivante montre ce qu'on appelle un clavier MF (multifonctions).

Un clavier dont les touches portent des inscriptions en français

La touche ENTREE

La touche MAJ

Sur un clavier américain, la désignation des touches peut être complètement différente. Le tableau suivant donne la correspondance des touches les plus utilisées :

Clavier français	Clavier américain
Entrée	Return
Origine	Home
Fin	End
PgPréc	PgUp
PgSuiv	PgDn
Suppr	Del
Inser	Ins
Ctrl	Ctrl
Maj	Shift

S'il vous est demandé de taper successivement un certain nombre de touches au cours de votre étude, ces touches seront représentées comme suit :

ALT, CTRL

S'il s'agit au contraire d'utiliser des combinaisons de touches, les diverses touches seront séparées par un signe + :

CTRL + F10

Dans ce cas, vous devez taper en même temps la touche **CTRL** et la touche **F10**. Tout en gardant une touche appuyée, vous pouvez taper successivement d'autres touches comme suit :

ALT + 9, 2

Dans ce cas, gardez la touche **ALT** appuyée pendant que vous tapez consécutivement **9** puis **2** sur le pavé numérique.

La souris

Dans une application, il existe des actions qui peuvent être exécutées avec le clavier ou la souris. Ci-après, vous avez la liste des principales notions utilisées.

Cliquer

Cliquer avec la souris signifie enfoncer un bouton de la souris après avoir placé le pointeur à l'endroit souhaité. La souris comporte généralement deux boutons et même parfois trois. Sauf exception, *cliquer* veut dire appuyer sur le bouton gauche de la souris. Parfois, il est utile de cliquer sur le bouton droit mais cette éventualité est toujours spécifiée à l'endroit concerné.

Double-cliquer

Double-cliquer signifie appuyer rapidement deux fois sur le bouton gauche. Pour vous habituer au double-clic, entraînez-vous dès à présent : prenez en main la souris sans avoir mis l'ordinateur sous tension et cliquez rapidement deux fois sur le bouton gauche avec l'index.

Glisser-déplacer

Pour réaliser un glisser-déplacer, on place le pointeur sur l'objet voulu puis, tout en gardant le bouton gauche appuyé, on fait glisser l'objet en déplaçant la souris. On relâche le bouton de la souris une fois que l'objet se trouve à l'endroit souhaité. Cette méthode permet par exemple de déplacer des icônes de programme ou des boîtes de dialogue. Cette action de la souris est reconnue sous l'expression *Glisser-Déplacer* (ou *Drag'n Drop* en anglais).

Le contrôle des connaissances

Chaque leçon se termine par un contrôle de connaissances présenté sous la forme d'une grille de mots croisés. Vous pourrez, grâce à ce test, vérifier vos connaissances sous forme ludique. N'hésitez pas à relire la leçon si vous rencontrez des difficultés pour trouver les bonnes réponses.

Le test de contrôle ne sert pas seulement à vérifier purement et simplement les connaissances acquises mais ils constituent la condition préalable au passage du test final fourni sur la disquette du livre. Pour démarrer ce test final, vous devez connaître notamment un mot de passe (cf. Annexes) composé de six lettres provenant chacune des mots mystérieux que vous devez trouver à la fin de chaque test de contrôle. Il est donc impossible de mener à bien le test final si vous ne connaissez pas le mot de passe.

Installation des exemples

Cet ouvrage comporte une disquette d'accompagnement qui, outre le test final, contient également des exemples dont vous aurez besoin durant votre travail de formation. C'est pourquoi il faudra installer ces fichiers sur votre machine avant de commencer les leçons. C'est très simple, car le plus gros du travail est réalisé par un programme d'installation. Procédez de la manière suivante :

Lancez Windows. Le plus souvent vous le réaliserez en entrant la commande suivante au niveau du DOS :

win ENTREE

Vous devriez avoir ensuite l'écran initial de Windows qui sera fonction des paramétrages que vous aurez effectués et des applications que vous avez déjà installées. La fenêtre *Gestionnaire de programmes* comporte, en haut et à gauche, le menu Fichier. Déplacez le pointeur de la souris sur ce menu et pressez le bouton gauche. Le menu Fichier se déroule. Cliquez sur la commande Exécuter.

Introduisez maintenant la disquette accompagnant le livre dans le lecteur adéquat. Selon le lecteur dans lequel vous avez introduit la disquette, vous saisissez la ligne de commande suivante :

a:\install

ou

b:\install

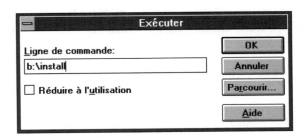

Boîte de dialogue
Exécuter

Pressez ensuite la touche ENTREE ou cliquez sur le boutonc OK pour lancer le programme d'installation.

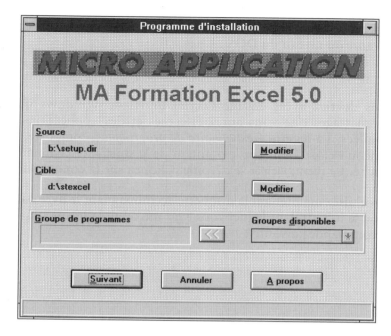

*Programme
d'installation de
la disquette*

Les deux premiers champs indiquent les répertoires source et cible. Le champ *Source* comporte le chemin du programme d'installation. Il affiche déjà le nom du lecteur dans lequel se trouve votre disquette.

Le champ *Cible* indique le répertoire du disque dur dans lequel les fichiers seront copiés.

Cliquez sur le bouton **Suivant** afin d'exécuter l'installation des fichiers. Un message **vous annonce le bon déroulement de l'installation.**

*L'installation est
terminée*

Cliquez ensuite sur **OK pour retourner au** *Gestionnaire de programmes*. Les fichiers qui se trouvaient sur la disquette d'accompagnement ont été copiés sur votre disque dur.

Annuler l'installation

Si vous avez changé d'avis et ne souhaitez pas installer le contenu de la disquette d'accompagnement ou si vous souhaitez effectuer l'opération ultérieurement, cliquez sur le bouton de commande Annuler de l'écran initial du programme d'installation MICRO APPLICATION. Un message indiquant les conséquences de votre action s'affiche alors.

Souhaitez-vous vraiment annuler l'installation ?

Vous aurez le choix entre deux boutons de commande dans cette boîte de dialogue :

Quitter : Cliquez sur ce bouton si vous souhaitez réellement interrompre l'installation. Dans ce cas, vous revenez automatiquement au *Gestionnaire de programmes* sans que les fichiers de la disquette soient installés.

Poursuivre : Vous cliquez sur ce bouton lorsque vous souhaitez poursuivre l'installation. Vous obtenez dans ce cas l'écran initial de l'installation.

PARTIE B

Notions de base

Leçon 1 : Premiers pas

40 min

Cette première leçon est destinée à faciliter votre approche avec Excel. Quels sont par exemple les éléments que vous rencontrez sur un écran Excel ? Et quelles tâches pouvez-vous réellement exécuter sous Excel ? Quelques explications et un petit exemple apportent les réponses nécessaires à ces interrogations.

A l'issue de cette leçon vous saurez...

- démarrer Excel,
- comprendre la structure d'une feuille de calcul Excel,
- créer, enregistrer, fermer et ouvrir une feuille,
- définir un classeur,
- marquer des plages dans une feuille,
- quitter correctement Excel.

Aucun livre ne peut arriver à cerner complètement un programme aussi complexe qu'Excel sans fournir au lecteur la matière de base indispensable à la compréhension c'est-à-dire la théorie et quelques explications. Au cours de notre étude, nous allons tenter de lever l'ombre qui plane sur le programme Excel en nous aidant de quelques exemples brefs mais explicites.

Avant de démarrer Excel, prenez tout d'abord une précaution qui peut sembler anodine mais dont l'effet est relativement important.

De l'ordre dès le début : Création d'un répertoire de travail

Avant de créer la première feuille de calcul sous Excel, il est indispensable de réfléchir quelques instants sur le mode d'organisation des fichiers que vous serez amené à définir au cours de votre étude.

Les exemples sont installés par défaut dans le répertoire \STEXCEL dans la mesure où vous avez copié la disquette du livre selon les instructions données dans l'introduction. Dans le cadre des exercices que vous effectuerez, il vous sera demandé très souvent d'ouvrir ou de modifier les exemples ou de créer vos propres fichiers.

Il est judicieux de créer un sous-répertoire \EXEMPLES dans \STEXCEL pour retrouver sans peine les fichiers personnalisés et ne pas courir le risque de remplacer les exemples originaux. A l'avenir, enregistrez dans ce sous-répertoire tous les exemples que vous créez et modifiez. Les fichiers de la disquette restent ainsi intacts sur disque à leur état initial dans le répertoire \STEXCEL.

Créer un répertoire

Voici la marche à suivre pour créer un répertoire :

1   Ouvrez le *Gestionnaire de fichiers* de Windows depuis le *Groupe principal*.

2   Sélectionnez le lecteur contenant les exemples de la disquette du livre (cliquez sur l'icône adéquate dans la partie supérieure de la fenêtre).

3   Marquez le répertoire \STEXCEL contenant les exemples. Cliquez sur son nom pour qu'il devienne le répertoire en cours.

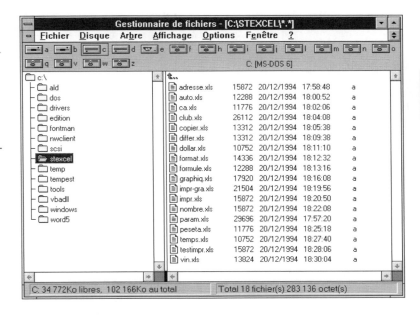

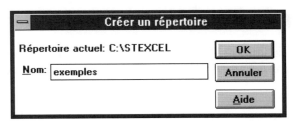

Sélection du répertoire C:\STEXCEL dans le Gestionnaire de fichiers

4 Faites **Fichier/Créer un répertoire** et attribuez le nom EXEMPLES au futur répertoire.

Définition d'un répertoire EXEMPLES dans STEXCEL

5 Terminez l'opération par un clic sur **OK**. Le *Gestionnaire de fichiers* vient de créer le répertoire demandé.

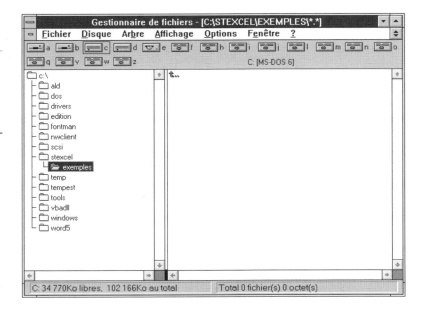

6   Faites **Fichier/Quitter** pour prendre congé du *Gestionnaire de fichiers*.

Démarrer Excel

Vous devez lancer Microsoft Windows avant de pouvoir accéder à Excel. Le *Gestionnaire de programmes* est activé automatiquement après le démarrage de Windows.

Les divers groupes de programmes sont visibles dans le *Gestionnaire de programmes* (notamment le *Groupe principal*, le groupe *Accessoires*). Le programme Excel se trouve en principe dans le groupe *Microsoft Office* à condition d'avoir installé Excel avec les valeurs par défaut. L'annexe C de ce livre fournit des indications sur l'installation d'Excel.

1   Ouvrez le *Groupe principal* contenant Excel (par défaut *Microsoft Office*) en cliquant rapidement deux fois sur l'icône du programme Excel.

   Cette action de cliquer rapidement deux fois s'appelle communément *double-cliquer*. Vous rencontrerez maintes fois le terme double-cliquer ou double-clic au cours de cette étude.

   Dans Windows, il est nécessaire de double-cliquer sur des icônes pour ouvrir un groupe de programmes ou un programme.

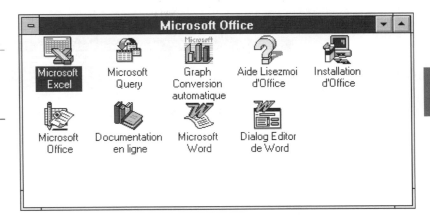

*Le groupe
Microsoft Office
contenant l'icône
Microsoft Excel*

Le groupe *Microsoft Office* renferme plusieurs icônes représentant chacune des programmes Microsoft. Excel lui-même dispose de plusieurs icônes.

2 Placez le pointeur sur l'icône *Microsoft Excel*.

3 Double-cliquez avec le bouton gauche.

Vous venez ainsi de démarrer Excel qui affiche aussitôt une feuille de calcul vierge.

Observez tout d'abord les divers éléments composant l'écran Excel avant de créer la première feuille de calcul.

Eléments de l'écran Excel

L'écran Excel se compose essentiellement de trois zones : en haut la barre de menus et les deux barre d'outils *Standard* et *Format*, au milieu la zone de travail et au bas la barre d'état.

Composition de l'écran Excel

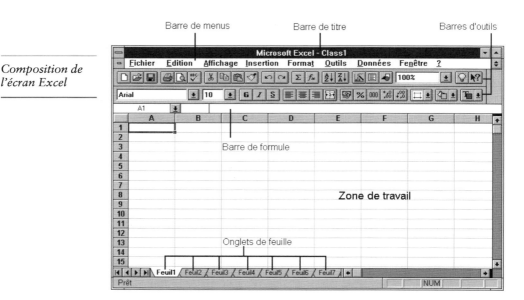

La *barre de titre* située tout en haut de l'écran affiche le nom du programme, ici *Microsoft Excel* suivi de *Class1*. Cette indication sera remplacée par le nom de la feuille de calcul dès lors que vous aurez enregistré une feuille.

Barre de menus

Située sous la barre de titre, la barre de menus renferme neuf menus principaux intitulés par **Fichier, Edition**, etc. Ces menus contiennent à leur tour des commandes et des options Excel.

Il est difficile d'évaluer avec précision le nombre de commandes et options fournies par Excel. Il en existe des centaines. Mais des sondages ont montré qu'un utilisateur n'exploitait en moyenne que 10 % des capacités réelles du programme. Les utilisateurs ne prennent pas la peine de tester toutes les commandes, ils se contentent de celles qui les intéressent.

Barres d'outils

Les barres d'outils viennent se placer sous la barre de menus. Au premier démarrage d'Excel, vous trouvez les barres d'outils *Standard* et *Format*.

Les icônes des barres d'outils correspondent aux commandes couramment utilisées. Encore une fois, les laboratoires de Microsoft ont effectué des tests auprès des utilisateurs pour répertorier les commandes le plus sollicitées. Toutes ces expériences ont donc permis de construire les barres d'outils telles que vous les apercevez.

Les barres d'outils n'ont rien d'extraordinaire. Les commandes qu'elles rendent disponibles sont toutes exécutables par le menu. Toujours est-il qu'il est plus rapide et plus pratique de passer par les barres d'outils pour appeler les commandes fréquemment utilisées. Un simple clic sur l'icône concernée remplace la recherche (parfois laborieuse) de la commande voulue dans le menu.

La leçon 2 décrit plus en détail la sélection des commandes par les menus et par les barres d'outils.

Barre de formule

Située sous les barres d'outils, la barre de formule affiche les textes et les nombres que vous écrivez dans la feuille de calcul. La barre de formule commence par une zone *Nom* qui affiche les positions et sélections effectuées dans la feuille. Vous apercevez ici *A1* au démarrage d'Excel.

Zone de travail/feuille de calcul

C'est la zone de travail proprement dite d'un programme tableur. C'est la feuille de calcul qui occupe la majeure partie de l'écran. Elle sert à saisir des textes et des nombres, à effectuer des calculs, à construire des formules et à reproduire les résultats sous forme graphique.

Onglets de feuille

Le bas de l'écran est pourvu par ailleurs de quelques boutons supplémentaires. Les boutons fléchés et les onglets de feuille aident à parcourir rapidement les feuilles de calcul et à atteindre celles dont vous avez besoin sans avoir à feuilleter une à une la totalité des feuilles. Imaginez le temps qu'il faudrait si votre fichier renfermait des centaines de feuilles !

Barre d'état

La barre d'état est réservée à l'affichage des messages. Dès que vous cliquez sur une commande, la barre d'état renvoie une brève description de l'action que la commande est susceptible d'exécuter.

Que permet Excel ?

Excel est un programme de calcul qui permet d'effectuer pratiquement tous les calculs et toutes les analyses. Cela commence par la création d'un budget familial jusqu'à l'établissement de bilans et d'évaluations économiques et commerciales fort complexes en passant par le calcul des intérêts, des taux d'intérêts et de l'amortissement.

Surtout pas de panique ! Vous n'avez pas besoin d'être un mathématicien confirmé pour exploiter Excel. D'innombrables fonctions facilitent grandement la construction des feuilles et des formules. Et l'avantage ici est que vous pouvez à tout moment corriger une erreur qui a pu se glisser à votre insu sans que vous soyez obligé de tout recommencer à zéro. Dès lors qu'il existe une feuille pourvue de textes, de calculs et de relations, il devient très facile de mettre en rapport des valeurs et des conditions très diverses.

Vous décidez par exemple d'acheter une voiture. Après avoir couru d'un concessionnaire à l'autre, comparé et recomparé le prix des voitures neuves, les remises, les échéances, la valeur de votre ancienne voiture, les conditions de crédit et de leasing - vous ne savez toujours pas qu'elle est la meilleure offre et pourtant vous avez passé tant de nuits à réfléchir !

Quant au programme Excel, il vous demande seulement d'entrer les principales données dans une feuille pour comparer aussitôt de façon claire et concise les prix pratiqués par les concessionnaires. Il ne vous reste plus ensuite qu'à faire votre choix.

Si vous le désirez, vous pouvez reproduire les valeurs en graphiques (en courbes ou à barres ou en secteurs).

Excel est équipé d'une puissante base de données permettant de gérer par exemple un fichier d'adresses ou un stock.

Vous vous demandez comment ces diverses activités peuvent bien être converties en applications ? La réponse est simple : par une feuille de calcul.

Colonnes, lignes, cellules : la feuille de calcul Excel

Les données que vous entrez, les calculs que vous effectuez, toutes ces opérations se réalisent dans une feuille de calcul. Au démarrage, le programme ouvre automatiquement une feuille vierge. C'est une feuille quadrillée composée de lignes et de colonnes. Le point d'intersection entre une ligne et une colonne est souvent désigné par le mot *cellule*.

La feuille de calcul Excel

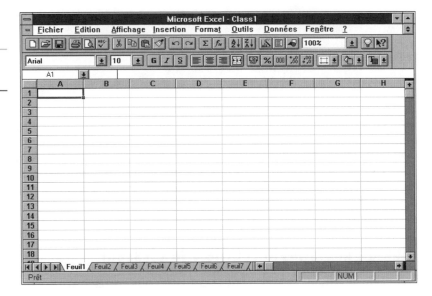

Les colonnes sont désignées par des lettres : A, B, C, etc. Cette indication figure au-dessus de chaque colonne dans ce qu'on appelle l'en-tête de colonne. Une fois que l'alphabet est passé entièrement en revue, Excel double les lettres AA, AB, AC, etc. pour intituler les colonnes. La dernière colonne s'appelle IV - ce qui signifie que vous avez à peu près 250 colonnes pour travailler.

Les lignes sont elles aussi identifiées clairement par des numéros allant de 1 à 16 384.

Observez pour commencer la feuille de calcul suivante et essayez de vous familiariser avec sa structure. Les lettres et les nombres utilisés respectivement pour désigner les colonnes et les lignes ont permis de composer une spécification sans équivoque attribuée à chacune des cellules de la feuille. C'est ainsi qu'on obtient les coordonnées d'une cellule. Dans la première colonne, elles correspondent à A1, A2, A3, etc. et dans la première ligne à A1, B1, C1, D1, etc.

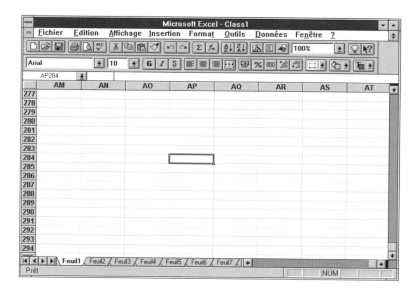

Sélection de la cellule ayant pour coordonnées AP284

Nous n'avons pas l'intention de vous ennuyer dès le début de l'apprentissage avec des détails sur les coordonnées. Les coordonnées, et plus précisément leur interaction dans les formules, représentent le B A BA d'un travail effectué intelligemment sous Excel. Familiarisez-vous dès à présent avec les coordonnées afin de pouvoir les manier par la suite dans les formules. La leçon 4 montre mieux les avantages des coordonnées par rapport aux nombres concrets.

Plus qu'une simple feuille : le classeur

La feuille de calcul est la zone de travail où vous entrez des informations et effectuez des opérations. La feuille représente en fait la partie d'un ensemble plus grand dénommé *classeur*.

De nombreuses feuilles, 16 par défaut, peuvent être incluses dans un classeur Excel. Elles sont rangées les unes sur les autres et chaque feuille est indépendante. Les opérations et analyses volumineuses peuvent être réparties sur plusieurs feuilles qui restent interdépendantes et qui sont stockées ensemble.

Il n'y aucune raison d'utiliser un classeur de plusieurs feuilles pour effectuer les premiers calculs. Une seule feuille suffit amplement. Il n'empêche qu'il est utile ici de décrire l'insertion d'une feuille dans un classeur.

Les feuilles du classeur en cours

Les feuilles du classeur sont mentionnées au bas de l'écran à l'aide des *onglets*. Vous pouvez y lire *Feuil1*, *Feuil2*, *Feuil3*, etc. Cliquez sur un onglet pour activer la feuille voulue. La commutation d'une feuille à l'autre peut aussi se réaliser inopinément et à votre insu. Lorsque vous éditez une feuille et surtout lorsque vous marquez une plage, il peut arriver qu'un autre onglet soit activé sans que vous l'ayez remarqué. Toutes les entrées de la feuille deviennent invisibles mais cela n'est qu'une apparence. En réalité, une autre feuille est venue recouvrir celle sur laquelle vous étiez en train de travailler.

Lorsque votre feuille disparaît tout d'un coup pour laisser la place à une feuille vierge, pensez à vérifier les onglets. Vous devriez apercevoir l'indication *Feuil1* au bas de l'écran tout au long de cette première leçon. L'onglet *Feuil1* est blanc, les autres onglets sont gris. Cliquez tout simplement sur *Feuil1* si vous avez activé par mégarde une autre feuille.

Concrètement, les premières saisies se font dans la feuille et notamment dans la cellule marquée. Il faut donc sélectionner la cellule voulue avant de commencer à entrer les données dans une feuille.

Le bon emplacement : sélection des cellules

Et nous voilà de retour aux coordonnées. Excel affiche en permanence les coordonnées de la cellule attendant les futures entrées. La zone *Nom*, située à gauche de la barre de formule, est prévue pour afficher ces coordonnées. L'information renvoyée au démarrage du programme par cette zone est A1.

*La zone Nom
contenant
l'entrée A1*

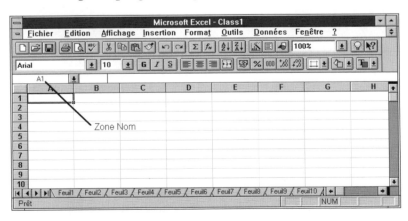

Vérifiez cette indication lorsque vous marquez des cellules diverses dans la feuille.

Un clic de la souris permet rapidement de marquer une autre cellule visible sur l'écran.

1 Placez le pointeur sur la cellule B3.

2 Cliquez sur le bouton gauche. La cellule se voit entourée d'un cadre noir. La zone *Nom* affiche la valeur correspondante.

Sélection de la cellule B3

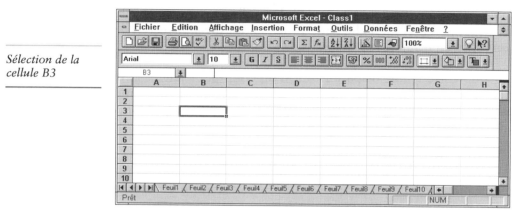

Vous devez parcourir la feuille pour atteindre une cellule qui n'est pas visible sur l'écran. Le meilleur moyen consiste à utiliser les barres de défilement verticale et horizontale situées à droite et au bas de la feuille.

Barres, ascenseurs et flèches de défilement

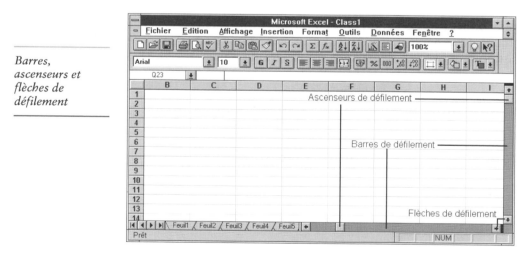

Les deux extrémités de la barre de défilement sont représentées par des boutons fléchés. Un clic sur les flèches de la barre de défilement verticale décale la feuille d'une ligne vers le haut ou le bas, un clic sur les flèches de la barre de défilement horizontale décale la feuille d'une ligne vers la droite ou la gauche. Si vous gardez le bouton gauche appuyé pendant que vous cliquez sur une flèche de défilement, vous ferez défiler rapidement la feuille dans la direction choisie.

Un petit carré dénommé *ascenseur* montre la position actuelle de l'affichage par rapport à la feuille complète. Cliquez sur la barre au-dessus de l'ascenseur pour décaler la feuille d'une page écran vers le haut et cliquez en dessous de l'ascenseur pour décaler la feuille d'une page vers le bas.

Pour visualiser un autre volet sur l'écran, tirez l'ascenseur dans la direction voulue avec le bouton gauche appuyé.

Lors de la saisie des données dans la feuille, il est plus rapide d'utiliser les touches de direction pour changer de cellule plutôt que d'utiliser la souris. En règle générale, l'action consiste à marquer une cellule dans la ligne ou colonne suivante et l'appui sur une touche convient parfaitement pour mener à bien ce changement.

La liste suivante montre les touches et combinaisons de touches permettant d'atteindre une cellule de la feuille.

Touche	Résultat
←	Décale d'une cellule vers la gauche
→	Décale d'une cellule vers la droite
↑	Décale d'une cellule vers le haut
↓	Décale d'une cellule vers le bas
CTRL + ORIGINE	Place le pointeur au début de la feuille (A1)
PgPréc	Décale d'une page écran vers le haut
PgSuiv	Décale d'une page écran vers le bas
ALT + PgPréc	Décale d'une page écran vers la gauche
ALT + PgSuiv	Décale d'une page écran vers la droite

Les combinaisons de touches citées dans ce tableau ne représentent qu'un extrait de la liste des combinaisons de touches fournie en annexe.

Soulignons l'intérêt de la combinaison de touches **CTRL + ORIGINE** qui permet d'atteindre le début de la feuille quel que soit l'endroit où vous vous trouvez. Elle vous ramène toujours en A1.

La première feuille de calcul : saisie d'un texte et de nombres

Une petite feuille vous aidera à mieux comprendre le fonctionnement d'Excel. Il s'agit d'une comparaison entre prévisions et réalisations. Le temps que nous avons fixé pour l'apprentissage d'une leçon doit être comparé avec le temps que vous avez réellement passé.

La première feuille de calcul Excel

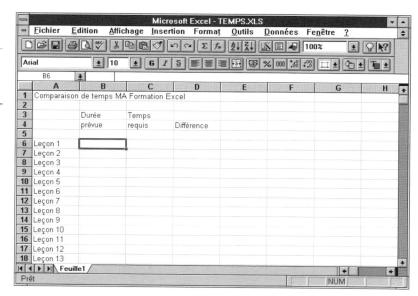

1 Cliquez sur la cellule A1 pour la marquer et tapez le texte "Comparaison de temps MA Formation Excel".

Vous constatez que le texte ne peut pas tenir entièrement dans une cellule. Il est trop long par rapport à la taille de la cellule. Peu importe puisqu'il se poursuit sur les cellules de droite.

2 L'entrée suivante doit s'effectuer en B3. Pour atteindre rapidement cette cellule, tapez deux fois **ENTREE** à la fin de l'entrée précédente - le curseur se trouve maintenant dans la ligne 3. Appuyez sur → pour atteindre la cellule voulue. Rien ne vous empêche de passer à cette cellule en cliquant avec la souris.

3 En B3, tapez le texte "Durée" et directement en dessous le texte "prévue". Appuyez sur **ENTREE** pour marquer aussi vite que possible la cellule B4.

Par défaut, le texte s'aligne sur le côté gauche de la cellule. Il est donc aligné automatiquement à gauche. C'est ce que vous avez sans doute remarqué.

4 Marquez la cellule C3 et entrez le texte "Temps" puis directement en dessous en C4 tapez "requis".

5 L'énumération des leçons commence en A6. Entrez "Leçon 1" en A6.

Exploitez ici une fonction très pratique d'Excel pour vous éviter d'avoir à taper péniblement au clavier les 16 leçons restantes. La bordure de la cellule A6 qui est marquée comporte en bas à droite un petit carré. C'est ce qu'on appelle la *poignée de recopie*.

La poignée de recopie

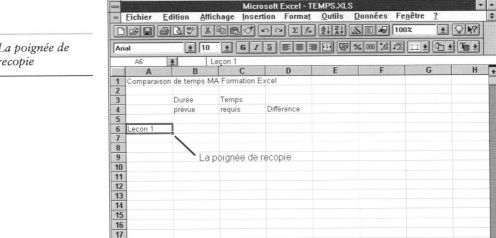

6 Cliquez sur la poignée de recopie et faites glisser le pointeur vers la cellule A22 tout en gardant le bouton gauche appuyé. Relâchez le bouton.

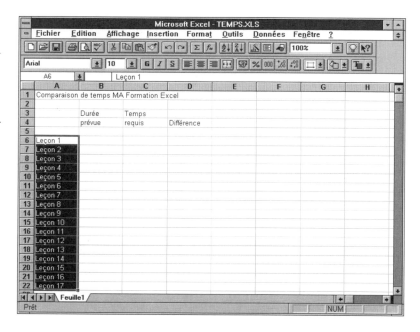

*Copie et
numérotation
automatique des
cellules A7-A22*

Excel a copié et numéroté automatiquement le contenu de la cellule. Vous voilà déchargé d'un lourd travail de frappe.

7 Passez à la cellule A24 et écrivez "Total".

8 Pour compléter maintenant le tableau avec les valeurs nécessaires, marquez B6 et tapez le chiffre 40.

A notre avis, il vous faudra environ 40 minutes pour étudier la première leçon.

 Vous avez remarqué quelque chose ? Par défaut, Excel aligne le texte à gauche et les nombres à droite.

9 Ajoutez les autres valeurs jusqu'à la leçon 17 comme suit :

Leçon 1	40		Leçon 10	30
Leçon 2	35		Leçon 11	30
Leçon 3	45		Leçon 12	30
Leçon 4	50		Leçon 13	40

Leçon 5	30	Leçon 14	60
Leçon 6	30	Leçon 15	50
Leçon 7	30	Leçon 16	60
Leçon 8	40	Leçon 17	30
Leçon 9	50		

Ajoutez par la suite en C6-C22 le temps que vous avez réellement passé.

Sélectionner une cellule

Sélectionner (on dit aussi *Marquer*) une cellule ou une plage de cellules est une tâche indispensable pour agir dans Excel. Pour mettre par exemple en gras une colonne comportant 20 valeurs, vous n'allez certainement pas formater chaque cellule une à une. Vous aimeriez plutôt éditer la plage entière en une seule fois. Vous devez marquer la plage concernée pour permettre à Excel d'identifier les cellules que vous voulez mettre en gras.

Sélection d'une plage de cellules

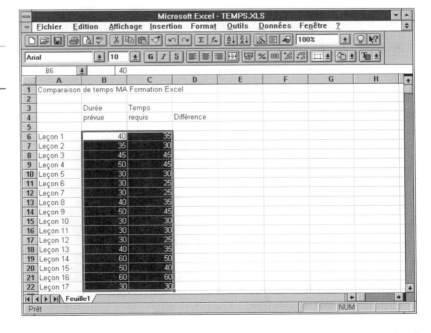

Il est également indispensable d'effectuer une sélection pour effectuer un calcul dans une feuille, par exemple pour additionner une colonne de nombres. Vous devez impérativement marquer la plage pour spécifier les nombres à additionner.

Avec la souris

La sélection peut être effectuée avec la souris ou le clavier. Exercez-vous comme suit :

1   Cliquez en B6 où doit commencer la sélection et gardez le bouton gauche appuyé.

2   Faites glisser le pointeur sur les cellules à marquer mais n'allez pas trop vite : déplacez lentement la souris sur la feuille jusqu'à la cellule C22. Vous avez déjà appliqué cette méthode dans l'exercice précédent.

Vous pouvez modifier la sélection à votre gré tant que le bouton gauche est appuyé. Déplacez le pointeur de part et d'autre pour voir comment se modifie la sélection.

3   Relâchez le bouton gauche une fois la plage marquée.

Ne relâchez pas la souris involontairement ni prématurément. Pour Excel, le relâchement du bouton signifie la fin de la sélection.

Effacez la sélection si la plage marquée n'est pas la bonne. Cliquez à cet effet en un endroit quelconque de la feuille. Recommencez le processus depuis le début.

Avec le clavier

Il est parfois plus facile de marquer une plage à l'aide du clavier. L'emploi de la souris nécessite sans conteste un peu d'expérience en la matière. Marquer une plage avec la souris s'avère difficile lorsque l'écran défile vers le bas dans les cas où la plage requise n'est pas entièrement visible sur l'écran.

Faites un test : Essayez de marquer une plage à partir de la dernière ligne de l'écran. Au début, vous avez l'impression que la souris agit lentement pour prendre tout à coup de la vitesse. Et 50 lignes sont déjà marquées sans même que vous vous soyez rendu compte de quoi que ce soit.

Procédez comme suit pour marquer une plage avec le clavier :

1 Cliquez dans la cellule où doit commencer la sélection.

2 Tapez la touche **MAJ** et gardez-la enfoncée. Lorsque vous cliquez dans une cellule avec **MAJ** appuyée, Excel transforme la plage concernée en une sélection.

3 Déplacez le curseur sur la feuille avec les touches de direction. Excel marque les cellules sur lesquelles passe le curseur.

Toutes les touches et combinaisons de touches déplaçant le curseur sont utilisables pour effectuer une sélection.

Comment annuler une sélection mal exécutée ? Comme précédemment, cliquez en un endroit quelconque de la feuille.

1 + 2 = 3 : addition

Revenons à notre exemple. Comment de temps vous faut-il consacrer pour étudier MA Formation Excel 5 ? Laissez donc Excel faire les calculs nécessaires. Marquez les cellules intervenant dans le calcul.

1 Cliquez en B6 et gardez le bouton gauche appuyé.

2 Tirez lentement le pointeur vers le bas. Etendez la sélection jusqu'en B24 où doit apparaître le total.

N'oubliez pas de marquer la cellule où doit apparaître le total. Excel inscrit toujours la somme dans la dernière cellule marquée. La plage marquée doit englober toutes les cellules à additionner et se terminer à la cellule devant accueillir le résultat.

3 Dans la barre d'outils *Standard*, cliquez sur l'icône *Somme automatique*. Excel génère une formule additionnant toutes les cellules marquées. Le résultat du calcul, c'est-à-dire la somme, est inscrit dans la dernière cellule. Vous devrez consacrer 680 minutes à MA Formation Excel 5.

Procédez de même pour calculer le total de la colonne B.

Enregistrer un classeur

Vous êtes en train d'arriver à la fin de la première leçon. Il est temps d'enregistrer le classeur contenant la feuille. Cliquez tout simplement sur l'icône adéquate.

1 Cliquez sur l'icône *Enregistrer* dans la barre d'outils Standard. Lorsque vous enregistrez un classeur pour la première fois, Excel vous demande de préciser le nom du classeur dans la boîte de dialogue **Enregistrer sous**.

*Boîte de dialogue
Enregistrer sous*

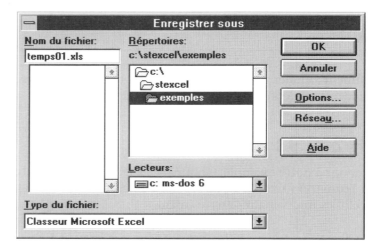

Le contenu de la zone de texte *Nom du fichier* est déjà sélectionné. C'est-à-dire que vous pouvez entrer le nom voulu.

2 Attribuez le nom TEMP01.XLS et choisissez le répertoire \STEXCEL\EXEM-PLES.

N'oubliez pas que le nom de fichier doit comporter au maximum huit caractères. Les lettres de l'alphabet, les chiffres ainsi que le trait d'union et le trait de soulignement sont admis. N'utilisez jamais d'espace ni de point.

3 Tapez **ENTREE** ou cliquez sur **OK** après avoir entré le nom. Le classeur est ainsi enregistré.

L'enregistrement du même classeur une deuxième fois se fait beaucoup plus vite par simple clic sur l'icône *Enregistrer*. Cette fois-ci, Excel n'ouvre plus la boîte de dialogue **Enregistrer sous**. Le sablier montre que l'ordinateur a besoin de quelques secondes pour enregistrer le fichier.

Des commandes de menu permettent également d'enregistrer un classeur. Utilisez **Fichier/Enregistrer sous...** *pour enregistrer un classeur pour la première fois. Comme décrit plus haut, Excel ouvre la boîte de dialogue vous invitant à préciser le nom du fichier. Par la suite, faites* **Fichier/Enregistrer** *pour enregistrer le même fichier.*

Fermer un classeur

En cas de besoin, mettez à contribution Excel pour ouvrir en même temps neuf classeurs. Mais c'est une solution à exclure. Habituez-vous à fermer un classeur dès que vous avez fini de travailler sur ce dernier.

-   Faites **Fichier/Fermer** ou tapez **CTRL + F4**.

Ouvrir un classeur

Vous pouvez ouvrir un classeur par simple clic ou en utilisant une icône ou une commande.

1   Cliquez sur l'icône *Ouvrir* dans la barre d'outils *Standard* ou faites **Fichier/Ouvrir**.

Excel ouvre une boîte de dialogue où vous devez cliquer sur le nom du fichier qui vous intéresse.

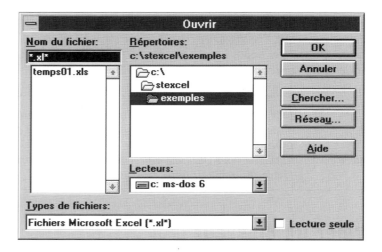

Boîte de dialogue Ouvrir

2   Indiquez le répertoire et cliquez sur le nom du fichier à ouvrir.

3   Tapez **ENTREE** ou cliquez sur **OK** pour valider l'action.

Vous irez plus vite en double-cliquant sur le nom du fichier. Le classeur choisi s'ouvrira immédiatement après.

Les quatre classeurs dernièrement utilisés sont toujours affichés au bas du menu **Fichier.** *Cliquez sur l'entrée voulue pour ouvrir le classeur correspondant.*

Quitter Excel

Après avoir achevé votre travail sous Excel, ne vous hâtez surtout pas d'éteindre l'ordinateur. Vous devez auparavant quitter Excel en bonne et due forme via **Fichier/Quitter.**

Avant de prendre congé, Excel vous demande d'enregistrer les modifications dernièrement effectuées si vous avez oublié de le faire.

Message de sécurité avant la prise de congé d'Excel

Oui   Cliquez sur **Oui** pour enregistrer le classeur et quitter Excel.

Non   Cliquez sur **Non** pour quitter Excel sans enregistrer les modifications.

Annuler   Cliquez sur **Annuler** si vous changez d'avis. Excel reste en activité et vous pouvez continuer à éditer le classeur en cours.

Vous retournez au *Gestionnaire de programmes* de Windows après avoir quitté Excel.

Résumé

Vous voulez...	Sélectionnez...	Icône/Clavier
démarrer Excel	le groupe dans le Gestionnaire de programmes et double-cliquez sur l'icône Excel	
calculer une somme	la plage et cliquez sur l'icône *Somme automatique*	Σ
enregistrer un classeur pour la première fois	**Fichier/Enregistrer sous**	
enregistrer de nouveau un classeur	**Fichier/Enregistrer**	ou **CTRL + S**
fermer un classeur	**Fichier/Fermer**	**CTRL + F4**
ouvrir un classeur	**Fichier/Ouvrir**	ou **CTRL + O**
Créer un nouveau classeur	**Fichier/Nouveau**	ou **CTRL + N**
quitter Excel	**Fichier/Quitter**	**ALT + F4**

Contrôle des connaissances

QUESTIONS

1. **Horizontalement**   Ce menu contient la commande permettant de quitter Excel.

2. **Horizontalement**   Un ... contient par défaut 16 feuilles.

3. **Horizontalement**   Situés au bas de l'écran, ils permettent de commuter entre les feuilles d'un classeur.

4. **Horizontalement**   Nom de la barre d'outils contenant par exemple les icônes *Somme automatique*, *Ouvrir* ou *Enregistrer*.

2. **Verticalement**   Elle se trouve sous la barre de titre et contient des entrées telles que **Fichier, Edition,** etc.

3. **Verticalement**   Nom du petit carré situé en bas à droite d'une cellule marquée.

MOT MYSTÉRIEUX

1. **Verticalement**   Point d'intersection entre une ligne et une colonne.

Leçon 2 :
Eléments du programme

35 min

Il est indispensable d'acquérir quelques notions théoriques pour exploiter intelligemment un programme. Et c'est la raison pour laquelle ce chapitre décrit les menus et leur mode d'emploi, les menus contextuels et les barres d'outils, les boîtes de dialogue et les boutons.

A l'issue de cette leçon vous saurez...

- activer un menu,
- manipuler une boîte de dialogue,
- utiliser des menus contextuels,
- composer des barres d'outils,
- appeler l'aide,
- recourir à l'Assistant Conseil.

Les commandes et options d'Excel sont incluses dans des menus. La question que les utilisateurs se posent malheureusement très souvent est de savoir où se cachent ces fameuses commandes. Excel fournit à juste titre d'autres méthodes, en plus des menus, pour exécuter une commande :

- les barres d'outils,
- les menus contextuels,
- les combinaisons de touches.

Il est révolu le temps où les programmes obligeaient à choisir une méthode spécifique pour atteindre le but visé. Il existe désormais plusieurs solutions pour accomplir une tâche donnée. Au départ, la foule d'informations tend à dérouter l'utilisateur. Mais très vite, il arrive à discerner les avantages dès qu'il commence à se familiariser au programme. Chaque utilisateur choisit librement la méthode qui lui convient.

Un conseil au passage : Informez-vous sur les méthodes fournies par Excel et choisissez celle qui vous semble la mieux adaptée à votre cas.

Les menus d'Excel

A l'image de n'importe quel programme Windows, les menus d'Excel se trouvent en haut de l'écran dans la barre de menus. Dès que vous cliquez sur une entrée de menu, vous obtenez immédiatement en dessous un menu déroulant (ce qui est typique sous Windows) montrant d'autres commandes et options.

Un menu
déroulant

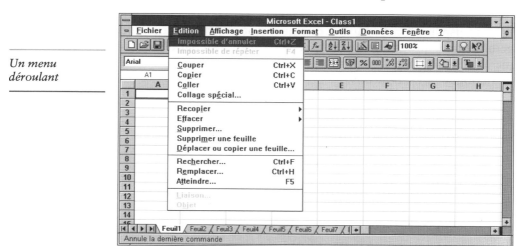

Sélectionner une commande

Certaines commandes de menu sont suivies d'une petite flèche vers la droite. Cette flèche indique que la commande renferme un sous-menu qui se déroule dès que la commande est cliquée. C'est par exemple le cas de **Edition/Effacer.**

D'autres commandes sont suivies de trois petits points pour signaler l'ouverture d'une boîte de dialogue aussitôt après l'activation de la commande. Tel est le cas de la commande **Edition/Supprimer.**

D'autres commandes quant à elles ne comportent aucune extension. Ces commandes telles que **Copier** et **Coller** sont exécutées immédiatement sans attendre des indications complémentaires.

Voici un aperçu des principaux menus :

Fichier

Les principales commandes de ce fichier sont représentées par **Enregistrer, Ouvrir** et **Imprimer.**

Edition

Comme l'indique déjà son nom, les commandes du menu **Edition** servent à éditer la feuille de calcul. Il renferme des commandes telles que **Copier, Effacer** et **Supprimer** ainsi que **Annuler** qui annule la dernière action.

Affichage

Utilisez ce menu pour définir la taille de l'affichage ou le facteur d'agrandissement de la feuille.

Insertion

Ajoutez des lignes et colonnes dans la feuille ou des feuilles dans le classeur à l'aide de ce menu.

Format

Les commandes de ce menu permettent de mettre en forme la feuille de calcul. La police, la bordure, l'alignement ainsi que l'affichage des nombres se définit par exemple via la commande **Format/Cellule.**

Outils

Ce menu contient des fonctions spéciales telles que la vérification orthographique ainsi que des modules tels que le Solveur.

Données

Excel est équipé d'une base de données dont les commandes sont disponibles dans le menu **Données.** La commande **Trier** est incluse également dans ce menu.

Fenêtre

Excel permet d'ouvrir en même temps plusieurs classeurs. Utilisez le menu **Fenêtre** pour changer de classeur

?

Derrière le point d'interrogation se cache l'aide d'Excel.

Activation d'un menu

Comme dans la plupart des programmes Windows, la souris est l'élément qui permet d'activer un menu le plus confortablement que possible.

1   Placez le pointeur sur le menu, tel que **Fichier**, et cliquez sur le bouton gauche.

2   Adoptez la même démarche dans le menu déroulant : placez le pointeur sur l'entrée voulue et cliquez sur le bouton gauche.

3   Si vous venez d'appeler un menu dont vous n'en avez pas encore besoin, cliquez en un endroit quelconque de la feuille.

Ce procédé ne fonctionne que si le menu est encore déroulé. Un clic dans la feuille ne produit plus le résultat escompté dès lors qu'une boîte de dialogue est ouverte.

Communiquer avec Excel : les boîtes de dialogue

En règle générale, vous choisissez, dans un menu, la commande dont vous avez besoin. Mais cette sélection ne suffit pas en soi. Excel nécessite des indications complémentaires pour exécuter correctement la commande. Ces renseignements sont demandés dans ce qu'on appelle une *boîte de dialogue*.

Les commandes sont conçues de telle sorte que vous avez très peu de données à entrer et beaucoup d'options à activer par un clic.

Le mieux est que vous vous en rendiez compte vous-même. Prenons par exemple la commande **Format/Cellule** pour décrire le fonctionnement d'une boîte de dialogue.

-    Faites **Format/Cellule** et vous obtenez la boîte de dialogue suivante :

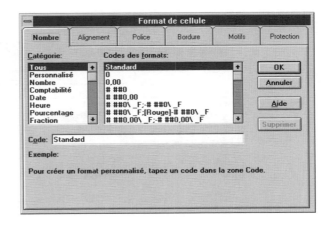

Boîte de dialogue
Format de cellule

La commande que vous venez d'appeler peut être exécutée avec les paramètres par défaut ou annulée sans qu'elle effectue une quelconque modification dans la feuille. Toutes les boîtes de dialogue Excel sont toujours équipées de deux boutons pour répondre à ces prérogatives :

- cliquez sur **OK** ou tapez **ENTREE** pour exécuter une commande,

- cliquez sur **Annuler** ou tapez **ECHAP** pour ignorer la commande.

Onglet

L'onglet est une innovation de Microsoft. Il renferme plusieurs fonctions se rapportant au même sujet. Elles sont regroupées dans une commande. La boîte de dialogue **Format/Cellule** contient par exemple six onglets : **Nombre, Alignement, Police, Bordure, Motifs** et **Protection.**

Les onglets ont l'avantage de présenter de façon concise les innombrables fonctions du programme. En une seule fois, les onglets permettent d'exécuter des commandes absolument différentes. L'onglet **Police** permet, par exemple, de changer la police et d'affecter un style et des attributs aux cellules, le tout en une seule opération.

Utilisez la souris pour passer d'un onglet à l'autre.

Zone de liste

Une zone de liste apparaît toujours quand Excel propose davantage d'options que ne peut en afficher l'écran. Quand il devient impossible de répertorier ensemble les multiples options, ces dernières sont alors réunies dans une zone de liste.

Les zones de liste Police, Style et Taille

Exemple de zones de liste

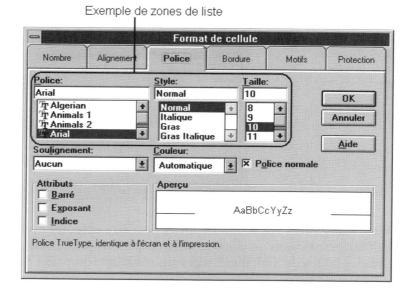

L'onglet **Police** contient par exemple des zones de liste déjà ouvertes : *Police*, *Style* et *Taille*. Les barres de défilement permettent de consulter les entrées.

Soulignement et *Couleur* sont aussi des zones de liste mais elles ne sont pas déroulées. Microsoft considère que ces options sont peu utilisées.

Pour activer une zone de liste, cliquez sur la petite flèche située à droite du champ. Cliquez ensuite sur l'entrée voulue pour l'activer.

Case à cocher

Dans une boîte de dialogue, les cases à cocher offrent le choix entre plusieurs fonctions qui peuvent être combinées. Dans l'onglet **Police**, les cases à cocher figurent dans la rubrique *Attributs* sous les noms *Barré*, *Exposant* et *Indice*.

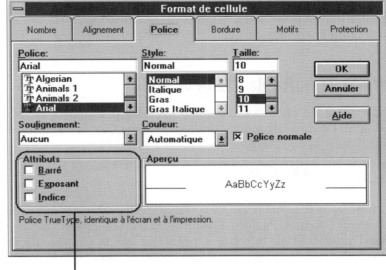

Cases à cocher de la rubrique Attributs

Exemple de cases à cocher

Une croix dans la case à cocher signifie que la fonction est activée. Cliquez avec la souris dans la case pour activer ou désactiver l'option.

Case d'options

Une case d'options correspond toujours à un SOIT-SOIT. Vous devez choisir entre l'une des valeurs proposées. Prenez l'onglet **Alignement**. Vous y apercevez de nombreuses cases d'options pour les deux fonctions *Horizontal* et *Vertical*.

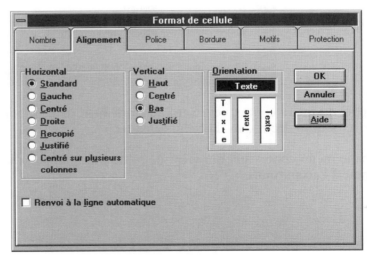

Cases d'options sous Horizontal dans l'onglet Alignement

Une seule option est activable parmi les options proposées. L'option activée est signalée par un point noir. Cliquez sur la case d'options pour activer ou désactiver la fonction correspondante.

Fermer la boîte de dialogue

Vous venez de faire connaissance avec les principaux éléments d'une boîte de dialogue. Fermez la boîte de dialogue **Format/Cellule** en cliquant sur **Annuler**.

Menu contextuel

Comme vous le savez déjà, les commandes ne sont pas activables uniquement par le biais des menus. Parfois, il est plus rapide de passer par les menus contextuels dont l'activation se fait par simple clic sur le bouton droit de la souris. Les principales commandes intervenant dans l'édition ou la réalisation des feuilles sont incluses dans ces menus contextuels.

Menu contextuel de la feuille de calcul

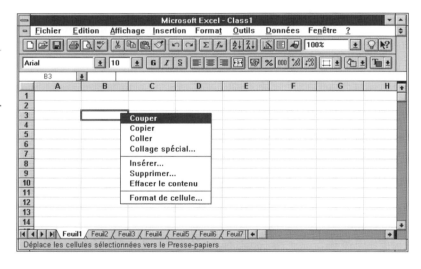

L'appel du menu contextuel relatif au traitement de la feuille se fait en cliquant, avec le bouton droit, dans la cellule à éditer.

Dans le menu contextuel qui vient de se dérouler, appelez la commande voulue comme à l'accoutumée.

Le procédé reste inchangé lorsqu'il s'agit de modifier une plage de cellules.

1   Marquez la plage.

2   Amenez le pointeur dans la sélection et cliquez sur le bouton droit.

Le menu contextuel apparaît et il ne vous reste plus qu'à exécuter les commandes nécessaires.

Excel dispose en outre d'un menu contextuel spécial renfermant les principales commandes du menu **Fichier**.

1   Amenez le pointeur vers la barre de menus et vérifiez qu'il se trouve exactement dans la barre de menus et non dans la barre d'outils.

2   Cliquez sur le bouton droit. Le menu qui se déroule affiche, entre autres, les commandes **Enregistrer, Enregistrer sous, Imprimer** et **Zoom**.

Cliquez de part et d'autre avec le bouton droit pour consulter les divers menus contextuels fournis par Excel.

Barres d'outils

Jamais deux sans trois. Excel ne fait pas exception à cette règle. Hormis la barre de menus et les menus contextuels, les barres d'outils permettent elles aussi d'appeler une commande.

En principe, les barres d'outils sont affichées en haut de l'écran sous la barre de menus. Elles représentent la solution la plus rapide pour exécuter une commande.

La barre d'outils Standard

La barre d'outils Format

A première vue, les barres d'outils semblent embarrassantes. Quelles commandes peuvent bien se dissimuler derrière les symboles ? Même si les icônes sont dessinées avec grand soin, il n'en reste pas moins que l'utilisateur nécessite quelques indications pour cerner leur fonctionnalité.

Les développeurs de Microsoft ont à juste titre découvert une solution pratique et efficace pour contourner ce désagrément : placez le pointeur quelques instants sur une icône pour voir apparaître une sorte d'étiquette Post-it donnant une information succincte sur l'icône concernée. Ce petit message affiché sous l'icône est désigné par *Info-bulle*.

En plus des deux barres d'outils *Standard* et *Format* communément utilisées, Excel dispose de sept barres d'outils supplémentaires.

Placez le pointeur de la souris sur l'une des barres d'outils et cliquez sur le bouton droit. Vous obtenez le menu contextuel listant les diverses barres d'outils Excel.

Menu contextuel pour la sélection des barres d'outils

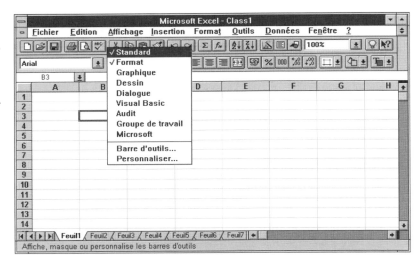

Une coche à gauche du nom de la barre d'outils indique que cette dernière est activée. Par défaut, il s'agit des barres d'outils *Standard* et *Format*. Pour afficher une autre barre d'outils, cliquez sur le nom correspondant.

Les autres barres d'outils - à l'exception de *Groupe de travail* - sont affichées comme une sorte de champ sur la feuille de calcul. Pour déplacer une telle barre d'outils, cliquez dans sa barre de titre de couleur bleue et déplacez l'ensemble avec le bouton gauche appuyé.

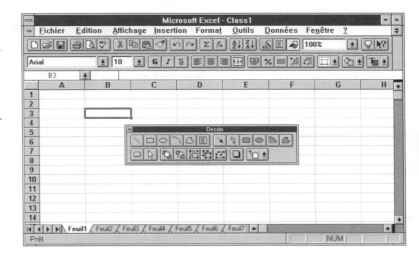

Barre d'outils Dessin affichée sur la feuille de calcul

Vous avez déplacé la barre d'outils beaucoup trop loin presque à la limite du bord supérieur de l'écran ? Celle-ci perd son aspect de champ pour se transformer en une véritable barre d'outils. Mais vous pouvez toujours lui redonner son aspect initial.

Cliquez avec le bouton gauche entre deux icônes de la barre d'outils et gardez le bouton appuyé. La barre d'outils se voit entourée d'un cadre pointillé. Tirez la barre d'outils vers la feuille toujours avec le bouton gauche appuyé. La barre d'outils reprend son aspect antérieur.

Pour désactiver une barre d'outils située sur la feuille de calcul, cliquez sur la case de fermeture située en haut à gauche dans la barre de titre.

Pour désactiver une barre d'outils située sous la barre de menus, cliquez avec le bouton droit dans une barre d'outils puis décocher la barre d'outils concernée dans le menu contextuel.

Faites **Affichage/Barre d'outils** *pour visualiser les barres d'outils que vous avez désactivées par mégarde.*

---

1   Cliquez sur **Affichage/Barre d'outils**. Toutes les barres d'outils Excel sont répertoriées dans la boîte de dialogue qui s'ouvre.

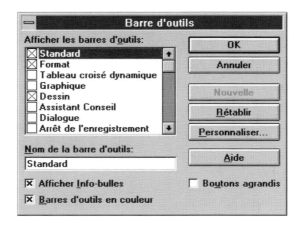

Boîte de dialogue
Barre d'outils

2 Cochez la case de la barre d'outils ou des barres d'outils qui vous intéressent.

Fonction d'aide : pour avancer avec prudence

L'aide d'Excel est un fichier riche et bien structuré renvoyant des informations détaillées sur les fonctions et commandes. C'est une aide en ligne c'est-à-dire que les informations renvoyées concernent la fonction que vous êtes en train de manipuler :

- vous obtenez des informations sur le menu que vous avez marqué,

- vous obtenez des informations sur les commandes disponibles dans la boîte de dialogue que vous avez ouverte,

- vous obtenez l'index de l'aide si vous avez marqué une cellule.

Les méthodes fournies par Excel pour appeler l'aide sont nombreuses. En voici un aperçu.

Touche de fonction F1

Appuyez sur F1 chaque fois que vous vous dites que vous aimeriez bien avoir des explications sur cette fonction ou bien parce que vous êtes curieux de savoir ce qui pourrait bien se passer à cet endroit du programme.

Excel dévoile l'aide concernant le sujet spécifié. Les informations renvoyées dépendent de la fonction que vous êtes en train d'utiliser.

Index de l'aide

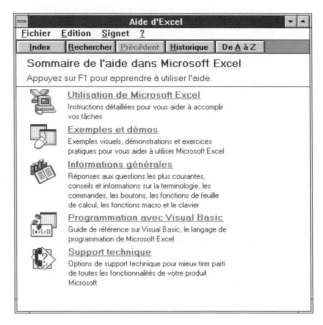

1   Cliquez dans une cellule de la feuille.

2   Tapez **F1**. Excel affiche l'extrait illustré par la figure précédente. Cinq sujets principaux sont disponibles.

3   Cliquez sur le sujet *Utilisation de Microsoft Excel* pour obtenir des informations complémentaires.

4   Cliquez encore une fois sur le sujet qui vous tient à coeur, par exemple *Notions de base*.

Excel affiche les informations selon les sujets que vous choisissez. En fin de compte, vous obtenez toujours une fenêtre d'informations.

L'index donne une idée globale de tous les sujets évoqués dans l'aide. D'autres méthodes permettent en revanche d'atteindre rapidement les informations voulues.

5   Fermez l'aide en double-cliquant sur la case du menu **Système** ou via **Fichier/Quitter**.

Icône Aide de la barre d'outils

Procédez comme suit pour obtenir une aide spécifique sur une commande ou une icône de barre d'outils :

1   Cliquez sur l'icône *Aide* dans la barre d'outils *Standard*. Le pointeur prend la forme d'un point d'interrogation muni d'une flèche. Continuez ensuite comme si vous vouliez exécuter une commande.

2   Cliquez, par exemple, sur **Format/Colonne/Masquer**. Excel affiche l'aide correspondante dans une fenêtre.

3   Fermez la fenêtre d'aide en double cliquant sur la case du menu **Système** car il existe d'autres méthodes pour appeler l'aide.

Bouton Aide de la boîte de dialogue

Toutes les boîtes de dialogue Excel contiennent un bouton **Aide**. Cliquez sur ce bouton pour obtenir des informations complémentaires sur la commande que vous avez appelée.

Recherche d'un sujet dans l'aide

Une autre méthode permettant d'obtenir de l'aide consiste à effectuer une recherche au moyen des mots-clés.

1   Activez l'aide puis cliquez sur le bouton **Rechercher** en haut de l'écran. Excel ouvre la boîte de dialogue correspondante.

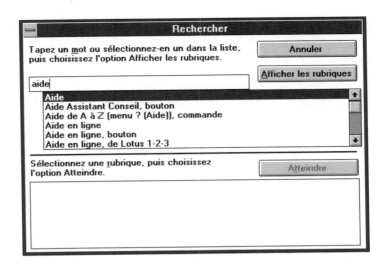

Boîte de dialogue
Rechercher

2 Dans la zone de texte où se trouve déjà le curseur, entrez le mot-clé sur lequel vous voulez obtenir de l'aide. Dans cet exemple, le mot choisi est "aide" pour obtenir des indications plus précises sur le fonctionnement de la fonction d'aide.

Dès que vous commencez à taper le mot-clé, Excel affiche en bas les notions qui s'y rapportent. Ces dernières agissent comme des têtes de chapitres dont les sujets spécifiques sont affichés dans la liste du bas. Utilisez la barre de défilement pour consulter la liste.

Après avoir trouvé le mot-clé qui vous intéresse, double-cliquez sur l'entrée concernée pour lister les sujets correspondants. Vous pouvez également cliquer sur le sujet voulu puis sur **Afficher les rubriques.**

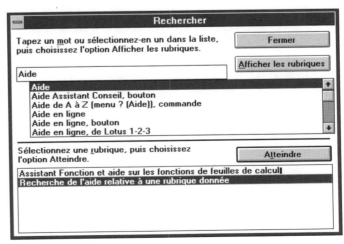

Cliquez sur le
mot-clé souhaité

Les sujets relatifs au mot-clé choisi sont listés dans la liste du bas. Double-cliquez sur une entrée pour afficher le texte d'aide correspondant. Sinon marquez l'entrée et cliquez sur **Atteindre.**

Quitter l'aide

Deux méthodes permettent de quitter l'aide :

1   Faites **Fichier/Quitter** dans la barre de menus de l'aide. Excel ferme la fenêtre de l'aide et vous ramène dans la feuille de calcul.

2   Pour aller plus vite, double-cliquez sur la case du menu **Système** de la fenêtre de l'aide. Le menu **Système** est représenté par le petit trait horizontal situé en haut à gauche dans la barre de titre de la fenêtre de l'aide.

Fenêtre de l'aide

Le texte d'aide reste affiché en permanence dans une fenêtre indépendante. Parfois, il s'étale sur plusieurs pages. Utilisez la barre de défilement pour changer de volet.

Certains mots sont mis en évidence dans le texte d'aide. Ils renvoient à d'autres explications complémentaires.

1   Cliquez sur l'icône *Aide* dans la barre d'outils *Standard*.

2   Cliquez sur l'icône *Enregistrer*. Excel ouvre la page d'aide correspondante.

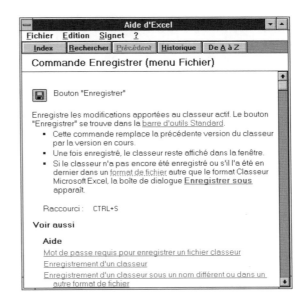

Texte d'aide concernant la commande Enregistrer

Tout au début du texte se trouve un renvoi à un autre sujet notamment à la barre d'outils *Standard*. Un renvoi est affiché dans une couleur différente et il est souligné.

3 Cliquez sur le renvoi. Excel affiche le sujet choisi.

Ce qui est pratique dans ce contexte c'est que l'aide permet de revenir directement au sujet dernièrement consulté.

4 Cliquez sur **Précédent** en haut de la fenêtre d'aide.

Les explications de l'aide s'étalent en général sur plusieurs pages. Vous pouvez imprimer le texte au lieu de le lire à l'écran. Faites dans ce cas **Fichier/Imprimer.**

Assistant Conseil

L'aide d'Excel est enrichie de multiples conseils fort intéressants. Prenez quelques instants pour parcourir les trucs et astuces fournis par l'Assistant Conseil.

Il n'est pas toujours indispensable de lire de longues pages d'explications pour sortir d'une impasse. Parfois un petit conseil de deux lignes permet d'élucider rapidement le problème. Et c'est dans ce sens que vous êtes soutenu par l'Assistant Conseil. Notez que l'ampoule jaune s'illumine dans la barre d'outils dès qu'Excel vous invite à suivre le conseil qu'il a concocté pour vous.

Voici un exemple explicitant le fonctionnement de l'Assistant Conseil :

1 Faites **Format/Cellule/Police**. Confirmez par **OK** la boîte de dialogue sans rien y changer.

L'ampoule jaune brille maintenant dans la barre d'outils *Standard*. Elle signale qu'Excel a préparé pour vous un petit conseil.

2 Cliquez sur l'icône *Assistant Conseil*. Un texte d'une ou de deux lignes s'affiche sous les barres d'outils. Ce texte donne brièvement un conseil se rapportant à la situation dans laquelle vous vous trouvez en ce moment précis.

Conseil Excel pour formater des cellules

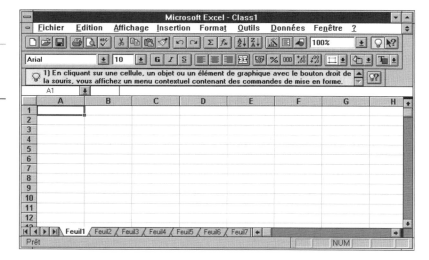

Vous pouvez affiner davantage votre curiosité.

3 Cliquez sur l'icône *Aide Assistant Conseil* située à droite de l'astuce du jour.

Excel ouvre le texte d'aide complet concernant le sujet choisi.

4 Consultez et fermez l'aide comme décrit précédemment.

5 Quittez l'Assistant Conseil en cliquant sur l'ampoule dans la barre d'outils *Standard*.

L'ampoule de l'Assistant Conseil se remettra à briller dès qu'Excel aura une astuce à vous proposer.

Les conseils donnés au cours d'une session de travail peuvent être consultés à tout moment dans la fenêtre de l'Assistant à l'aide des boutons de navigation.

Résumé

Vous voulez...	Sélectionnez...	Icône/Clavier
confirmer une boîte de dialogue	le bouton **OK**	ENTREE
annuler une boîte de dialogue	le bouton **Annuler**	ECHAP
afficher/masquer une barre d'outils	**Affichage/Barre d'outils**	cliquez dans une barre d'outils avec le bouton droit
appeler l'aide	menu **?**	F1
rechercher un sujet dans l'aide	bouton **Rechercher** dans la fenêtre de l'aide	
activer l'Assistant Conseil		
des informations complémentaires sur une astuce du jour		

Contrôle des connaissances

QUESTIONS

1. **Horizontalement**   Ce menu permet de choisir un mode d'affichage.

2. **Horizontalement**   Excel est équipé d'une ... riche et variée permettant d'obtenir à tout moment des informations sur les commandes et fonctions.

3. **Horizontalement**   La petite flèche située à côté de certains noms de commandes indique que l'activation de cette commande ouvrira un ....

4. **Horizontalement**   Ce menu contient des fonctions spéciales comme par exemple le vérificateur orthographique, les modules complémentaires ou le Solveur.

2. **Verticalement**   Troisième méthode pour activer une commande en plus du menu principal et du menu contextuel.

3. **Verticalement**   Il regroupe des options appartenant au même thème sous la même commande. Il en existe six de ce genre dans la boîte de dialogue **Format/Cellule**.

MOT MYSTÉRIEUX

1. **Verticalement**   Ce symbole s'éclaire lorsque Excel veut montrer qu'il existe une solution plus élégante à votre situation.

Leçon 3 : Construction d'une feuille de calcul

45 min

Après avoir pris connaissance des notions de base du programme, il est temps de passer maintenant à une étude plus concrète. Comment construire une feuille de calcul ? Quelles sont les précautions à prendre pour entrer des données ? Comment effectuer des corrections ? La feuille de calcul que vous allez créer dans cette leçon vous servira dans la suite de votre apprentissage.

A l'issue de cette leçon vous saurez...

-   créer une feuille de calcul dans Excel,
-   entrer des textes et des nombres,
-   corriger les saisies,
-   effacer des textes et des nombres,
-   modifier la largeur des colonnes,
-   ajouter des lignes ou des colonnes.

Soigner la planification de la feuille de calcul

Le but visé est bien sûr d'apprendre à concevoir une feuille de calcul. Mais si vous avez déjà une idée précise de ce que vous voulez calculer, il ne reste plus ensuite qu'à transposer cette idée dans Excel.

Avant d'entrer des données dans une feuille de calcul, dessinez l'ébauche de votre future feuille sur un morceau de papier. Combien de colonnes vous faudra-t-il ? Quels intitulés donnerez-vous aux lignes ? Représentez les lignes et colonnes par des traits, utilisez des abréviations pour désigner les en-têtes de lignes et colonnes.

Le schéma du tableau esquissé sur le papier ne peut en aucun cas reproduire la feuille de calcul définitive. Le travail requis serait trop fastidieux. Donnez tout simplement la structure globale du tableau tel que vous l'imaginez. Bien souvent on s'aperçoit par la suite qu'il faudrait déplacer tel ou tel élément. Et il vaut mieux se rendre compte de ses erreurs dès le début de l'opération avant d'avoir investi beaucoup de temps et d'efforts pour rien.

Le fait d'avoir planifié dès à l'avance la future feuille de calcul ne présente que des avantages. Et c'est ce que vous découvrirez au cours de cette leçon.

Il s'agit ici d'évaluer les coûts d'achat d'une voiture neuve. Il faut tenir compte du prix des voitures, des remises, de la valeur de l'ancienne voiture, etc. Tous ces critères seront inscrits au fur et à mesure dans des lignes. Sachant qu'un acheteur avisé voudra comparer les prix pratiqués par les concurrents, il faut bien entendu spécifier les noms des concessionnaires dans des colonnes adjacentes.

Saisir des textes et nombres

Vous apercevez à l'écran une feuille vierge ? Si tel n'est pas le cas, fermez le fichier en cours via **Fichier/Fermer**.

1 Cliquez sur *Nouveau classeur* dans la barre d'outils *Standard* pour ouvrir créer un nouveau classeur.

2 Cliquez en A1 et tapez le texte "Calcul des coûts". L'entrée apparaît aussitôt dans la barre de formule en haut de l'écran ainsi que dans la cellule en cours.

L'entrée s'inscrit dans la cellule où se trouve le curseur

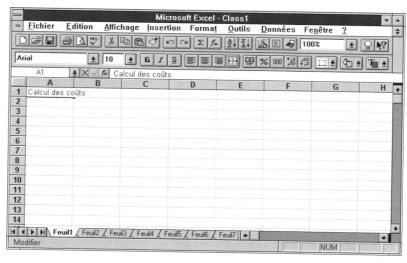

3 Tapez **ENTREE** pour passer en A2. Tapez ici le texte "Voiture neuve". Le texte est aligné à gauche c'est-à-dire qu'il commence au bord gauche de la cellule.

Tapez **RETOUR ARRIERE** *pour corriger une faute de frappe.*

Un texte ne tient pas toujours entièrement dans une seule cellule. Si un mot est trop long, il se poursuit dans la cellule voisine celle de droite. C'est ainsi que le texte inscrit en A1 va au-delà des limites de cette cellule pour se terminer en B1. Si vous effectuez une entrée en B1, le texte débordant de A1 sera tronqué.

Même si le texte est tronqué, évitez d'ajouter des colonnes vides dans la feuille. Ces dernières gênent le bon déroulement des calculs et il devient difficile de s'orienter dans la feuille. La boîte de dialogue **Largeur de colonne** fournit un procédé facile pour augmenter la largeur d'une colonne.

Appuyez sur **ECHAP** pour effacer les entrées que vous venez d'effectuer surtout si elles sont placées dans une cellule inadéquate.

4 Entrez le reste du texte dans la colonne A conformément à la liste ci-dessous. Pour vous faciliter la tâche, tapez le texte puis appuyez une ou plusieurs fois sur **ENTREE** pour atteindre la cellule suivante. Sinon, cliquez dans la cellule concernée si vous préférez travailler avec la souris.

Cellule	Texte
A5	Prix
A7	Options
A8	ABS
A9	Airbag
A10	Climatisation
A11	Peinture métallisée
A13	Reste
A14	Remise
A15	en %
A16	en F
A18	Acompte
A20	Restant dû

3

5 Précisez maintenant les titres de colonnes comme suit :

Cellule	Texte
B4	Alpha Auto
C4	Maison Renod
D4	Car Spécial
E4	Aux belles voitures
F4	Forum auto

Texte entré dans la feuille de calcul

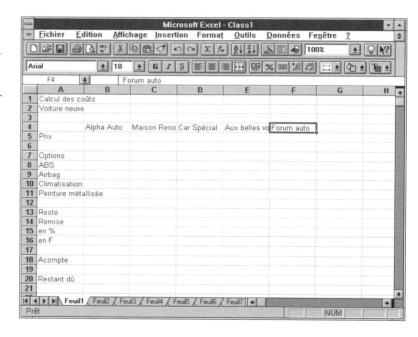

Ne vous affolez pas à la vue un peu chaotique de la feuille de calcul. Il est impossible de lire un intitulé en entier, le texte chevauche ou bien il est tronqué. Patience s'il vous plaît ! Une fois les nombres entrés, vous apprendrez bientôt à modifier la largeur des colonnes et la lacune sera surmontée.

Entrez les valeurs numériques en vous inspirant de la figure suivante.

Nombres à saisir

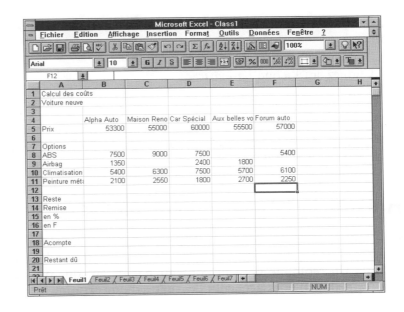

1   Cliquez en B5 et tapez 53300. Le mieux est de procéder colonne par colonne en tapant au fur et mesure **ENTREE** pour changer de cellule.

2   Avec la souris, cliquez dans la colonne suivante puis entrez la valeur.

Quelques conseils relatifs à la saisie des nombres :

- les nombres sont alignés par défaut à droite,

- les nombres décimaux sont séparés par une virgule (45,75),

- les zéros après la virgule sont masqués par défaut. Excel remplace 9,00 par 9 dans la feuille. Il est inutile de taper les zéros après la virgule car ils ne changent en rien le nombre. En cas de besoin, vous pouvez demander leur affichage à l'aide d'un format numérique,

- entrez seulement les chiffres, la virgule et éventuellement le signe moins pour les nombres négatifs (-35,7),

- le trait d'union (hormis pour les nombres négatifs) ou tout autre caractère est systématiquement rejeté. L'écriture "10,--" est absolument interdite par Excel. Excel interprète ce type d'entrée comme un texte et non comme un nombre. Excel ne peut en aucun cas calculer avec un texte. Autrement dit, l'entrée "10,--" sera tout simplement ignorée et ne sera pas prise en compte dans le calcul.

Par mesure de sécurité, enregistrez la feuille de calcul après avoir entré toutes les données.

1   Cliquez sur l'icône *Enregistrer*.

2   Dans la boîte de dialogue **Enregistrer sous,** attribuez un nom explicite à la feuille tel que AUTO01.XLS. Choisissez le répertoire \STEXCEL\EXEMPLES. Confirmez par **OK**.

Ajuster la largeur d'une colonne

La feuille de calcul présente un aspect complètement différent de ce à quoi on pourrait s'attendre. Ce désagrément est dû à la largeur des colonnes qui est trop réduite. Une colonne ne peut contenir par défaut que dix caractères ce qui est relativement peu pour accueillir des textes d'une certaine longueur. Et c'est à juste titre qu'Excel permet d'augmenter la largeur des colonnes de différentes manières :

-   avec la souris,

-   ou automatiquement.

Largeur de colonne optimale

Voici la marche à suivre pour ajuster automatiquement la largeur d'une colonne :

1   Marquez la colonne A contenant le texte. Pour marquer la colonne entière, cliquez dans l'en-tête de colonne sur la lettre A.

2   Faites **Format/Colonne/Ajustement automatique**. La commande s'exécute immédiatement sans qu'il soit nécessaire de confirmer l'action. Excel ajuste la largeur de telle sorte que tous les textes soient visibles.

*Ajustement
automatique de
la colonne A*

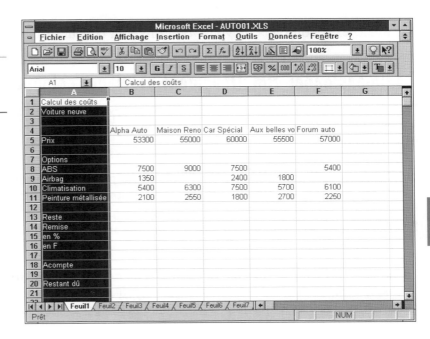

Excel s'oriente par rapport à la plus longue cellule de la plage marquée.

Avant d'exécuter la commande **Ajustement automatique**, *marquez toujours toutes les cellules de la colonne à ajuster en cliquant sur la lettre de colonne dans l'en-tête. Vous avez ainsi la garantie que la colonne sera ajustée par rapport à la plus longue cellule.*

Modifier la largeur de colonne avec la souris

Ajuster une colonne avec la souris ne pose aucune difficulté.

1 Placez le pointeur sur l'en-tête de colonne. Les colonnes sont délimitées par un trait vertical.

2 Cliquez sur le trait vertical de droite et gardez le bouton gauche appuyé.

Le pointeur prend la forme d'un trait vertical coupé par un trait horizontal fléché à gauche et à droite.

3 Modifiez la largeur de colonne en tirant le pointeur vers la gauche ou la droite avec le bouton gauche appuyé. Une ligne pointillée suit votre mouvement.

4   Relâchez le bouton là où vous voulez fixer la largeur de colonne.

Redimensionner simultanément plusieurs colonnes

Parfois il s'avère nécessaire de travailler sur des colonnes adjacentes de même largeur. Contentez-vous de marquer les colonnes concernées pour arriver à cette fin.

1   Cliquez sur la lettre de la première colonne, gardez le bouton gauche appuyé et faites glisser le pointeur sur toutes les colonnes à marquer.

2   Lorsque vous changez la largeur de colonne avec la souris, toutes les colonnes marquées obtiennent la même largeur.

Le tableau présente d'ores et déjà un meilleur aspect une fois les colonnes réajustées. Mais il est encore difficile d'affirmer que c'est un tableau clair et concis. Armez-vous de patience jusqu'à la leçon 6 où vous apprendrez à améliorer l'aspect esthétique d'une feuille de calcul.

Modifier le contenu d'une cellule

Il est toujours possible de modifier ultérieurement le contenu d'une cellule. Vous n'êtes jamais obligé de redéfinir entièrement le texte ou la formule d'une cellule car Excel permet de corriger avec précision une faute de frappe qui a pu se glisser lors de votre saisie.

Vous voulez, par exemple, remplacer le texte "Peinture métallisée" par "Peinture spéciale" en A11.

1   Cliquez en A11.

2   Placez le pointeur exactement là où doit intervenir la modification. Double-cliquez à cet endroit et corrigez directement le texte dans la feuille de calcul.

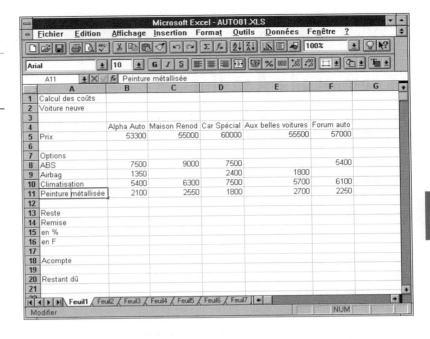

Modification du contenu de la cellule A11

3 Corrigez le texte en utilisant **RETOUR ARRIERE** ou **SUPPR** et ajoutez le nouveau texte. Confirmez par **ENTREE**.

Vous pouvez déplacer le curseur dans la cellule avec les touches de direction ← et →. La touche **RETOUR ARRIERE** *efface le caractère situé à gauche du curseur et* **SUPPR** *le caractère situé à droite du curseur.*

Supprimer le contenu d'une cellule

Après avoir déplacé et édité maintes fois des plages de cellules, il est préférable de supprimer le contenu d'une cellule plutôt que de corriger les erreurs.

Faites un essai avec l'exemple suivant. Ne paniquez pas, il ne se passera rien de grave. Tout ce que vous supprimez est récupérable.

1 Marquez la plage A1-A2.

2 Appuyez sur **SUPPR** ou faites **Edition/Effacer/Tout**. Excel supprime immédiatement la plage marquée sans demander confirmation.

Mais rassurez-vous, vous pouvez annuler la toute dernière action à condition de n'avoir exécuté aucune autre opération après la suppression des cellules !

La commande Annuler

Utilisez la commande **Annuler** si vous n'avez pas obtenu le résultat escompté ou si vous avez effacé involontairement une plage.

Cliquez sur l'icône *Annuler* dans la barre d'outils *Standard* ou faites **Edition/Annuler**. La suppression de la plage A1-A2 sera ignorée.

Notez qu'Excel ne peut annuler que la toute dernière action. Vous devez donc cliquer sur l'icône Annuler immédiatement après avoir effacé la plage afin de la rétablir.

L'opération ne fonctionne plus une fois que vous avez exécuté d'autres commandes. Vous avez par exemple effacé des cellules puis saisi des données. Et c'est ensuite que vous vous apercevez que vous avez effacé des cellules qu'il ne fallait pas. Vous cliquez avec assurance sur **Annuler** mais ô malheur ! Excel annule la dernière action et il s'agit de la saisie. Les cellules sont effacées pour de bon.

Ajouter des lignes et colonnes

Un autre aspect entre en jeu dans la construction d'une feuille de calcul. Comment ajouter à une date ultérieure des lignes ou colonnes qui ont été oubliées ? Ou bien comment supprimer des lignes ou colonnes devenues obsolètes ?

Excel permet d'effectuer de telles modifications à tout moment.

Une ligne fait par exemple défaut dans la feuille du calcul des coûts. Il faudrait pouvoir évaluer le coût total c'est-à-dire prix plus options. Il ne faut pas hésiter à ajouter cette ligne manquante.

1   Marquez la ligne devant laquelle vous allez ajouter une ligne. Il s'agit de la ligne 12 dans l'exemple. Cliquez sur l'en-tête de ligne numéro 12.

Vérifiez que la ligne entière est marquée !

2 Placez le pointeur dans la ligne marquée et cliquez sur le bouton droit. Sélectionnez la commande **Insérer** dans le menu contextuel qui s'est déroulé. Vous pouvez également passe par le menu via **Insertion/Ligne**.

Excel exécute immédiatement la commande en ajoutant une ligne sans rien vous demander.

3

Ajout d'une ligne

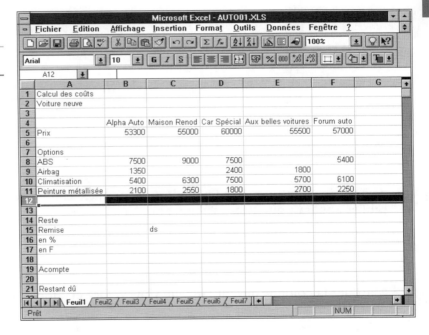

3 Inscrivez en A13 le texte "Coût total" puis ajoutez une ligne immédiatement en dessous pour aérer l'ensemble. Marquez par conséquent la ligne 14 et faites **Insertion/Ligne**.

Ajout d'une ligne supplémentaire dans la feuille

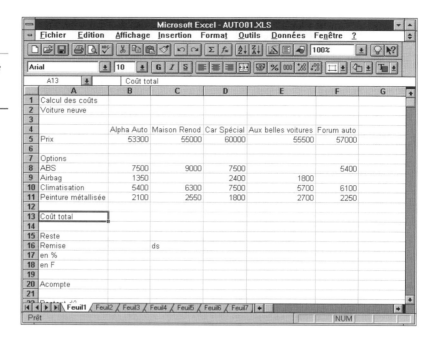

N'oubliez pas d'enregistrer ces modifications. La feuille de calcul que vous venez ainsi de concevoir servira dans les leçons qui suivent.

4 Contentez-vous de cliquer sur l'icône *Enregistrer* puisque vous avez déjà attribué un nom à la feuille lors du premier enregistrement. Le sablier apparaît quelques instants pour signaler que l'enregistrement est en train de s'effectuer.

Ajoutez maintenant des colonnes en suivant le même procédé que pour les lignes.

1 Marquez la colonne devant laquelle vous voulez en ajouter une.

2 Utilisez la commande **Insérer** du menu contextuel ou la commande **Insertion/Colonne.**

Supprimer des lignes et colonnes

Supprimez les lignes et colonnes superflues en sachant qu'Excel ne demandera pas votre confirmation avant d'exécuter l'action. Les données seront donc perdues aussitôt.

Faites un essai puis annulez immédiatement l'action.

1 Marquez une ligne ou une colonne entière.

2 Placez le pointeur dans la sélection et cliquez sur le bouton droit. Choisissez **Supprimer** dans le menu contextuel ou faites **Edition/Supprimer.**

Excel supprime sans attendre la ligne ou colonne marquée.

3 Cliquez, sans perdre de temps, sur l'icône *Annuler* pour rétablir la ligne ou colonne.

La commande **Supprimer** n'agit que sur une ligne ou colonne entièrement marquée. Si vous ne sélectionnez que des cellules, Excel ouvre une boîte de dialogue demandant de préciser ce que vous voulez supprimer.

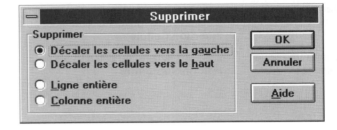

La boîte de dialogue Supprimer

Maintenant que la structure générale de la feuille est ébauchée et que les valeurs y sont entrées, il s'agira d'effectuer des calculs à l'aide de formules dans la leçon suivante.

Contrôlez les phases d'étude de cette leçon à l'aide du fichier FORMULE.XLS. Il est copié par défaut dans le répertoire \STEXCEL, si vous avez installé la disquette du livre.

Résumé

Vous voulez...	Sélectionnez...	Icône/Clavier
entrer des textes ou des nombres	la cellule avec la souris ou le clavier et tapez le texte ou la valeur	
corriger une entrée	la cellule à modifier et double cliquer.	
supprimer une cellule	**Edition/Effacer**	SUPPR
annuler la dernière commande	**Edition/Annuler**	
modifier la largeur de colonne	**Format/Colonne/Ajustement automatique**.	
ajouter une ligne ou colonne	marquez la ligne ou colonne devant laquelle vous voulez faire un ajout puis **Insertion/Cellule**	
supprimer une ligne ou colonne	marquez la ligne ou colonne puis **Edition/Supprimer**	

Contrôle des connaissances

QUESTIONS

1. **Horizontalement**   Menu contenant des commandes permettant d'ajouter des lignes ou colonnes.

2. **Horizontalement**   Alignement par défaut des nombres.

3. **Horizontalement**   Menu contenant la commande **Supprimer** (cellule).

4. **Horizontalement**   Pour ajuster automatiquement la largeur de colonne, utilisez la commande **Format/Colonne/....**

2. **Verticalement**   Un clic sur le bouton droit de la souris ouvre ce menu.

3. **Verticalement**   Cette commande ignore la toute dernière action.

MOT MYSTÉRIEUX

1. **Verticalement**   Ce menu contient la commande permettant de modifier la largeur d'une colonne.

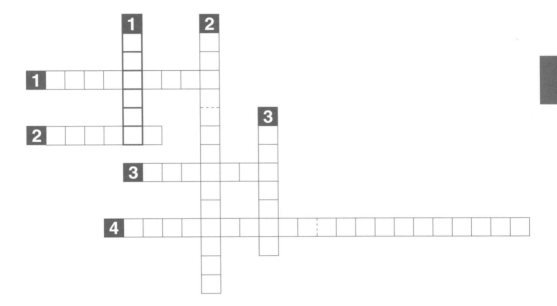

3

Leçon 4 :
Formules et fonctions

50 min

A quoi peut bien servir une feuille de calcul dépourvue de formules permettant de calculer les entrées ? Cette leçon est consacrée à ce sujet. Elle vous apprendra précisément à construire des formules.

A l'issue de cette leçon vous saurez...

- écrire une formule dans Excel,
- utiliser des fonctions,
- reconnaître les spécificités des fonctions,
- décomposer des fonctions complexes,
- utiliser l'Assistant Fonction.

4

L'icône Somme automatique

Vous avez déjà utilisé l'icône *Somme automatique* dans la première leçon pour additionner les valeurs d'une colonne. Vous entrerez davantage dans les détails de cette fonction dans le cadre de cette leçon.

La fonction SOMME fait partie de ce qu'on appelle des fonctions mathématiques. La fonction SOMME additionne les valeurs spécifiées dans une plage. La fonction MOYENNE calcule la moyenne, la fonction MIN calcule la valeur minimale et la fonction MAX calcule la valeur maximale dans une plage marquée. Ces trois dernières fonctions sont considérées comme des fonctions statistiques.

La fonction SOMME est sans conteste la fonction la plus utilisée. Et c'est pourquoi Excel fournit une solution plus confortable pour additionner de longues colonnes de nombres.

L'icône *Somme automatique* de la barre d'outils *Standard* ajoute automat-iquement la fonction SOMME et permet de calculer rapidement le total d'une colonne.

Excel peut générer de façon automatique la formule SOMME - vous avez abordé ce sujet dans la leçon 1 -. Marquez la plage en englobant la colonne entière ainsi que la cellule vierge où doit apparaître la somme. Cette méthode permet d'obtenir la somme au bas d'une colonne et à droite d'une rangée de nombres.

L'icône *Somme automatique* n'est pas utilisable dans tous les cas de figure notamment lorsque la somme doit apparaître en haut de la colonne. Dans ce cas, il vous incombe d'écrire la fonction SOMME par vos propres soins.

Mais ne brûlons pas les étapes. Examinons d'abord les points théoriques que nous allons ensuite mettre en pratique dans un exemple. Toutes les fonctions sont construites selon le même schéma.

Entrée	Résultat
=	Toutes les fonctions sont introduites par le signe égal.
SOMME	Le signe = est suivi du nom de la fonction ici SOMME. Le nom peut être écrit indifféremment en majuscules ou en minuscules.
(	Parenthèse ouvrante attend la spécification de la plage à additionner.
B8:B13	Marquez avec la souris la plage à additionner ou précisez les coordonnées à l'aide du clavier. Indiquez seulement les première et dernière coordonnées séparées par un double-point, exemple B8:B13.
)	Parenthèse fermante pour terminer la spécification de la plage.
ENTREE	Valide la formule.

La formule finalisée se présente comme suit :

=SOMME(B8:B13)

Mise en pratique :

Ouvrez le fichier FORMULE.XLS qui se trouve dans le répertoire \STEXCEL. Ce répertoire contient tous les exemples de la disquette du livre après l'installation.

Dans cette feuille, il s'agit de calculer le montant total des options. Le résultat doit apparaître dans la ligne "Options" c'est-à-dire au-dessus des divers postes.

1 Cliquez en B7.

juillet	août	septembre	octobre	novembre	décembre	Total
650.00	650.00	650.00	650.00	650.00	650.00	7800.00
120.00	120.00	120.00	120.00	120.00	120.00	2206.66
100.00	100.00	100.00	100.00	100.00	100.00	1276.41
600.00						2700.00
300.00	300.00	60.00	60.00	60.00	60.00	1504.04
	300.00	300.00	300.00			1687.74
300.00	300.00	300.00	300.00	300.00	300.00	3776.67
400.00	400.00	400.00	50.00	50.00	50.00	2070.00
300.00				500.00	1000.00	2300.00
2770.00	2170.00	1930.00	1580.00	1780.00	2280.00	25321.52
juillet	août	septembre	octobre	novembre	décembre	Total
						608.92
1666	1666	1666	1666	1666	1666	13585.00
3750.00	3750.00	3750.00	3750.00	3750.00	3750.00	44107.00
5416.00	5416.00	5416.00	5416.00	5416.00	5416.00	58300.92
2646.00	3246.00	3486.00	3836.00	3636.00	3136.00	32979.40
						1500.00
						1613.89
100.00	100.00	100.00	100.00	100.00	100.00	1200.00
76.00	76.00	76.00	76.00	76.00	76.00	1165.25
		800.00				1090.00
1500.00	1500.00	1500.00	3000.00			9043.77
						120.00
						856.51
	1000.00		2000.00	1000.00		8000.00
						10.42
						76.25
2643.31	3213.31	4223.31	2883.31	5343.31	8303.31	8303.31

Mois	Janvier	Février	Mars	Avril	mai	juin
Loyer		1950.00		650.00	650.00	650.00
Téléphone	711.29		415.37	120.00	120.00	120.00
Electricité	276.41			100.00	200.00	100.00
Assurances			300.00	600.00	600.00	600.00
Déplacements		52.95	160.34	30.75	120.00	300.00
Vêtements		187.74	0.00	300.00	300.00	
Nourriture		520.46	556.21	300.00	300.00	300.00
Divertissements		20.00	50.00	50.00	300.00	300.00
Fêtes				200.00		300.00
Total Dépenses	987.70	2731.15	1481.92	2350.75	2590.00	2670.00
Revenus Prévus	Janvier	Février	Mars	Avril	mai	juin
Remboursement		397	211.92			
Cons. Québec					1923	1666
Esj	2857.00	3750.00	3750.00	3750.00	3750.00	3750.00
Tot. Rev.	2857.00	4147.00	3961.92	3750.00	5673.00	5416.00
Résultat	1869.30	1415.85	2480.00	1399.25	3083.00	2746.00
Rev. Qc	500.00	500.00	500.00			
Caisse Pop.	400.23	400.73	812.93			
Station				400.00	100.00	100.00
Internet & vidéot	269.06		179.89	108.30	76.00	76.00
Réparation véh.			290.00			
ameubl./rltte			43.77			1500.00
Asj	120.00					
Avances depenses		200.00	596.51	60.00		
placement						4000.00
frais bancaires		10.42				
associations			76.25			
Disponibilité	**580.01**	**884.71**	**865.36**	**1696.31**	**4603.31**	**1673.31**

2 Tapez le signe égal et ajoutez le mot SOMME. Tapez ensuite le caractère (.

Votre entrée se compose comme suit :

=SOMME(

3 Marquez avec la souris les nombres intervenant dans l'addition. Il s'agit de la plage B8 à B11.

Faites surtout attention à ne pas inclure dans la sélection la cellule où doit apparaître le résultat. Excel interprète cela comme une référence circulaire. Grosso modo, une référence circulaire signifie qu'Excel doit calculer en cercle car la formule fait référence à elle-même. Vous obtenez dans ce cas le message Impossible de résoudre des références circulaires.

4

Calcul de la somme dans la cellule Options

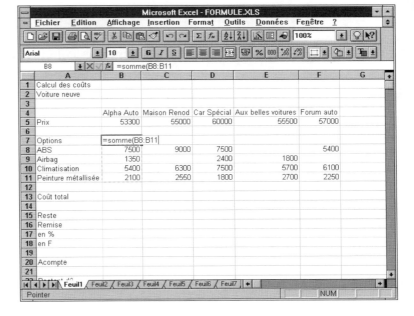

4 Confirmez par **ENTREE** une fois que vous avez marqué la plage selon la figure précédente. Excel ajoute automatiquement la parenthèse fermante à la fin de la formule.

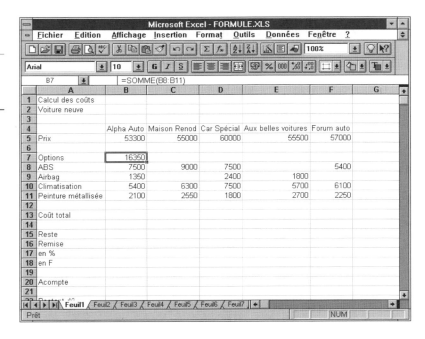

Pour vous exercer davantage, calculez la somme des colonnes C à F.

MIN, MAX, MOYENNE : autres fonctions

Comme nous l'avons souligné plus haut, les fonctions MIN, MAX, MOYENNE font partie de la catégorie *Statistiques*. Elles ne seront pas appliquées dans la feuille en cours mais elles méritent tout de même quelques explications. Ces trois fonctions sont construites suivant le même schéma que SOMME. Vous pouvez utiliser les valeurs de la feuille d'exemple pour tester ces fonctions mais n'oubliez pas d'effacer ensuite le résultat.

Calculez comme suit la moyenne d'une plage :

1 Placez le curseur dans la cellule où doit apparaître le résultat.

2 Commencez la formule par =.

3 Précisez le nom de la fonction MOYENNE.

4 Ouvrez une parenthèse, marquez la plage et fermez la parenthèse.

5 Confirmez par **ENTREE**.

De la même façon, calculez la valeur maximale ou minimale d'une plage en utilisant MAX ou MIN.

Exemples :

=MIN(A2...A50) renvoie la valeur minimale de la plage A2 à A50.
=MAX(C2...E20) renvoie la valeur maximale de la plage C2 à E20.

 Excel ne fait pas la différence entre majuscules et minuscules dans les noms de fonction.

Additionner des cellules

4

La fonction SOMME permet d'additionner des colonnes de nombres. Pour calculer le total de cellules distinctes, vous devez cliquer sur les cellules et inscrire successivement les coordonnées dans une formule.

Dans notre exemple, cette méthode doit être appliquée pour calculer les frais totaux encourus pour l'achat d'une voiture. Vous devez donc additionner la ligne 5 (Prix) avec la ligne 7 (Options). Le résultat doit figurer dans la ligne 13 (Coût total).

1 Marquez la cellule B13 qui doit contenir le résultat.

2 Tapez =. Dans cette cellule, l'entrée correspond pour ainsi dire à un ancrage. Les coordonnées de la cellule que vous cliquez seront mémorisées à chaque fois.

3 Cliquez sur la première cellule intervenant dans le calcul c'est-à-dire B5 (prix de la voiture Alpha Auto).

4 Tapez un signe + car il s'agit de faire une addition avec la cellule suivante. Le curseur revient en B13. Marquez la cellule suivante à additionner.

5 Cliquez en B7, cellule qui contient le montant total des options.

L'écriture de la formule est ainsi achevée.

Coût total

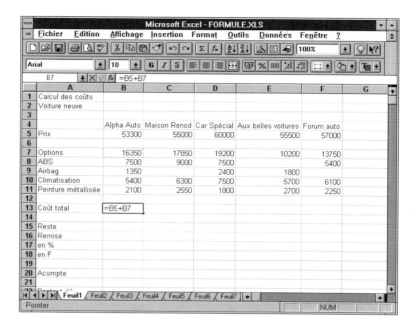

6 Tapez **ENTREE** pour demander à Excel d'exécuter le calcul et d'insérer le résultat dans la feuille.

Vérifiez bien que la dernière coordonnée n'est pas suivie d'un signe plus. Pour Excel, le signe plus signifie que d'autres valeurs ou coordonnées vont suivre.

+, -, *, / : les opérations élémentaires

Tous les types de calculs élémentaires sont exécutables dans Excel. Rien ne vous empêche de calculer à l'aide des parenthèses. Le tableau suivant répertorie les opérateurs disponibles dans Excel.

Calcul	Opérateur	Exemple
Addition	+	A4 + B8 + C10
Soustraction	-	C5-A4
Multiplication	*	A6*A7
Division	/	B5/C3
Parenthèses	()	(A5+B3)*C4

Vous effectuerez des opérations de calculs élémentaires dans l'exemple suivant.

Ajoutez les valeurs en faisant attention au signe de pourcentage

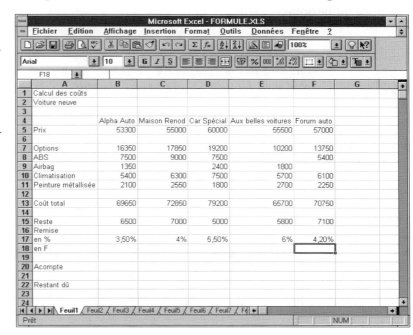

	A	B	C	D	E	F	G
1	Calcul des coûts						
2	Voiture neuve						
3							
4		Alpha Auto	Maison Renod	Car Spécial	Aux belles voitures	Forum auto	
5	Prix	53300	55000	60000	55500	57000	
6							
7	Options	16350	17850	19200	10200	13750	
8	ABS	7500	9000	7500		5400	
9	Airbag	1350		2400	1800		
10	Climatisation	5400	6300	7500	5700	6100	
11	Peinture métallisée	2100	2550	1800	2700	2250	
12							
13	Coût total	69650	72850	79200	65700	70750	
14							
15	Reste	6500	7000	5000	5800	7100	
16	Remise						
17	en %	3,50%	4%	5,50%	6%	4,20%	
18	en F						
19							
20	Acompte						
21							
22	Restant dû						
23							
24							

1   Ajoutez les valeurs requises en vous aidant de la figure précédente.

N'oubliez pas le signe de pourcentage. Vous risquez d'obtenir des valeurs absurdes dans la ligne 17 (Remise en F) si vous omettez le signe %. Lorsque vous calculez un pourcentage, précisez le nombre ainsi que la valeur en pour-cent puis ajoutez le signe %.

Calcul suivant dans l'exemple : Il faut convertir le pourcentage de la remise en une valeur en F. Voici la multiplication à effectuer :

2   Marquez la cellule adéquate c'est-à-dire la cellule devant contenir le montant, soit la cellule B18.

3   Tapez un signe =.

4   Cliquez la première cellule intervenant dans le calcul c'est-à-dire B17, celle qui contient le montant de la remise en pour-cent.

95

5 Tapez un signe de multiplication : l'astérisque sur le clavier normal ou sur le pavé numérique.

N'utilisez pas le caractère x du clavier normal en guise d'opérateur. Excel vous retournera un message d'erreur.

6 Le curseur revient en B18. Cliquez la cellule B13 où sont calculés les dépenses totales.

La formule en entier s'écrit comme suit :

=B17*B13

Conversion de la remise en F

	Microsoft Excel - FORMULE.XLS						
	Fichier **Edition** **Affichage** **Insertion** **Format** **Outils** **Données** **Fenêtre** **?**						

B13   =B17*B13

	A	B	C	D	E	F	G
1	Calcul des coûts						
2	Voiture neuve						
3							
4		Alpha Auto	Maison Renod	Car Spécial	Aux belles voitures	Forum auto	
5	Prix	53300	55000	60000	55500	57000	
6							
7	Options	16350	17850	19200	10200	13750	
8	ABS	7500	9000	7500		5400	
9	Airbag	1350		2400	1800		
10	Climatisation	5400	6300	7500	5700	6100	
11	Peinture métallisée	2100	2550	1800	2700	2250	
12							
13	Coût total	69650	72850	79200	65700	70750	
14							
15	Reste	6500	7000	5000	5800	7100	
16	Remise						
17	en %	3,50%	4%	5,50%	6%	4,20%	
18	en F	=B17*B13					
19							
20	Acompte						
21							
22	Restant dû						
23							
24							

Feuil1 / Feuil2 / Feuil3 / Feuil4 / Feuil5 / Feuil6 / Feuil7 / Fe

Pointer   NUM

7 Tapez **ENTREE**. En B18, vous apercevez le montant de la remise exprimé en francs et en centimes. Cela revient à 2437,75 F.

Il reste encore deux calculs à effectuer. Il faut évaluer l'acompte et le montant final qu'il restera à payer. Procédez comme suit :

1 Cliquez en B20 et entrez la formule =B15+B18 car l'acompte résulte de la somme entre le reste et la remise en F.

2 Cliquez ensuite en B22.

3 La formule nécessaire est =B13-B20 car le montant restant dû provient de la différence entre le coût total et l'acompte.

Acompte et montant à payer au premier concessionnaire

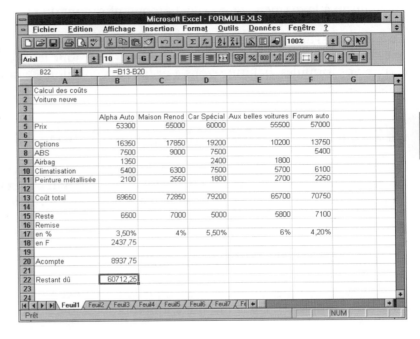

Excel suit la règle de calcul générale. La multiplication et la division ont donc priorité par rapport à l'addition et à la soustraction. Ajoutez par conséquent des parenthèses pour contourner cette règle.

Calcul souple : des coordonnées au lieu des nombres concrets

Vous avez sans doute remarqué que toutes les formules que vous avez écrites ne sont pas seulement construites avec un seul nombre. Les calculs se font exclusivement sur la base des coordonnées. Quel en est l'intérêt ?

Excel calcule toujours avec des valeurs en cours lorsque vous utilisez des coordonnées dans une formule. Lorsque vous effectuez une entrée dans la feuille, Excel vérifie automatiquement à votre insu si cette valeur est acceptable dans la formule. Si oui, Excel recalcule la formule et met à jour le résultat. Ce mécanisme ne fonctionne que si les références aux cellules sont faites dans les formules à savoir si les coordonnées sont spécifiées.

Prenons un exemple pour mettre cela en évidence. Vous devez modifier une seule valeur dans la feuille notamment le montant des options. Toutes les formules se référant directement ou indirectement à cette valeur seront recalculées et mises à jour - jusqu'à la dernière ligne celle du montant restant dû.

Au contraire si une formule contient des valeurs concrètes, Excel ne tiendra compte que de ces valeurs. Il serait impossible de mettre à jour le calcul. Lorsque vous écrivez vos formules, habituez-vous à utiliser des coordonnées au lieu des valeurs concrètes.

Les fonctions pour faciliter des calculs complexes

Dans les exemples évoqués jusqu'à présent, vous avez rencontré uniquement des additions ou des multiplications relativement simples. Vous avez probablement le sentiment qu'il est très facile de créer et d'appliquer des formules dans Excel.

Et comment feriez-vous pour calculer des intérêts ou mieux des taux d'intérêts ?

Excel met à votre disposition des fonctions prêtes à l'emploi.

Les fonctions sont des formules prédéfinies exécutant certains calculs et facilitant les calculs complexes. Excel dispose d'innombrables fonctions diverses et variées. Familiarisez-vous d'abord avec une logique de saisie très stricte avant d'exécuter les calculs proprement dits. Les fonctions se composent essentiellement de deux éléments : le nom de la fonction et les arguments. Le nom de la fonction, par exemple TAUX, est introduit par un signe égal. Par arguments, il faut comprendre toutes les indications nécessaires au bon déroulement de la fonction.

Le B A BA de la définition d'une fonction se résume à la spécification de tous les arguments requis impérativement cités selon un ordre adéquat. Ce n'est qu'à cette condition que la fonction peut calculer correctement. L'Assistant Fonction vous soutient dans cette tâche.

Fonctions financières

Décrivons plus en détails les fonctions financières parmi la multitude des fonctions dont dispose Excel. Ces fonctions servent à calculer l'amortissement, le taux de rentabilité d'un investissement ou le taux du crédit. Excel utilise les mêmes arguments dans toutes les fonctions financières.

TAUX

Calcule le taux d'intérêt par période. Le taux d'intérêt pratiqué par une banque s'élève par exemple à 10 % par an ou à 10 % / 12 = 0,83 % par mois. Que le taux d'intérêt soit évalué annuellement ou mensuellement cela ne dépend que du mode de calcul des taux. Vous devrez indiquer 10 % pour un remboursement annuel ou 0,83 % pour un remboursement mensuel. En argument, TAUX demande de toute façon une valeur en pour-cent.

NPM

Indique le nombre de paiements s'échelonnant sur une période donnée, ou plus exactement le nombre d'annuités en terme financier. Par exemple pour un crédit sur quatre ans à remboursements mensuels, le nombre de paiements correspond à 4 * 12 = 48 paiements. NPM vaut donc 48.

VPM

Calcule le montant de chaque remboursement périodique. Si vous remboursez 250 F par mois pour un crédit, vous devez indiquer -250 en VPM (n'oubliez pas le signe moins lorsque vous remboursez).

VC

Valeur future ou valeur finale que vous avez atteinte après la dernière mensualité. La valeur finale sera de 50 000 F si vous voulez économiser 50 000 F. La valeur future d'un investissement doit être 0 car il faut qu'il soit amorti à la fin du paiement. La valeur choisie par défaut pour VC est 0 si vous omettez d'en préciser une.

Utilisez des unités de temps cohérentes pour les deux arguments taux et npm.

Exemple 1

Un crédit court sur une période de cinq ans. Il est majoré d'un taux annuel de 11,5 %. Le remboursement se fait mensuellement.

Dans cet exemple, vous devez utiliser 11,5 %/12 soit 0,98 % pour *taux* et 5-12 soit 60 pour *npm*. Les deux valeurs font référence au mois.

Exemple 2

Un crédit court à nouveau sur une période de cinq ans avec un taux annuel de 11,5 %. Le remboursement se fait une fois dans l'année.

Vous utiliserez cette fois-ci la valeur 11,5 % pour *taux* et 5 pour *npm*. Les deux valeurs font référence à un taux annuel.

L'Assistant Fonction

L'Assistant Fonction vous guide du début à la fin lors de la création d'une fonction complexe. Il présente deux avantages principaux :

- Les fonctions qu'il affiche sont groupées par thèmes tels que Finances, Date & Heure, Statistiques, etc. Il est donc facile de rechercher une fonction parmi la liste interminable des fonctions Excel.

- L'Assistant Fonction donne des conseils à chaque étape de la création de la fonction choisie. Il demande de préciser les arguments, les range dans l'ordre adéquat et ajoute les parenthèses et les virgules.

Dans les boîtes de dialogue de l'Assistant Fonction, vous pouvez entrer des valeurs concrètes en guise d'arguments. En général, la fonction fait référence aux valeurs de la feuille. Il convient par conséquent de préparer à l'avance la feuille et y entrer les paramètres avant d'appeler l'Assistant Fonction.

Il faut ajouter un calcul supplémentaire dans notre exemple. Supposons que vous décidiez de financer par crédit l'achat de votre future voiture. Vous devez vous attendre à des valeurs mensuelles différentes selon le type de crédit qui vous sera accordé.

1 Ajoutez trois indications dans la colonne A :

- le texte Période/mois en A24,

- le texte Taux d'intérêt en A25,

- le texte Mensualité en A27.

2 En A24, inscrivez 36 pour indiquer que le crédit s'étale sur 36 mois. Le taux d'intérêt est de 8,9 %. Etant donné que la période est spécifiée en mois, il faut convertir le taux en une valeur mensuelle c'est-à-dire qu'il faut diviser par 12.

3 Entrez par conséquent la formule suivante en B25, sans oublier le signe % :

=8,9%/12

4

Formule pour le calcul d'un taux d'intérêt

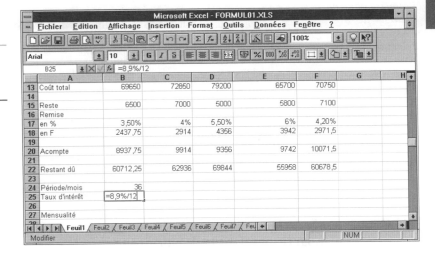

4 Ajoutez la même période dans les colonnes C à F et indiquez un taux d'intérêt.

> *En tant qu'opérateur de division, utilisez toujours la barre oblique du clavier normal ou du pavé numérique. Excel refuse le double-point en tant qu'opérateur de division.*

Calcul des mensualités

Les mensualités peuvent être évaluées une fois les préparatifs terminés. Utilisez à cet effet l'Assistant Fonction. Comme pour toutes les formules, il convient au préalable de marquer la cellule devant contenir la fonction avant d'appeler l'Assistant Fonction.

1   Marquez la cellule B27 et cliquez sur l'icône *Assistant Fonction* dans la barre d'outils *Standard*. Ou bien faites **Insertion/Fonction**.

Excel ouvre la première boîte de dialogue de l'Assistant Fonction. A gauche sont affichées les catégories permettant de rechercher facilement les fonctions.

Première boîte de dialogue de l'Assistant Fonction

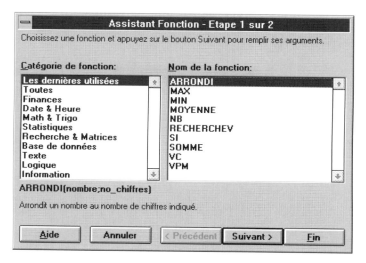

2   Cliquez sur la catégorie qui vous intéresse, ici *Finances*. Les fonctions de cette catégorie apparaissent dans la liste de droite.

3   Cliquez sur la fonction *VPM* celle qui permet de calculer le montant de chaque remboursement.

Une brève description de la fonction cliquée est fournie au bas des zones de liste. Le message renvoyé est en général très succinct et parfois peu compréhensible.

N'hésitez donc pas à cliquer sur le bouton **Aide**. L'aide en ligne apporte des explications plus détaillées sur la fonction choisie.

4 Double-cliquez sur la fonction voulue ou bien cliquez sur le nom de la fonction, ici VPM, puis sur **Suivant >**.

La boîte de dialogue qui s'ouvre vous invite à spécifier les paramètres de la fonction.

*Assistant
Fonction -
fonction VPM*

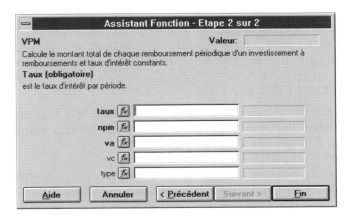

La quantité et l'intitulé des arguments varie selon la fonction choisie. L'intitulé des arguments précédant les zones de texte étant peu explicite, une brève description du paramètre est toujours donnée en plus en haut du champ.

En premier argument, la fonction VPM attend *taux* soit le taux d'intérêt par période.

En règle générale, les arguments doivent être spécifiés sous forme d'une référence aux cellules de la feuille. Et c'est pour cette raison que vous avez étendu la feuille d'exemple.

Entrez directement les coordonnées dans les cas où vous savez dans quelle cellule se trouve la valeur souhaitée. Sinon cliquez dans la cellule de la feuille pendant que vous utilisez l'Assistant Fonction.

Si la boîte de dialogue recouvre précisément la cellule qui vous intéresse, cliquez sur la barre de titre et déplacez la fenêtre tout en gardant le bouton gauche appuyé.

5 Cliquez en B25 pour *taux*. Dès que vous cliquez dans la cellule, Excel reporte les coordonnées dans la ligne en cours de l'Assistant Fonction.

Vérifiez que les coordonnées inscrites dans la boîte de dialogue sont correctes. Des erreurs peuvent apparaître à cause d'un clic rapidement exécuté dans la feuille. Dans un tel cas, effacez l'entrée avec RETOUR ARRIERE.

6 Cliquez dans la ligne suivante dans la boîte de dialogue de l'Assistant Fonction. Il s'agit de renseigner l'argument *npm*. Vous devez indiquer ici la période qui figure en B24 dans la feuille. Cliquez dans cette cellule.

7 L'argument suivant s'appelle *va* c'est-à-dire l'importance du crédit. Pour des raisons de clarté, cette valeur doit être aussi importante que le montant restant dû. Cliquez par conséquent en B22.

Certains arguments tels que *vc* (valeur future) et *type* sont facultatifs, c'est-à-dire que vous n'êtes pas obligé de compléter ces lignes. Excel applique une valeur par défaut si vous omettez de définir une valeur pour ce type d'arguments. Nous allons donc faire confiance à Excel et ne rien inscrire dans ces zones.

*Tous les
arguments
obligatoires sont
spécifiés*

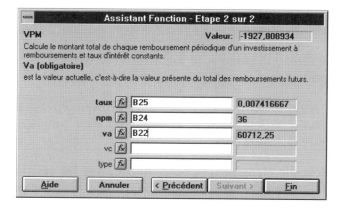

Dans cet exemple, ne cliquez pas sur l'icône Assistant Fonction qui précède chaque zone de texte. Excel considère alors que vous voulez imbriquer des fonctions. Cela signifie que vous utilisez une fonction au lieu d'une valeur en guise d'argument. Excel vous ramènera de nouveau à l'étape 1 de l'Assistant Fonction où vous devrez spécifier la fonction à imbriquer. L'expression (imbriqué) vient alors s'ajouter dans la barre de titre de l'Assistant Fonction. Cliquez sur **Annuler** *au cas où vous vous trouvez dans une telle situation. L'imbrication sera annulée et vous pourrez poursuivre tranquillement la définition de votre fonction.*

8 Cliquez sur **Fin** pour quitter l'Assistant Fonction.

Excel reporte la fonction dans la feuille et inscrit le résultat -1 927,78 F. La valeur est affichée en rouge car elle représente pour vous une somme à débourser ce que vous devez rembourser à la banque pour payer le crédit.

9 Enregistrez la feuille avec **Fichier/Enregistrer sous** dans le répertoire \STEX-CEL\EXEMPLES sous le nom FORMUL01.XLS.

Ouvrez le fichier COPIER.XLS pour contrôler les phases de travail étudiées dans cette leçon. Ce fichier se trouve dans le répertoire \STEXCEL après l'installation de la disquette du livre.

Résumé

4

Vous voulez...	Sélectionnez...	Icône/Clavier
additionner les valeurs d'une colonne	la fonction SOMME	Σ
créer une formule	les cellules et précisez les opérateurs à l'aide du clavier	
insérer une fonction	**Insertion/Fonction**	*f*x

Contrôle des connaissances

QUESTIONS

1. **Horizontalement**   La fonction SOMME fait partie des fonctions ....

2. **Horizontalement**   Fonction permettant de calculer la moyenne d'une plage spécifiée.

3. **Horizontalement**   Commande du menu **Insertion** permettant d'activer l'Assistant Fonction.

4. **Horizontalement**   Les fonctions se composent essentiellement de deux éléments : nom de la fonction et ....

2. **Verticalement**   Il vous aide dans la création de fonctions complexes.

MOT MYSTÉRIEUX

1. **Verticalement**   Touche permettant de terminer une saisie.

Leçon 5 :
Recopie de cellules

30 min

Il est rare qu'on ait à exécuter un calcul une seule fois dans la feuille. En général, le même calcul nécessite d'être effectué plusieurs fois dans des colonnes adjacentes ou dans des lignes consécutives. Vous pouvez écrire la même formule autant de fois que cela est nécessaire. Mais vous pouvez aussi faciliter la tâche en recopiant les formules. Vous découvrirez dans cette leçon les techniques dont vous disposez pour accomplir confortablement ces opérations.

A l'issue de cette leçon vous saurez...

- ce que signifie recopier une cellule,
- recopier des cellules linéairement ou en colonne,
- copier et coller des cellules,
- faire la différence entre coordonnées relatives et coordonnées absolues.

Que signifie recopier ?

Rappelons encore une fois que vous devez écrire une seule fois la formule à utiliser dans plusieurs lignes ou colonnes. Il s'agit en fait de recopier la formule dans d'autres cellules, ce qui signifie que les autres cellules seront remplies avec cette formule.

Il est possible de recopier des cellules contenant une formule dans la mesure où Excel travaille avec ce qu'on appelle des coordonnées relatives. Lorsque vous transposez une formule d'une cellule de la feuille vers une autre, Excel ajuste automatiquement les coordonnées à la nouvelle position.

Prenons, par exemple, la colonne A qui contient la formule suivante :

=A2+A3

La colonne B possède elle aussi deux cellules que vous voulez additionner. Lorsque vous recopiez les cellules de la colonne B avec la formule de la colonne A, Excel adapte automatiquement les coordonnées dans la colonne B en générant la formule :

=B2+B3

Vous avez ainsi la garantie que les nombres calculés dans les cellules remplies sont des nombres qui conviennent parfaitement. Vous pouvez copier des formules ainsi que des nombres ou des textes.

La recopie est facile à exécuter lorsque vous agissez dans la même ligne vers la gauche ou la droite ou dans la même colonne vers le haut ou le bas. Excel fournit d'ailleurs à cet effet la commande *Edition/Recopier*. L'opération peut se réaliser avec la souris ou à l'aide de la commande.

Recopier avec la souris

Lorsque vous marquez une cellule ou une plage avec la souris, vous apercevez un petit carré noir dans le coin inférieur droit de la sélection - ce qu'on désigne par la *poignée de recopie*. Placez le pointeur sur cette poignée et vous constatez qu'il prend la forme d'une croix noire. Une fois que le pointeur a pris cette forme, il ne vous reste plus qu'à recopier les cellules.

L'exemple suivant est fourni sur la disquette du livre. Après l'installation des exemples, vous trouverez le fichier dans le répertoire \STEXCEL sous le nom COPIER.XLS.

*Recopier avec la
souris*

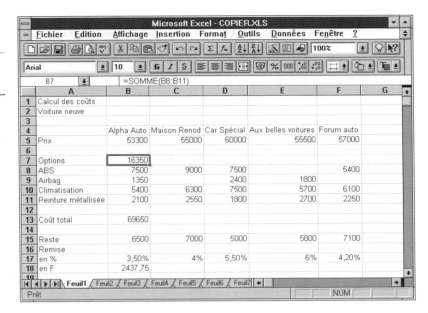

1 Ouvrez le fichier COPIER.XLS depuis le répertoire \STEXCEL.

2 Cliquez en B7 pour copier le montant total des options.

3 Placez le pointeur sur la poignée de recopie et cliquez. Le pointeur se transforme en une croix noire.

4 Avec le bouton gauche appuyé, tirez le pointeur par-dessus les cellules à recopier. Dans l'exemple, il s'agit de la colonne B à la colonne F. Un cadre gris suit le mouvement du pointeur.

La plage recopiée et calculée

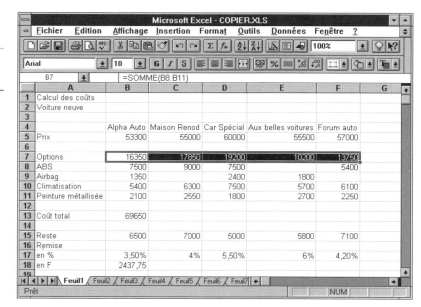

5 Lorsque vous relâchez le bouton, Excel remplit les cellules concernées et les présente avec une marque de sélection. Cliquez en un endroit quelconque de la feuille pour enlever la sélection.

Le résultat est recopié dans les cellules choisies. La formule initiale est inscrite en B7 :

=SOMME(B8:B11)

Cliquez en C7 et remarquez que la structure de la formule est identique à celle de B7 sauf que la lettre B est remplacée par C :

=SOMME(C8:C11)

Et c'est là qu'entrent en jeu les coordonnées relatives mentionnées au début de la leçon. Ces coordonnées sont adaptées à la nouvelle position dès qu'un déplacement a lieu dans la feuille. Vérifiez que les coordonnées sont adaptées dans les autres formules également.

Recopier des cellules à l'aide du menu

Une commande permet de recopier des cellules en plus de la souris. L'avantage est de pouvoir marquer la plage avant l'exécution de la commande. Vous évitez ainsi de mauvaises surprises dues à une manipulation incorrecte de la souris. Testez cette technique dans la feuille d'exemple :

1 Cliquez en B13 pour recopier la formule calculant le coût total.

2 Marquez la plage en commençant par cette cellule, ici B13 à F13.

Sélection de la plage

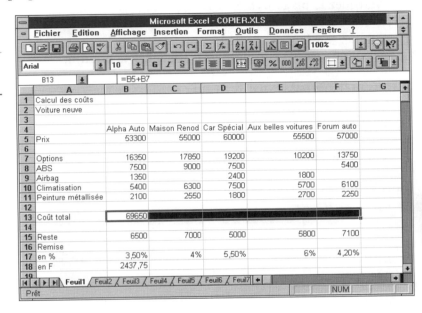

1	A	B	C	D	E	F	G
1	Calcul des coûts					
2	Voiture neuve					
3						
4		Alpha Auto	Maison Renod	Car Spécial	Aux belles voitures	Forum auto
5	Prix	53300	55000	60000	55500	57000
6						
7	Options	16350	17850	19200	10200	13750
8	ABS	7500	9000	7500		5400
9	Airbag	1350		2400	1800	
10	Climatisation	5400	6300	7500	5700	6100
11	Peinture métallisée	2100	2550	1800	2700	2250
12						
13	Coût total	69650				
14						
15	Reste	6500	7000	5000	5800	7100
16	Remise					
17	en %	3,50%	4%	5,50%	6%	4,20%
18	en F	2437,75				

Barre de formule : B13 =B5+B7

Soyez toujours prudent : ne cliquez pas sur la poignée lors de la sélection car vous risquez de provoquer la copie immédiate de la cellule.

3 Faites **Edition/Recopier** et choisissez l'endroit où vous voulez recopier, ici à droite. Excel recopie la formule dans les cellules marquées vers la droite.

Vous avez constaté dans le menu que la recopie peut s'effectuer dans les quatre directions : vers la gauche, la droite, le haut et le bas. Il faut tout simplement que la plage adéquate soit marquée dans la feuille. Lorsque vous recopiez vers la droite (comme dans l'exemple), la plage marquée est contiguë aux cellules vers laquelle il faut recopier. Lorsque vous recopiez vers le bas, la cellule à recopier se trouve en haut de la sélection.

Recopier une plage

Dans la feuille d'exemple, la plage B18 à B22 renferme trois formules qui doivent être recopiées vers la droite. Au lieu d'éditer chaque formule une à une, marquez la plage entière puis recopiez. Le meilleur moyen consiste à utiliser la souris :

1   Marquez la plage B18 à B22.

2   Cliquez sur la poignée de recopie, gardez le bouton gauche appuyé et tirez la sélection jusqu'à la cellule F22. Relâchez le bouton.

Si vous préférez passer par le menu :

1   Marquez la plage B18 à B22.

2   Faites **Edition/Recopier/A droite**.

Dans les deux cas, vous obtenez le résultat suivant :

La plage marquée a été recopiée et recalculée en une seule passe

	A	B	C	D	E	F	G	H
7	Options	16350	17850	19200	10200	13750		
8	ABS	7500	9000	7500		5400		
9	Airbag	1350		2400	1800			
10	Climatisation	5400	6300	7500	5700	6100		
11	Peinture métallisée	2100	2550	1800	2700	2250		
13	Coût total	69650	72850	79200	65700	70750		
15	Reste	6500	7000	5000	5800	7100		
16	Remise							
17	en %	3,50%	4%	5,50%	6%	4,20%		
18	en F	2437,75	2914	4356	3942	2971,5		
20	Acompte	8937,75	9914	9356	9742	10071,5		
22	Restant dû	60712,25	62936	69844	55958	60678,5		
24	Période/mois	36	36	36	36	36		
25	Taux d'intérêt	0,74%	0,61%	0,45%	0,58%	0,54%		

Copier des cellules

La commande **Recopier** représente la méthode la plus facile pour recopier une formule dans d'autres cellules. Mais cette éventualité n'est pas applicable en toutes circonstances à moins que la formule à recopier ainsi que les cellules de destination soient placées côte à côte ou les unes sous les autres. Si tel n'est pas le cas, vous devez recourir à une autre méthode pour recopier une formule. La commande ne s'appelle plus **Recopier** mais **Copier**.

1 Marquez la cellule B27.

2 Cliquez sur l'icône *Copier* dans la barre d'outils *Standard* ou faites **Edition/Copier** ou encore cliquez la commande dans le menu contextuel.

3 Marquez la plage dans laquelle vous voulez copier la formule, ici C27 à F27.

4 Cliquez sur l'icône *Coller* ou faites **Edition/Coller**.

L'écran doit avoir l'aspect suivant :

5

Copie de la formule vers d'autres cellules

	A	B	C	D	E	F	G	H
9	Airbag	1350		2400	1800			
10	Climatisation	5400	6300	7500	5700	6100		
11	Peinture métallisée	2100	2550	1800	2700	2250		
12								
13	Coût total	69650	72850	79200	65700	70750		
14								
15	Reste	6500	7000	5000	5800	7100		
16	Remise							
17	en %	3,50%	4%	5,50%	6%	4,20%		
18	en F	2437,75	2914	4356	3942	2971,5		
19								
20	Acompte	8937,75	9914	9356	9742	10071,5		
21								
22	Restant dû	60712,25	62936	69844	55958	60678,5		
23								
24	Période/mois	36	36	36	36	36		
25	Taux d'intérêt	0,74%	0,61%	0,45%	0,58%	0,54%		
26								
27	Mensualité	-1 927,81 F	-1 951,93 F	-2 105,85 F	-1 727,82 F	-1 859,74 F		
28								
29								

Microsoft Excel - COPIER.XLS

Fichier Edition Affichage Insertion Format Outils Données Fenêtre ?

Arial 10

G27

Feuil1 / Feuil2 / Feuil3 / Feuil4 / Feuil5 / Feuil6 / Feuil7 / Feu

Prêt NUM

*Si dans certaines cellules vous apercevez un dièse (#) au lieu des nombres attendus, cela signifie que la colonne est trop petite pour afficher les nombres au format choisi. Soit vous élargissez la colonne soit vous changez le format des nombres - selon la méthode décrite dans la leçon 7 -. Utilisez la souris ou **Format/Colonne** pour augmenter la largeur des colonnes. Reportez-vous à la leçon 3 pour de plus amples informations à ce sujet.*

Une plage entière peut être copiée et collée à condition d'avoir marqué la plage cible c'est-à-dire la plage où doit s'effectuer l'insertion. Excel vous demande de préciser uniquement le coin supérieur gauche.

Vous avez maintenant examiné toutes les facettes de la copie dans la feuille d'exemple.

- Enregistrez la feuille avec **Fichier/Enregistrer sous** dans le répertoire \STEXCEL\EXEMPLES sous le nom COPIER01.XLS.

Vous trouverez le résultat de ces opérations dans le fichier FORMAT.XLS dans le répertoire \STEXCEL.

Coordonnées absolues et relatives

Cette leçon se terminera exceptionnellement sur des propos théoriques. Il s'agit notamment des coordonnées absolues et relatives.

Vous avez remarqué qu'Excel opère généralement avec des coordonnées relatives. Lors de la copie, Excel adapte les coordonnées à la nouvelle position dans la feuille.

Cette adaptation n'est pas souhaitable dans tous les cas. Tout dépend de la manière dont la feuille est structurée. Excel permet alors de convertir les coordonnées relatives en coordonnées absolues.

Les coordonnées absolues sont des coordonnées qui restent inchangées à la suite d'une copie. Elles ne sont pas adaptées à la nouvelle position.

Exemple

Vous créez une feuille pour effectuer la conversion entre francs et dollar. Vous précisez le cours de change du jour dans une cellule à laquelle vous faites référence dans toutes les formules.

Feuille de conversion F-Dollar

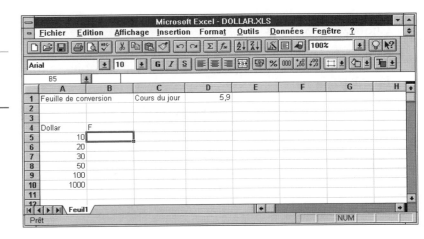

Une feuille de ce genre peut être créée très rapidement. Faites **Fichier/Nouveau** et entrez les données en vous aidant de la figure précédente.

La colonne A contient les valeurs en dollar à convertir en francs. La colonne B est réservée aux montants en dollar. En haut de cette liste, en D1, est mentionné le cours du jour ici 5,9.

Coordonnées relatives

La première valeur en francs est facile à évaluer :

1 Cliquez en B5, la cellule qui doit renfermer la valeur en FF.

2 Commencez la formule par un signe égal puis cliquez sur la valeur en dollar, en A5. Tapez un signe de multiplication et cliquez sur le cours du jour en D1.

La formule complète donne :

=A5*D1

3   Tapez **ENTREE**.

En résultat, vous obtenez 59.

Il faut copier la formule de la cellule B5 vers les lignes du bas. Faites vos preuves !

1   Cliquez en B5.

2   Placez le pointeur sur la poignée de recopie et copiez la formule dans la plage B6 à B10.

Copie avec des coordonnées relatives

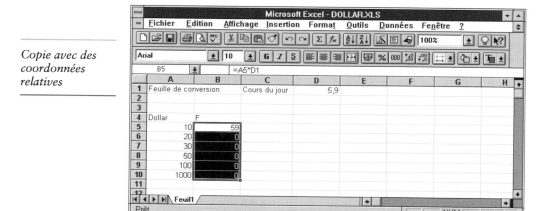

Le résultat de la copie n'est pas satisfaisant. Toutes les coordonnées ont été adaptées à la nouvelle position. La conséquence est que la formule ne fait plus référence au cours du jour spécifié en D1 mais aux cellules vierges situées en bas.

Examinons les formules des diverses cellules. B5 contient la formule adéquate :

=A5*D1

Et B6 ? Elle affiche la formule :

=A6*D2

L'adaptation des coordonnées A5 en A6 est correcte si ce n'est qu'il faut convertir la valeur en dollar de la ligne 6 en FF. Mais l'adaptation des coordonnées D1 en D2 est incorrecte car le jour du jour reste comme précédemment en D1. Il ne faut pas modifier ces coordonnées lors de la copie de la formule. Dans de telles circonstances, Excel invite à utiliser les coordonnées absolues.

Coordonnées absolues

Les coordonnées précisées dans les formules peuvent être modifiées directement lors de la saisie ou ultérieurement en coordonnées absolues. La formule étant déjà créée dans l'exemple, il ne reste plus qu'à convertir les coordonnées.

1 Cliquez dans la cellule contenant la formule à éditer, ici B5.

2 Double-cliquez sur la cellule pour basculer vers le mode édition.

3 Marquez D1 dans la formule.

4 Tapez **F4**. Cette touche de fonction convertit des coordonnées relatives en coordonnées absolues. Confirmez par **ENTREE**.

Coordonnées absolues dans la formule

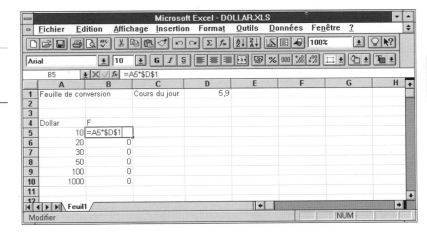

Le signe $ précédant les lettres ou les chiffres assure la conversion en coordonnées absolues. Les coordonnées absolues restent inchangées lors de la copie. Vous pouvez utiliser les deux indications d'une coordonnée absolue ou seulement la ligne ou la colonne (en tapant plusieurs fois **F4**).

*Vous pouvez définir une coordonnée absolue directement lors de la saisie. Construisez la formule comme à l'accoutumée. Tapez **F4** immédiatement après avoir entré ou choisi les coordonnées à transformer en valeurs absolues.*

Vous devez recopier la formule une fois ces préparatifs effectués.

1 Cliquez en B5.

2 Placez le pointeur sur la poignée de recopie et recopiez la formule dans la plage B6 à B10. Il est inutile d'effacer auparavant les cellules car Excel remplace automatiquement le contenu.

Après la recopie

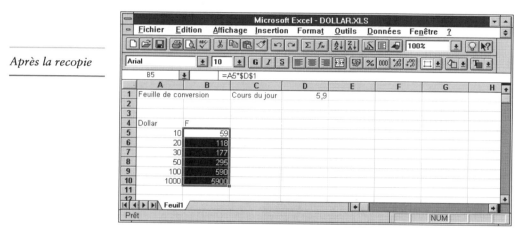

Vérifiez maintenant les formules. B5 contient la formule :

   =A5*D1

Et B6 :

   =A6*D1

Les coordonnées A5 ont été transformées comme précédemment en A6. Mais D1 sont restées intactes. Et c'était d'ailleurs le but de l'action - ne pas adapter les coordonnées absolues lors de la copie.

La petite feuille de conversion vous sera utile dans une leçon ultérieure. Enregistrez cette dernière dans le répertoire \STEXCEL\EXEMPLES sous le nom DOLLAR01.XLS. Fermez le fichier (**Fichier/Fermer**).

La feuille prête à l'emploi est stockée dans le répertoire \STEXCEL sous le nom DOLLAR.XLS.

Résumé

Vous voulez...	Sélectionnez...	Icône/Clavier
recopier des cellules	**Edition/Recopier**	Poignée de recopie
copier des cellules	**Edition/Copier**	
coller des cellules	**Edition/Coller**	
utiliser des coordonnées absolues	tapez le caractère $ devant la spécification de ligne ou colonne de la cellule	**F4**

Contrôle des connaissances

QUESTIONS

1. **Horizontalement**   Ce menu contient la commande Recopier.

2. **Horizontalement**   Des coordonnées ... sont des coordonnées qui restent inchangées à la suite d'une copie. Ces coordonnées ne sont pas adaptées au nouvel emplacement.

3. **Horizontalement**   Il est possible de ... des cellules contenant une formule dans la mesure où Excel travaille avec des coordonnées relatives.

2. **Verticalement**   Utilisez la commande Recopier ou ... pour transférer une formule vers d'autres cellules éparpillées dans la feuille.

3. **Verticalement**   La touche de fonction F4 permet de convertir des coordonnées ... en coordonnées absolues.

MOT MYSTÉRIEUX

1. **Verticalement**   Précédant des lettres ou chiffres, ce caractère (en toute lettre) désigne des coordonnées absolues.

Leçon 6 :
Mise en forme d'une
feuille de calcul

30 min

La mise en forme d'une feuille de calcul influe énormément sur le lecteur. L'attention du lecteur sera attiré sur les informations si elles sont mises en évidence par des polices différentes, par des hachures ou par tout autre attribut.

A l'issue de cette leçon vous saurez...

- modifier la taille et le style d'une police,
- mettre un texte en gras ou en italique,
- structurer les plages avec des traits,
- hachurer des lignes et des colonnes,
- aligner des cellules,
- utiliser la mise en forme automatique.

6

Polices et attributs

Toutes les polices disponibles dans Microsoft Windows sont utilisables pour mettre en forme une feuille de calcul. Excel permet en plus d'appliquer les attributs gras, italique et souligné.

La barre d'outils Format

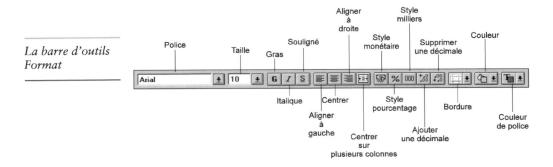

Les principales fonctions de mise en forme sont accessibles par la barre d'outils *Format*. Les options complémentaires sont intégrées dans la boîte de dialogue **Format/Cellule/Police**.

Les diverses techniques seront décrites à travers l'exemple de la feuille du calcul des coûts d'achat d'une voiture neuve.

Ouvrez le fichier FORMAT.XLS depuis le répertoire \STEXCEL.

Choisir une police et une taille

Utilisez la barre d'outils *Format* pour choisir rapidement une police et une taille de caractères. Activez cette barre d'outils si elle est masquée.

1   Faites **Affichage/Barre d'outils**.

2   Cochez la case *Format*.

3   Confirmez par **OK**.

Les opérations peuvent être exécutées immédiatement une fois la barre d'outils affichée. Pour commencer, changez la police du titre "Calcul des coûts" et du sous-titre "Voiture neuve".

1   Marquez la plage dont vous voulez changer la police, ici A1 à A2.

2   Cliquez sur la zone de liste *Police*. Le nom de la police en cours `Arial` est indiqué dans cette zone. La police utilisée par défaut par Excel s'appelle *Arial*. Cliquez sur la flèche associée à cette zone de liste pour consulter la liste des polices disponibles sous Windows.

3   Cliquez sur la police voulue. Choisissez la police *Times New Roman* pour le titre de la feuille. Excel applique la police aux cellules marquées et enroule la liste des polices.

4   Cliquez en A1 pour changer la taille de la police.

5 Utilisez encore une fois une zone de liste pour choisir la taille de la police. Cliquez sur la zone de liste *Taille* dans la barre d'outils *Format*.

6 Les différentes tailles de la police apparaissent dans la liste qui se déroule. La taille par défaut est 10 pts (points). Plus cette valeur est élevée et plus grande sera la police. Cliquez sur 24.

7 Changez la taille de la deuxième ligne du titre. Choisissez 18 pour A2.

Mise en forme des cellules A1 et A2

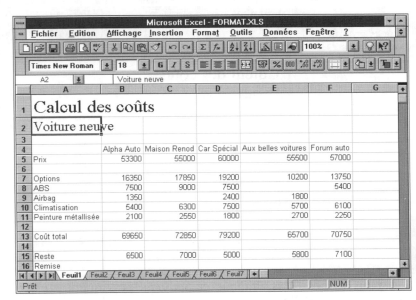

Les capacités de mise en forme d'Excel ne se limitent pas à la définition des polices et des tailles. Excel permet d'appliquer également des attributs de mise en forme. Les attributs couramment utilisés sont gras, souligné et italique. Ces trois options sont accessibles depuis la barre d'outils *Format*.

Formater des plages

Il s'agit de mettre en gras le texte de la colonne A ainsi que les noms des concessionnaires de la ligne 4.

1 Marquez les noms des concessionnaires, c'est-à-dire la plage B4 à F4.

2 Appuyez sur **CTRL** et gardez cette touche enfoncée.

3 Marquez la plage A5-A27. Gardez la touche **CTRL** appuyée.

4 Relâchez **CTRL** et le bouton gauche une fois la plage marquée.

5 Cliquez sur l'icône *Gras* dans la barre d'outils *Format* pour mettre en gras les cellules marquées.

Mise en gras du texte marqué

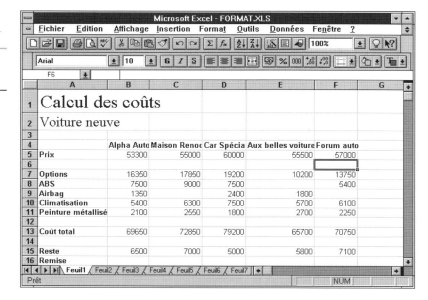

Les trois icônes *Gras*, *Italique* et *Souligné* appliquent au texte l'attribut concerné dès qu'elles sont cliquées une fois. Un deuxième clic sur la même icône annule la mise en forme.

Onglet Police

Toutes les commandes de mise en forme des caractères, à savoir la police, la taille, les attributs et d'autres options sont réunies dans l'onglet **Police**.

A partir de cette boîte de dialogue, vous pouvez appliquer en une seule passe tous les attributs que vous voulez. Affichez cette boîte de dialogue via **Format/Cellule/Police**.

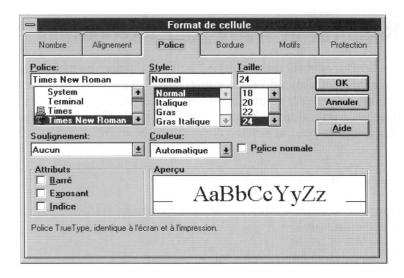

L'onglet Police

Marquez la plage voulue avant de changer la police sinon passez par l'onglet **Police** :

Police	Cette zone de liste contient les polices existantes
Taille	Choisissez la taille de la police dans cette zone de liste
Style	Indiquez ici l'attribut que vous voulez appliquer aux cellules marquées : *normal*, *italique*, *gras*, *gras* ou *gras italique*.
Soulignement	Choisissez le type du soulignement à appliquer aux textes et nombres
Couleur	Définissez la couleur de la police
Police normale	Cochez cette case pour rétablir les paramètres par défaut
Attributs	Cochez les cases *Barré*, *Exposant* ou *Indice* selon la manière dont vous voulez représenter les cellules marquées
Aperçu	Ce champ reproduit la mise en forme que vous choisissez. Il permet de juger du résultat futur.

6

L'avantage de l'onglet *Police* est qu'il permet de définir plusieurs options en une seule fois en renvoyant systématiquement un aperçu de la mise en forme que vous venez d'appliquer.

Bordures et traits pour l'esthétique

Les bordures et les traits aident à agir sur l'aspect esthétique de la feuille de calcul. Excel permet d'encadrer les cellules avec des traits de toutes sortes. Cette opération - comme d'ailleurs toutes les autres - s'exécute rapidement à l'aide d'une icône. Un trait peut être ajouté à gauche ou à droite, en haut ou en bas d'une cellule. Une plage entière peut aussi être dotée d'une bordure.

La palette des bordures

Dans la feuille d'exemple, vous allez mettre en évidence par des traits les noms des concessionnaires.

1 Marquez la plage B4 à F4.

2 Cliquez sur l'icône *Bordure* dans la barre d'outils *Format*. Une palette avec des bordures variées se déroule au bas de l'icône. Excel fournit des traits prédéfinis - fins, épais, doubles - qui peuvent être appliqués à l'un des bords d'une cellule.

3 Cliquez sur l'icône située en bas à gauche dans la palette des bordures. Vous ajoutez ainsi un trait en haut et en bas des cellules marquées.

Affectation de bordures à la plage marquée

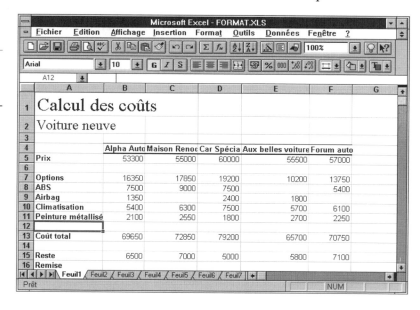

L'onglet Bordure

L'onglet **Bordure** propose un grand choix de traits et de bordures. Indiquez ici l'endroit où doit apparaître le trait mais décidez également du style et de la couleur du trait.

Encore une fois, vous devez marquer la plage susceptible d'être affectée par le trait avant d'exécuter la commande.

Dans la feuille d'exemple, il s'agit de délimiter par des traits la plage entière comportant des nombres.

1 Marquez la plage B5 à F27.

2 Faites **Format/Cellule/Bordure.**

L'onglet Bordure

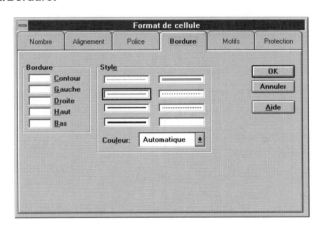

Dans la boîte de dialogue, Excel montre les divers emplacements possibles du trait : *Contour*, *Gauche*, *Droite*, *Haut* et *Bas*.

Une zone vierge signifie qu'aucun trait n'a été défini pour la bordure. Des traits sont définis pour certaines cellules et non pour d'autres. Le trait affiché dans la zone concerné indique que les cellules seront formatées avec ce trait.

Définissez comme suit un trait :

1 Choisissez le type du trait sous *Style*, par exemple la ligne pointillée en deuxième position dans la deuxième colonne.

6

2 Spécifiez l'emplacement du trait. Cliquez sur *Haut*, *Bas*, *Gauche* et *Droite* pour affecter un trait tout autour des cellules de la plage marquée dans la feuille.

3 La plage marquée doit être entourée d'un trait épais. Cliquez sur *Contour* et choisissez sous *Style* la ligne continue épaisse située en troisième position dans la première colonne.

4 Confirmez par **OK**.

La feuille délimitée par des traits

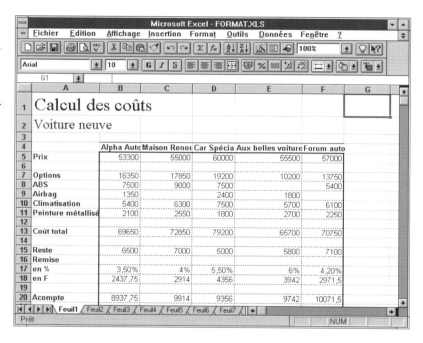

 Pour effacer un trait, marquez la plage puis cliquez sur l'icône située dans le coin supérieur gauche de la palette des bordures. Cette icône annule le trait appliqué à la zone marquée.

Couleurs et hachures

La bordure et le trait représentaient un stade préliminaire de la mise en forme. Pour obtenir un résultat digne d'un professionnel, il faut utiliser des couleurs et des hachures. L'onglet **Motifs** permet d'arriver à cette fin mais l'icône de la barre d'outils aide à agir beaucoup plus vite.

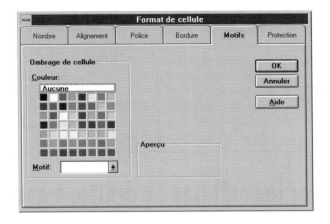

L'onglet Motifs

Dans la feuille d'exemple, vous allez affecter une couleur au texte que vous avez déjà mis en gras. Comme à l'accoutumée, marquez les deux plages pour appliquer la mise en forme en une seule passe.

1   Marquez les noms des concessionnaires. C'est la plage B4 à F4. Appuyez sur **CTRL** et marquez la plage A5 à A27 de la colonne A tout en gardant la touche **CTRL** appuyée. Relâchez **CTRL**.

2   Cliquez sur l'icône *Couleur* dans la barre d'outils *Format* et maintenez l'appui.

3   Une palette de couleurs se déroule au bas de l'icône. Choisissez par simple clic la couleur voulue. Optez pour un ton clair si vous voulez affecter une couleur aux cellules, gris clair (deuxième ligne, septième position) par exemple. L'option *Aucune* enlève les couleurs affectées à la plage marquée.

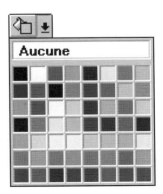

La palette de couleurs

La mise en forme en couleur sera convertie par des tons de gris dans le cas d'une impression sur une imprimante noir et blanc. Il peut arriver que le document soit difficile à lire si les couleurs sont trop nuancées. Le mieux est d'effectuer un test pour identifier les couleurs correspondant aux tons de gris de l'imprimante. Vous pourrez ainsi appliquer les couleurs adéquates pour générer un document aussi attrayant à l'écran que sur le papier.

Aligner les cellules : à droite, à gauche et au centre

Vous avez déjà remarqué le fait suivant lors de la saisie : les cellules contenant un texte sont alignées par défaut à gauche et celles contenant des valeurs ou des formules sont alignées à droite. Ce paramétrage par défaut peut être modifié à volonté pour aligner à gauche ou à droite ou bien pour centrer les valeurs dans les cellules.

Aligner dans une cellule

Comme vous pouvez vous y attendre, Excel a prévu des icônes permettant d'aligner rapidement le contenu d'une cellule. Marquez tout simplement la plage et cliquez sur l'icône adéquate et le tour est joué.

Faites un test. Marquez une plage et modifiez l'alignement avec les icônes *Aligner à gauche*, *Aligner à droite* et *Centrer*. Un conseil : ne changez en rien le titre car Excel vous réserve une mise en forme spécifique au titre.

Centrer sur plusieurs colonnes

Comme souligné plus haut, Excel dispose d'une option particulière permettant d'aligner les deux lignes de titre. Vous pouvez centrer des textes (ou des nombres) sur une plage marquée. Cela permet de placer un titre en plein milieu d'un tableau sans avoir à mesurer les centimètres de part et d'autre.

1   Marquez la plage dans laquelle vous voulez centrer le titre. Dans la feuille d'exemple, il s'agit de A1 à F2. Les deux lignes de titre sont incluses dans cette plage.

2 Cliquez sur l'icône *Centrer sur plusieurs colonnes*. Excel place le texte exactement au milieu de la plage marquée.

Titres centrés sur plusieurs colonnes

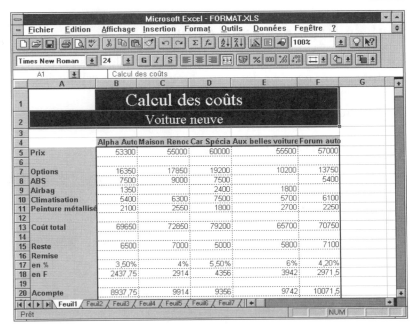

L'option permettant de centrer un texte sur plusieurs colonnes est fort intéressante mais elle a ses défauts. En réalité, le texte ne se trouve plus dans la cellule où il apparaît. La saisie du texte a eu lieu en A1 et c'est toujours dans cette cellule que figure le titre bien qu'il donne l'impression de commencer dans la colonne B.

Vérifiez cet état de chose par vous-même : cliquez en B1 ou C1. Les deux cellules sont vides comme vous le montre la barre de formule. Cliquez maintenant en A1. Le texte du titre apparaît dans la barre de formule. Pour formater ou modifier un texte centré sur plusieurs colonnes, vous devez cliquer dans la cellule où a eu lieu initialement la saisie du texte.

Le texte à centrer sur plusieurs colonnes doit toujours se trouver dans la première colonne de cette plage. Observez l'exemple : les deux titres ont été entrés dans la colonne A et ils sont centrés entre les colonnes A et F.

A présent, il faut avouer que la feuille produit un résultat beaucoup plus probant. Mais les noms des concessionnaires qui se chevauchent entre eux créent un effet inélégant. Pour y remédier, on pourrait très bien élargir les colonnes. Il existe

6

cependant une autre méthode. Et si on écrivait ces textes sur deux lignes ou si on les alignait verticalement ? Excel permet de réaliser ces deux mises en forme.

Saut de ligne dans une cellule

Forcer un saut de ligne à l'intérieur d'une cellule est sans doute la méthode la plus élégante pour englober des textes longs dans une cellule étroite.

1 Marquez les cellules concernées, ici B4 à F4.

2 Faites **Format/Cellule/Alignement**.

*L'onglet
Alignement*

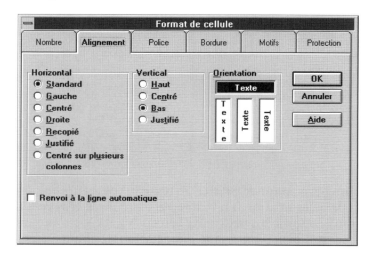

3 Cochez en bas la case *Renvoi à la ligne automatique*. Un saut de ligne sera ajouté automatiquement dans les cellules marquées.

4 Confirmez par **OK**.

5 Pour centrer les cellules multi-lignes, marquez ces dernières et cliquez sur l'icône *Centrer* dans la barre d'outils *Format*.

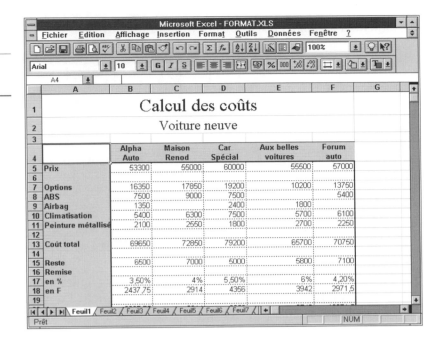

Sauts de ligne dans les cellules

	Alpha Auto	Maison Renod	Car Spécial	Aux belles voitures	Forum auto
Calcul des coûts					
Voiture neuve					
Prix	53300	55000	60000	55500	57000
Options	16350	17850	19200	10200	13750
ABS	7500	9000	7500		5400
Airbag	1350		2400	1800	
Climatisation	5400	6300	7500	5700	6100
Peinture métallisé	2100	2550	1800	2700	2250
Coût total	69650	72850	79200	65700	70750
Reste	6500	7000	5000	5800	7100
Remise					
en %	3,50%	4%	5,50%	6%	4,20%
en F	2437,75	2914	4356	3942	2971,5

Excel a pour habitude d'exécuter un saut de ligne là où figure un espace ou un trait d'union. En l'absence de ces caractères, le mot sera coupé en plein milieu. Dans ce cas, double-cliquez sur la cellule et ajoutez un trait de coupure.

6

Excel n'exécute pas de renvoi à la ligne si la colonne est suffisamment grande. Diminuez au contraire la largeur de colonne dans une telle situation.

Aligner verticalement un en-tête de colonne

L'en-tête de colonne peut être placé verticalement dans une cellule. Cette option s'avère utile lorsque le tableau se compose de plusieurs colonnes étroites placées consécutivement. Faites-en l'expérience dans la feuille d'exemple.

1 Marquez la plage B4 à F4.

2 Faites **Format/Cellule/Alignement** ou utilisez le menu contextuel.

3 Sous *Vertical*, activez l'option *Bas*.

4 Sous *Orientation*, choisissez l'option du milieu.

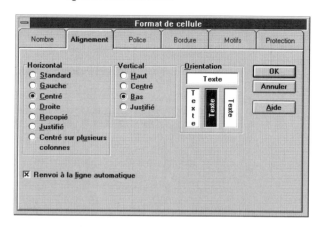

5 Le texte vertical ne peut être écrit sur plusieurs lignes consécutives que si un saut de ligne est autorisé. Activez par conséquent l'option *Renvoi à la ligne automatique*.

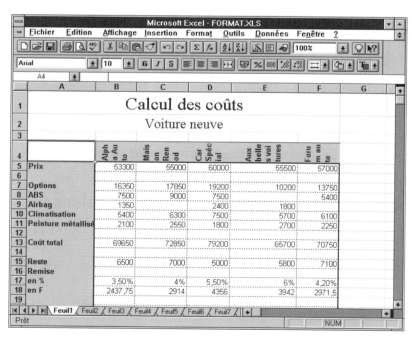

N'hésitez pas à corriger la coupure de mots si cela est nécessaire.

Régler la hauteur de ligne

La hauteur de ligne, tout comme la largeur de colonne, est modifiable dans Excel. Cette action s'avère nécessaire dans les cas où vous autorisez un renvoi à la ligne ou vous alignez verticalement un texte.

Ajuster la hauteur de ligne avec la souris

Le plus simple est de changer la hauteur de ligne avec la souris. Placez le pointeur sur le délimiteur de ligne du bas. Le pointeur prend la forme d'un trait horizontal découpé par une flèche dirigée vers le haut et le bas.

1 Placez le pointeur sur le délimiteur séparant les 4ème et 5ème lignes.

2 Cliquez sur ce délimiteur. La zone *Nom* de la barre de formule affiche la valeur exacte de la hauteur de ligne.

3 Tirez vers le bas le délimiteur tout en gardant le bouton gauche appuyé.

4 Relâchez le bouton lorsque vous avez atteint la hauteur souhaitée.

Augmentation de la hauteur de la ligne 4

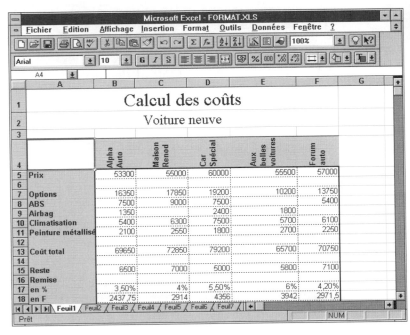

La hauteur de la ligne diminue lorsque vous déplacez le délimiteur vers le haut.

Copier une mise en forme

La mise en forme complexe d'une cellule peut être reproduite avec la souris sur une autre cellule ou plage. Faites un test. Créez tout d'abord une mise en forme qui mérite d'être copiée :

1   Cliquez dans la cellule A5 qui renferme le texte "Prix".

2   Appliquez une taille de 12 Pts.

3   Mettez le texte en italique par simple clic sur l'icône correspondante.

4   Affectez une bordure à la cellule en cliquant sur l'icône en bas à droite dans la palette des bordures.

5   Changez la couleur en jaune par exemple.

Changement de la mise en forme de la cellule A5

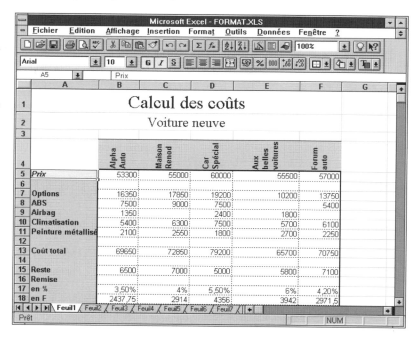

Reproduisez maintenant cette mise en forme sur d'autres cellules :

1   Marquez la cellule A5 dont vous voulez reproduire la mise en forme.

2   Cliquez sur l'icône *Reproduire la mise en forme* dans la barre d'outils *Standard*. Le curseur se transforme en un pinceau muni d'une croix.

3   Cliquez dans la cellule qui doit recevoir cette mise en forme. Il s'agit de A13 (Coût total) dans la feuille d'exemple.

Excel reproduit la mise en forme sur la cellule choisie. Une cellule sera marquée automatiquement si vous appuyez sur une touche de direction. Excel appliquera ainsi directement la mise en forme. Après avoir cliqué sur l'icône Reproduire la mise en forme, parcourez la feuille à l'aide des barres de défilement.

4   Reproduisez la même mise en forme sur la cellule A27 sans oublier auparavant de cliquer sur l'icône.

Excel reproduit la mise en forme complète de la cellule initiale, c'est-à-dire les couleurs et les lignes, la police et la taille, l'alignement et le motif. Annulez la commande en cliquant sur la même icône si le résultat ne vous satisfait pas.

6

Mise en forme automatique

En cas d'urgence, Excel fournit une commande permettant de formater automatiquement une feuille de calcul. Cette commande de formatage automatique renferme des formats s'appliquant aux nombres, à la police et la taille, l'alignement, la largeur de colonne, les bordures et les couleurs.

14 formats sont prédéfinis. Avant de recourir au formatage automatique, enregistrez la feuille dans le répertoire \STEXCEL\EXEMPLES sous le nom FORMAT01.XLS. La feuille telle qu'elle est élaborée actuellement vous servira dans la leçon suivante où il faudra formater les nombres.

Pour appliquer le formatage automatique, il convient en principe de cliquer une cellule devant recevoir automatiquement le format prédéfini. Excel affecte le format à l'ensemble des cellules englobées dans la plage marquée. Mais pour avancer avec prudence, marquez soigneusement la plage concernée surtout lorsque la feuille contient des lignes vides.

1   Marquez la plage A4 à F27.

2   Faites **Format/Format automatique**.

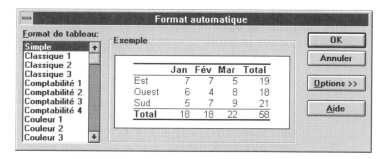

*Boîte de dialogue
Format
automatique*

Les noms des formats prédéfinis sont affichés sous la liste *Format de tableau*. La zone *Exemple* reproduit schématiquement le format choisi à travers un tableau standard.

3   Cliquez successivement sur les divers formats et observez le résultat dans la zone *Exemple*.

4   Confirmez par **OK** le format qui vous convient.

Annulez la mise en forme si elle ne vous satisfait pas. Cliquez sur *Annuler* pour rétablir le format antérieur du tableau.

Tous les paramètres de mise en forme peuvent être modifiés manuellement. Dans le format automatique, Excel n'utilise pas d'autres commandes que celles que vous avez étudiées dans cette leçon. Les formats numériques, que vous découvrirez dans la leçon suivante, sont la seule exception.

*Certaines commandes de mise en forme sont accessibles dans la boîte de dialogue Format automatique à partir du bouton **Options >>**. Toutes les cases sont cochées par défaut. Désactivez les options que vous ne voulez pas modifier implicitement. La largeur de colonne est en général ajustée correctement lors de la création du tableau. C'est pourquoi, il est conseillé de désactiver uniquement l'option Largeur/Hauteur dans la rubrique Formats à appliquer.*

Résumé

Vous voulez...	Sélectionnez...	Icône/Clavier
modifier la police	**Format/Cellule/Police**	Arial
modifier la taille des caractères	**Format/Cellule/Police**, zone de liste Taille	10
mettre un texte en gras	**Format/Cellule/Police**, style *Gras*	G
mettre un texte en italique	**Format/Cellule/Police**, style *Italique*	I
souligner un texte	**Format/Cellule/Police**, style *Souligné*	S
affecter une bordure et un trait	**Format/Cellule/Bordure**	
affecter une couleur aux cellules	**Format/Cellule/Motifs**	
aligner des cellules	**Format/Cellule/Alignement**	
aligner un texte sur plusieurs colonnes	**Format/Cellule/Alignement**, option *Centré sur plusieurs colonnes*	
autoriser un saut de ligne	**Format/Cellule/Alignement**, option *Renvoi à la ligne automatique*	
aligner verticalement les en-têtes de colonne	**Format/Cellule/Alignement**, option *Orientation*	
reproduire une mise en forme		
formater automatiquement un tableau	**Format/Format automatique**	

6

Contrôle des connaissances

QUESTIONS

1. **Horizontalement** L'onglet Bordure de la boîte de dialogue **Format de cellule** contient les options suivantes concernant la bordure : gauche, droite, haut, bas et ...

2. **Horizontalement** Cet onglet renferme toutes les commandes de mise en forme des caractères.

3. **Horizontalement** A l'intérieur des cellules, cet élément représente la méthode la plus élégante pour inclure des textes longs dans un champ étroit.

2. **Verticalement** Commande du menu **Format** appelant la boîte de dialogue **Format de cellule.**

3. **Verticalement** Cet onglet permet de choisir un type de trait.

4. **Verticalement** Cet onglet de la boîte de dialogue **Format de cellule** permet d'affecter des motifs aux cellules.

MOT MYSTÉRIEUX

1. **Verticalement** Menu permettant d'afficher des barres d'outils.

6

Leçon 7 : Modification d'un format numérique

30 min

Vous avez découvert les principales caractéristiques de mise en forme dans la leçon 6 à l'exception d'une seule. L'affichage des nombres dans un tableau n'a pas été évoqué dans cette leçon. Les chiffres après la virgule, le séparateur décimal ou le symbole monétaire sont quelques-unes des options fournies par Excel.

A l'issue de cette leçon vous saurez...

- modifier le nombre de décimales par simple clic,
- représenter de grandes valeurs avec un séparateur de milliers,
- interpréter les formats numériques utilisés par Excel,
- créer des formats numériques personnalisés,
- appliquer le format du pourcentage.

Les chiffres après la virgule

Excel représente par défaut les nombres avec la plus grande précision possible. Si vous avez décidé d'avoir quatre chiffres après la virgule ou calculé une formule avec quatre chiffres après la virgule, soyez sûr que ces chiffres seront affichés. Une seule exception à la règle : Excel ne considère pas les zéros en tant que chiffres après la virgule.

Vous pouvez modifier le format d'affichage des nombres - disons le format numérique -. En fait, il est plus rapide de changer le nombre de chiffres après la virgule.

Dans cette leçon, vous aurez besoin du fichier FORMAT01.XLS enregistré, dans la leçon précédente, dans le répertoire \STEXCEL\EXEMPLES.

Vous pouvez utiliser également le fichier NOMBRE.XLS qui se trouve dans le répertoire \STEXCEL.

Les nombres à éditer en premier dans la feuille sont ceux qui comportent plusieurs chiffres après la virgule. Il s'agit des montants en F accordés en guise de remise.

1 Marquez les cellules renfermant des valeurs dont vous voulez changer le nombre de chiffres après la virgule, ici B18 à F18.

2 Cliquez sur l'icône *Supprimer une décimale* dans la barre d'outils *Format*. Excel ne supprime pas pour autant la décimale. Il arrondit le nombre à une décimale.

*Suppression
d'une décimale*

	A	B	C	D	E	F	G
5	*Prix*	53300	55000	60000	55500	57000	
6							
7	Options	16350	17850	19200	10200	13750	
8	ABS	7500	9000	7500		5400	
9	Airbag	1350		2400	1800		
10	Climatisation	5400	6300	7500	5700	6100	
11	Peinture métallisé	2100	2550	1800	2700	2250	
12							
13	*Coût total*	69650	72850	79200	65700	70750	
14							
15	Reste	6500	7000	5000	5800	7100	
16	Remise						
17	en %	3,50%	4%	5,50%	6%	4,20%	
18	en F	2437,8	2914,0	4356,0	3942,0	2971,5	
19							
20	Acompte	8937,75	9914	9356	9742	10071,5	
21							
22	Restant dû	60712,25	62936	69844	55958	60678,5	
23							

3 Pour vérifier ce mécanisme, cliquez sur l'icône *Ajouter une décimale*. Excel rajoute une décimale et le nombre obtient son aspect antérieur.

4 Dans la plage marquée, supprimez toutes les décimales en cliquant plusieurs fois sur l'icône *Supprimer une décimale*.

Le tableau contient deux autres zones où les nombres sont dotés de décimales : les lignes Acompte et Restant dû.

5   Marquez la plage B20-F22.

6   Supprimez les décimales via l'icône *Supprimer une décimale*.

Séparateur de milliers

La représentation de grandes valeurs avec des séparateurs de milliers, 10.000.000 au lieu de 10000000, est également possible dans Excel. Un simple clic permet une fois de plus d'obtenir le résultat souhaité.

Observons notre feuille de calcul de plus près. Elle contient plusieurs zones consécutives où l'ajout d'un séparateur des milliers serait le bienvenu :

- d'une part la plage B5-F15 contenant les prix,

- d'autre part la plage B18-F22 où sont calculés la remise, l'acompte et le montant restant dû.

Les deux plages peuvent être marquées et formatées ensemble.

1   Marquez la plage B5-F15. Gardez la touche **CTRL** appuyée et marquez B18-F22.

2   Cliquez sur l'icône *Style milliers* dans la barre d'outils *Format*. L'icône ajoute le séparateur ainsi que deux décimales et décale les nombres de deux caractères vers la droite.

Mais que se passe-t-il au juste ? Certains nombres ont disparu de la feuille pour être remplacés par des dièses doubles ##.

*Les plages
marquées munies
de séparateurs*

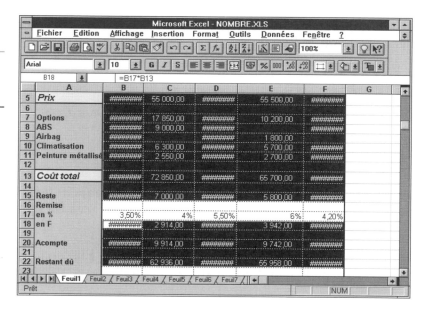

Les dièses indiquent que les nombres ne peuvent pas être affichés - la largeur de colonne est trop petite. Vous disposez de deux méthodes pour remédier à ce désagrément.

Soit vous modifiez le format numérique en réduisant le nombre des décimales soit vous élargissez les colonnes. Le plus simple est de supprimer les décimales pour diminuer ainsi les nombres en largeur. Voici comment procéder :

1 Marquez les deux plages B5-F15 et B18-F22.

2 Cliquez sur l'icône *Supprimer une décimale* jusqu'à faire disparaître les décimales. La largeur de colonne devient suffisamment grande une fois les décimales supprimées. Les nombres redeviennent visibles.

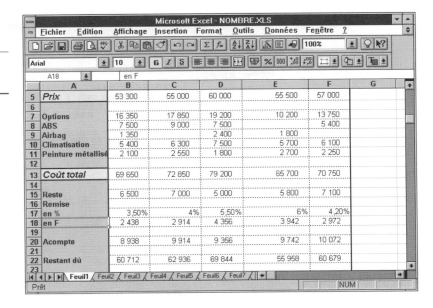

Suppression des décimales

Les formats numériques d'Excel

Les icônes évoquées plus haut permettent d'appliquer par simple clic les formats numériques les plus courants. D'autres options sont disponibles dans l'onglet **Nombre**. Excel fournit un format spécifique à chaque situation (date, symbole monétaire ou scientifique).

1 Marquez la plage B5-F15 contenant les prix puis, avec la touche **CTRL** appuyée, étendez la sélection vers la plage B18-F22 contenant la remise, l'acompte et le montant restant dû.

2 Faites *Format/Cellule/Nombre*.

7

L'onglet Nombre

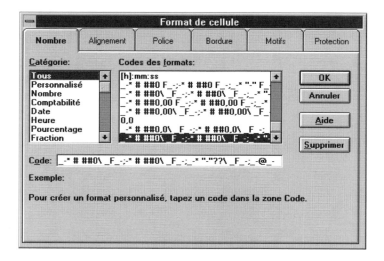

Excel affiche par défaut tous les formats prédéfinis qui s'élèvent à 40. Dans la liste *Catégorie*, choisissez la rubrique qui vous intéresse. Les formats affichés dans la liste *Codes des formats* correspondent à la catégorie choisie.

Catégorie	Description
Tous	Affiche tous les formats de nombre, date, heure, etc.
Nombre	Affiche seulement les formats de nombre
Comptabilité	Montre les formats F les plus usités
Date	Affiche seulement les formats de date
Heure	Affiche seulement les formats de l'heure
Pourcentage	Affiche les formats de pourcentage
Fraction	Affiche des formats servant à représenter des fractions
Scientifique	Affiche les formats scientifiques
Monétaire	Affiche les formats monétaires

3 Cliquez sur *Comptabilité*. Excel affiche la liste des formats se rapportant uniquement à cette catégorie.

4 Choisissez la première entrée pour représenter les nombres avec un espace comme séparateur de milliers et le symbole monétaire F, sans décimales. Confirmez par **OK**.

Il n'est pas évident de comprendre les hiéroglyphes inscrits dans cette liste. Lisez la section suivante pour plus de précisions mais notez un conseil au passage : jetez un coup d'oeil dans la ligne *Exemple* figurant au bas de la boîte de dialogue. Là, Excel montre la manière dont le nombre sera représenté d'après le format choisi.

Format F pour toutes les valeurs

5 Enregistrez le classeur, dans le répertoire \STEXCEL\EXEMPLES, sous le nom NOMBRE01.XLS. Cette feuille sera utilisée ultérieurement.

Mais auparavant vous devez acquérir quelques notions théoriques sur la structure des formats numériques sous Excel.

7

Composition des formats numériques

Les formats numériques d'Excel sont conçus de telle sorte que les formats usuels sont prédéfinis. Cela ne vous empêche pas pour autant de créer vos propres formats si vous le désirez. Les formats numériques sous Excel se composent des caractères de substitution définissant les unités, dizaines, centaines, etc. et aussi des décimales. Vous pouvez bricoler vos propres formats à partir de ces caractères génériques dont les principaux sont :

0 Utilisez ce caractère générique pour afficher dans tous les cas le nombre de chiffres spécifiés. Il est particulièrement utile pour les décimales. Excel ajoutera des zéros en l'absence d'indication. C'est ainsi que la valeur 7,3 sera remplacée par 7,30 si le format désigné est 0,00.

\# La position ne sera prise en compte que si un chiffre figure réellement à cet endroit. Le dièse double est utilisé en général dans les formats faisant intervenir un espace comme séparateur de milliers. Le code # 000 invite Excel à séparer les milliers par un espace si le nombre est suffisamment grand. La valeur 10000 deviendra 10 000 alors que la valeur 100 restera inchangée.

_X Ce caractère générique indique qu'une position correspondant à la largeur du chiffre faisant suite au trait de soulignement restera vide. Si le trait de soulignement est suivi de la lettre D, un espace correspondant à la largeur de la lettre D sera laissé. Si le trait est suivi d'un M, la place laissée sera égale à la largeur de M.

Le trait de soulignement est utilisé dans les cas où les nombres sont suivis d'une désignation telle que F. Dans un tel cas, il faut que les nombres soient bien alignés dans la colonne par rapport à l'emplacement de la virgule décimale. Vous pouvez vous servir alors du trait de soulignement pour décaler la cellule vers la gauche ou la droite. La plupart des codes de la catégorie *Comptabilité* utilisent cette option.

Le trait de soulignement convient en fait dans les cas où il faut décaler les nombres par rapport à la largeur d'une lettre donnée. Facilitez-vous du moins la tâche en utilisant des espaces si vous ne devez décaler que très légèrement les nombres.

Rappelons encore une fois que vous disposez de 40 formats prédéfinis pour les nombres dans Excel. Le tableau suivant illustre quelques exemples.

Format de nombre	Entrée dans la feuille	Affichage dans la feuille
0	5	5
	100	100
	10,73	11
0,00	5	5,00
	100	100,00
	10,7	10,70
# ##0	5	5
	5,5	6
	100	100
	1000	1 000
	100000	100 000

Format de nombre	Entrée dans la feuille	Affichage dans la feuille
# ##0,00 F	5	5,00 F
	5,5	5,50 F
	100	100,00 F
	1000	1 000,00 F
0,00%	0,04	4,00%
	0,21	21,00%
	1	100,00%

Formats de nombre personnalisés

Pour cet exemple, ouvrez le fichier PESETA.XLS, situé dans le répertoire \STEXCEL, si vous avez installé les exemples fournis dans la disquette.

Définissez des formats de votre choix si les formats de nombre proposés par Excel ne vous conviennent pas. Vous allez définir des formats personnalisés à travers l'exemple d'un tableau de conversion.

Effectuez les modifications suivantes :

1 Marquez la plage A5-A10 et attribuez un format monétaire en cliquant sur l'icône *Style monétaire*.

2 Supprimez les décimales en cliquant sur l'icône *Supprimer une décimale*.

3 Cliquez en B4 et tapez "Peseta". Modifiez le cours du jour spécifié en D1 en le remplaçant par 85.

Application d'un
style monétaire

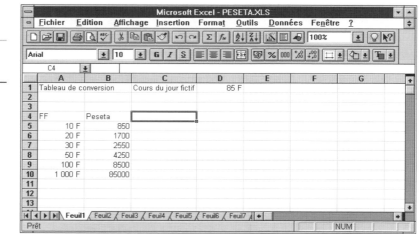

4 Pour appliquer le style monétaire à la monnaie espagnole, marquez la plage B5-B10.

5 Faites **Format/Cellule/Nombre** ou *Format de cellule/Nombre* depuis le menu contextuel.

Construisez à présent un format monétaire de toutes pièces en utilisant les caractères génériques cités précédemment. Le plus simple est de choisir un format existant dans la catégorie *Monétaire* auquel vous ajoutez "Pts" en guise de symbole monétaire.

6 Cliquez sur la catégorie *Monétaire* et choisissez le premier format de la liste soit # ##0F; -# ##0 F. La partie précédant le point-virgule concerne les nombres positifs et celle qui suit les nombres négatifs.

7 Cliquez dans la zone de texte *Code* où le format choisi est recopié. Les touches de direction déplacement le curseur dans cette ligne, **RETOUR ARRIERE** et **SUPPR** permettent de supprimer des caractères distincts.

8 Définissez votre format. Remplacez "F" par "Pts" puis cliquez sur **OK**.

Excel renvoie un message d'erreur annonçant que le format du nombre est incorrect. Votre format est refusé parce que vous avez utilisé un texte en l'occurrence "Pts". Excel accepte sans protester des signes monétaires tels que $ ou F. Quant aux autres indications telles que pièce, litre ou kilo y compris Pts, vous devez les encadrer par des guillemets.

9 Confirmez le message d'erreur par **OK** afin de pouvoir corriger le format du nombre.

10 Mettez Pts entre guillemets (n'oubliez pas d'ajouter un espace avant Pts) et dans la zone de texte *Code* et validez.

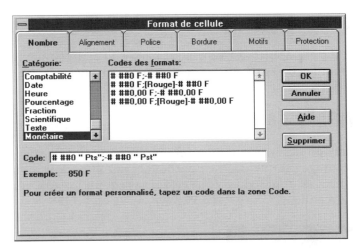

Définition du code pour les pesetas

Excel accepte maintenant le nouveau format. Dans le tableau, toutes les valeurs marquées sont suivies du symbole monétaire Pts.

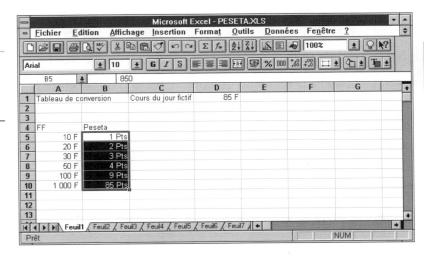

Code du style monétaire personnalisé pour les pesetas

Les formats personnalisés sont ajoutés au bas de la liste des codes correspondant au style choisi.

1 Enregistrez le classeur sous le nom PESETA01.XLS dans le répertoire \STEX-CEL\EXEMPLES via **Fichier/Enregistrer sous.**

2 Fermez le classeur via **Fichier/Fermer.**

La feuille NOMBRE.XLS qui a été placée à l'arrière-plan redevient active. Ouvrez cette feuille au cas où vous l'aviez fermée par mégarde.

Formats de pourcentage

L'affichage des valeurs en pour-cent représente un sujet en soi. Le format de pourcentage est quelque peu particulier car il modifie le nombre en apparence et seulement en apparence. Voici ce qui se produit lorsque vous appliquez un format de pourcentage :

Entrée	Code
0,05	5,00 %
0,5	50,00 %
5	500,00 %

Visiblement le format de pourcentage multiplie un nombre par 100. Mais ce n'est qu'une illusion car en réalité le nombre ne se modifie en rien. Faites un test dans la feuille d'achat d'une voiture neuve. Cette feuille contient toujours la ligne des taux d'intérêt qui n'a pas reçu de mise en forme particulière.

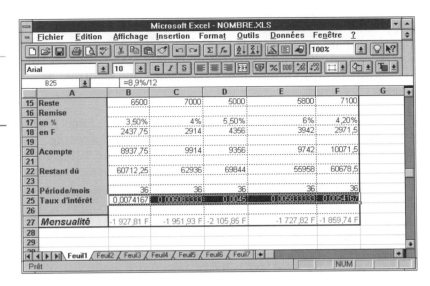

Format de pourcentage non affecté aux taux d'intérêt

1   Marquez la plage B25-F25.

2   Cliquez sur l'icône *Style pourcentage* dans la barre d'outils *Format*. Excel montre deux types de pourcentage sous forme de nombre entier sans décimales.

3   Augmentez le nombre de décimales à deux chiffres après la virgule en cliquant sur *Ajouter une décimale*.

Mise en forme de la ligne des taux d'intérêts

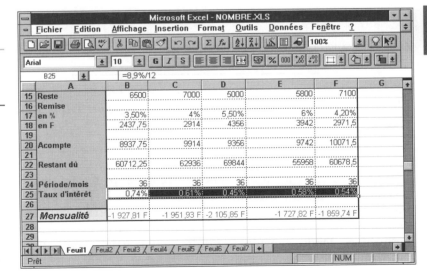

Excel modifie l'affichage des valeurs. Les nombreux zéros figurant derrière la virgule disparaissent pour laisser place à des nombres compris entre 0,3 et 0,8. Regardez également les autres résultats dans le tableau. Ces valeurs n'ont pas subi la moindre petite modification. Cela signifie que le format de pourcentage n'altère en rien les valeurs.

Lorsque vous appliquez un format de pourcentage, Excel multiplie le nombre par 100. Mathématiquement parlant, calculer un pourcentage revient à diviser un nombre par 100. Multiplier par 100 et diviser par 100, cela semble incohérent. Mais ce n'est qu'une apparence : le résultat ne change pas sauf que les nombres sont mieux lisibles.

Calculer une différence de pourcentage

Le format de pourcentage s'avère nécessaire pour calculer une différence en pour-cent notamment pour comparer des valeurs. En règle générale il s'agit d'une différence entre prévision et réalisation. La prévision doit aboutir alors que la réalisation est réellement atteinte. Il nous intéresse de calculer ici la différence en pour-cent entre ces deux valeurs.

Un tel calcul a déjà été effectué dans la première leçon. Vous avez eu à comparer le temps que vous avez consacré à l'étude des leçons avec le temps qui a été fixé d'avance.

1   Enregistrez la feuille d'évaluation des coûts d'achat d'une voiture neuve.

2   Fermez le classeur via **Fichier/Fermer**.

Pour l'exemple suivant, ouvrez le fichier DIFFER.XLS qui se trouve dans le répertoire \STEXCEL.

Il s'agit de calculer ici la différence entre le temps requis spécifié dans la colonne C et la durée prévue indiquée dans la colonne B. Pour évaluer la différence en pourcentage, vous devez enlever la valeur prévision (la durée prévue) de la valeur réalisation (le temps requis). Cette partie de la formule doit être spécifiée entre parenthèses. Divisez ensuite le résultat par la valeur réalisation (le temps requis). La formule nécessaire est donc :

=(C6-B6)/C6

1   Cliquez en D6 pour y inscrire le premier résultat.

2   Tapez la formule =(C6-B6)/C6. En résultat, Excel renvoie un nombre compris entre 0 et 1. Transformez cette valeur en pourcentage en multipliant par 100.

3   Recliquez en D6. Cliquez sur l'icône *Style pourcentage*.

4   Ajoutez deux décimales en cliquant deux fois sur *Ajouter une décimale*.

5   Copiez la formule dans les cellules restantes pour toutes les leçons : cliquez sur la poignée de recopie de la cellule D6 et tirez le pointeur vers la cellule D22. Excel recopie la formule dans les cellules marquées.

Calcul du pourcentage

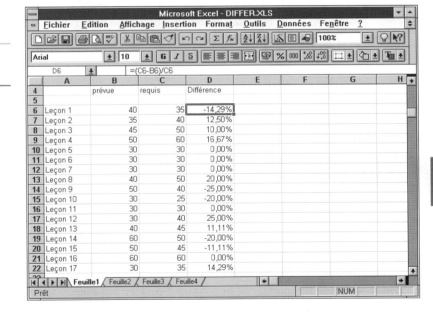

Résumé

Vous voulez...	Sélectionnez...	Icône/Clavier
ajouter une décimale	icône *Ajouter une décimale*	
supprimer une décimale	icône *Supprimer une décimale*	
ajouter un séparateur de milliers	**Format/Cellule/Nombre**	
affecter un format de pourcentage	icône Style pourcentage	
modifier le format de nombre	**Format/Cellule/Nombre**	
personnaliser un format de nombre	**Format/Cellule/Nombre**, zone de texte *Code*	

Contrôle des connaissances

QUESTIONS

1. **Horizontalement** Cliquez sur cette icône de la barre d'outils *Format* pour attribuer le format monétaire.

2. **Horizontalement** Ces caractères apparaissent dans des cellules lorsque les nombres ne peuvent pas être affichés au format choisi (en toutes lettres).

3. **Horizontalement** Cette zone, dans l'onglet **Nombre**, permet de modifier le format choisi.

4. **Horizontalement** Ce format multiplie un nombre par 100.

2. **Verticalement** Sous Excel, les formats de nombre se composent de caractères de ... définissant les unités, dizaines, centaines, milliers, etc.

3. **Verticalement** Cette icône ajoute un séparateur ainsi que deux décimales.

MOT MYSTÉRIEUX

1. Verticalement   Format d'affichage des nombres par défaut.

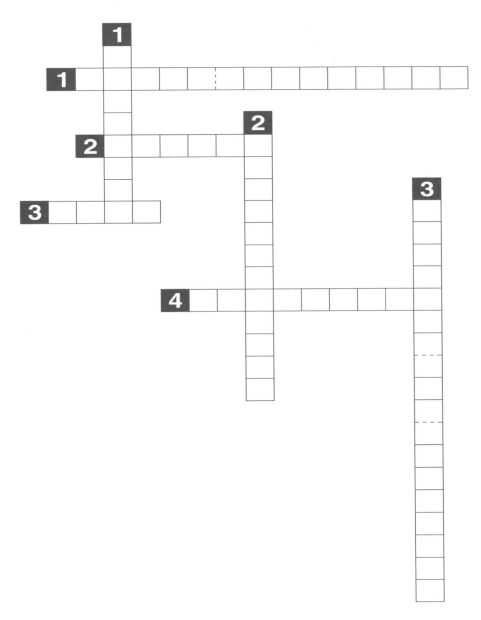

Leçon 8 :
Impression d'une feuille
de calcul

40 min

Dans les leçons précédentes, vous avez appris à saisir des informations dans une feuille, à créer des formules et à mettre en forme la feuille de calcul. Jugez maintenant du résultat de votre travail en imprimant la feuille.

A l'issue de cette leçon vous saurez...

- imprimer une feuille de calcul,
- régler les marges,
- définir un en-tête/pied de page,
- redimensionner une feuille pour l'impression,
- imprimer une plage de cellules,
- masquer des lignes et colonnes,
- utiliser l'Aperçu avant impression.

Impression d'une feuille de calcul

Ouvrez le fichier IMPR.XLS depuis le répertoire \STEXCEL.

8

La méthode la plus rapide consiste à cliquer sur l'icône *Imprimer*. Dans ce cas, Excel imprime la feuille sans demander votre confirmation.

La première impression donne parfois des résultats imprévisibles. Le quadrillage étant imprimé par défaut, le document devient confus sans que les bordures et les hachures soient mises en évidence. De plus, la feuille est décalée complètement vers le bord supérieur du papier. Il faudrait centrer la feuille pour que le document soit plus esthétique. Excel permet heureusement de paramétrer adéquatement les options d'impression. Les pages qui suivent décrivent le déroulement de ces opérations.

Orientation de la page

Excel fournit de nombreuses options d'impression permettant de régler les marges, de choisir l'orientation de la page (format Portrait ou Paysage) et de définir l'en-tête et le pied de page.

Ces divers paramétrages s'effectuent dans la boîte de dialogue **Fichier/Mise en page** accessible par la barre de menus ou le menu contextuel.

- Ouvrez la boîte de dialogue **Fichier/Mise en page**. Les commandes de configuration de la page sont réparties entre les quatre onglets **Page, Marges, En-tête/Pied de page** et **Feuille**.

Boîte de dialogue Mise en page - onglet Page

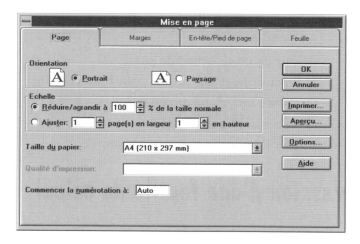

Onglet Page

La principale commande de l'onglet **Page** concerne l'orientation : *Portrait* ou *Paysage*. Vous y trouvez également l'option *Echelle* permettant de redimensionner le feuille de calcul sur la page.

Portrait et Paysage

Cliquez sur l'option qui vous intéresse. Choisissez *Portrait* pour imprimer la feuille d'exemple.

Echelle

Cette option permet d'agrandir ou de réduire le feuille de calcul sur la page d'impression selon un certain pourcentage. Pour des feuilles volumineuses, indiquez ici le nombre de pages à inclure dans l'impression.

La feuille d'exemple peut être agrandie légèrement. Il existe suffisamment d'espace à gauche et en bas.

1   Activez l'option *Réduire/Agrandir à*.

2   Entrez la valeur 110 en guise de pourcentage. Une valeur inférieure à 100 réduit l'impression, une valeur supérieure à 100 agrandit l'impression.

> *Utilisez l'option Ajuster si la feuille est volumineuse. Elle permet de limiter le document imprimé à un certain nombre de pages que vous spécifiez. Complétez les champ page(s) en largeur et en hauteur selon que vous voulez compresser les pages côte à côte ou les unes sous les autres.*

3   Cliquez sur *Aperçu* pour juger du futur résultat de la page imprimée.

Aperçu avant impression

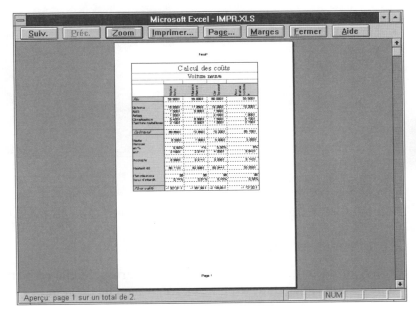

Excel présente une vue fortement réduite de la page. En haut de la page, d'autres options sont affichées, activables par simple clic . Ces options sont décrites plus loin dans ce chapitre.

4   Cliquez sur **Page** pour retourner dans la boîte de dialogue **Mise en page**.

*L'Aperçu avant impression reste actif à l'arrière-plan lorsque vous passez à la boîte de dialogue **Mise en page** en cliquant sur le bouton **Page**. Excel commute directement vers le mode Aperçu avant impression dès que vous cliquez sur **OK**.*

Onglet Marges

Utilise l'onglet **Marges** pour définir des options d'impression complémentaires. Une prévisualisation de la page est donnée là encore dans la zone *Aperçu*. L'orientation de la page, la définition des marges, l'en-tête et le pied de page sont mis en évidence dans cet aperçu. Excel montre en plus si le quadrillage sera imprimé ou non.

Onglet Marges

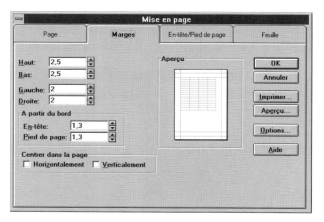

Marges

Définissez les marges dans les champs *Haut*, *Bas*, *Gauche*, *Droite*.

Centrer dans la page

Il convient de centrer la feuille sur la page surtout si elle est petite. Par défaut, la feuille est imprimée dans le coin supérieur gauche de la page.

1 Activez l'onglet **Marges**.

2 Cliquez dans le champ *Haut* et entrez 3 cm.

3 Au lieu de taper la valeur au clavier, cliquez ici une fois sur la flèche dirigée vers le haut associée à ce champ. La valeur augmente automatiquement par pas de 0,5 cm.

4 Cochez les cases *Horizontalement* et *Verticalement* sous *Centrer dans la page*.

5 Cliquez sur le bouton **Aperçu** pour juger du résultat final.

Modification des marges pour centrer la feuille dans la page

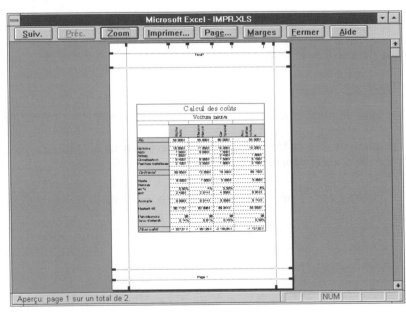

6 Cliquez sur **Page** dans la fenêtre Aperçu avant impression.

Onglet En-tête/Pied de page

Le texte défini dans l'en-tête ou le pied de page apparaît sur chaque page imprimée. L'en-tête et le pied de page permettent d'afficher des informations qui ne doivent pas figurer dans la feuille. Il s'agit par exemple du nom de la feuille aidant à rechercher rapidement le document voulu. Vous pouvez y inscrire votre nom ou le nom de la société. La date et le numéro de page sont aussi des indications que vous pouvez rencontrer dans ces zones.

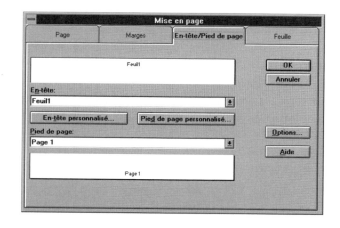

*Onglet
En-tête/Pied de
page*

En-tête

Par défaut, Excel inscrit ici le nom de la feuille.

Pied de page

Le pied de page contient généralement la mention *Page* suivie du numéro de page.

En plus de ces entrées standard réservées aux en-têtes et pieds de page, Excel dispose d'autres formats prédéfinis.

1 Cliquez sur l'onglet **En-tête/Pied de page** dans la boîte de dialogue **Mise en page**.

2 Cliquez sur la flèche associée à la zone de liste *En-tête ou Pied de page*. Les diverses entrées figurant dans ces listes proviennent, entre autres, des données utilisateur spécifiées lors de l'installation.

3 Cliquez sur l'entrée souhaitée dans la liste pour la reporter dans l'en-tête ou le pied de page.

Excel permet par ailleurs de définir des en-têtes et pieds de page personnalisés. Les techniques de mise en forme s'appliquant à ces deux textes sont identiques. Vous pouvez entrer le texte à aligner à gauche, à droite ou au centre de la page puis ajouter le numéro de page ou la date du jour.

Définissez un en-tête personnalisé pour l'impression de la feuille d'exemple.

- Cliquez sur **En-tête personnalisé** dans l'onglet **En-tête/Pied de page**. La boîte de dialogue qui s'ouvre permet de définir l'en-tête. Une boîte de dialogue identique permet de définir le pied de page.

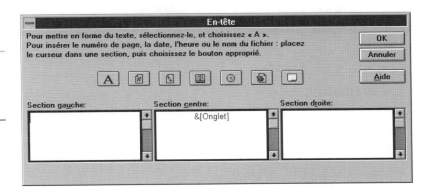

Au milieu de la boîte de dialogue se trouvent les symboles permettant d'insérer les codes de la date, de l'heure, du numéro de page dans l'en-tête ou le pied de page. Excel insère le code correspondant au symbole que vous cliquez.

Symbole	Code	Résultat
A		Ouvre la boîte de dialogue Police pour choisir les attributs de mise en forme des caractères.
# *Exemple* : Page &[Page] *Résultat* : Page 3	&[Page]	Insère le numéro de page en cours dans l'en-tête ou le pied de page et numérote consécutivement les pages.
♯ *Exemple :* Page &[Page] sur &[Pages] *Résultat :* Page 2 sur 5	&[Pages]	Insère dans l'en-tête ou le pied de page le nombre total de pages composant la feuille.
📅 *Exemple :* Date: &[Date] *Résultat :* Date: 30/12/94	&[Date]	Insère la date du jour dans l'en-tête ou le pied de page.
⊗ *Exemple :* Heure: &[Heure] *Résultat :* Heure: 10:04	&[Heure]	Insère l'heure actuelle dans l'en-tête ou le pied de page.

8

Symbole	Code	Résultat
Exemple : Fichier: &[Fichier] *Résultat :* Fichier: IMPR.XLS	&[Fichier]	Insère le nom de fichier dans l'en-tête ou le pied de page.
Exemple : &[Fichier], feuille &[Onglet] *Résultat :* IMPR.XLS , feuille Fournisseurs	&[Onglet]	Insère le nom de la feuille dans l'en-tête ou le pied de page.

Trois sections permettent de définir l'en-tête ou le pied de page :

Section gauche   Aligne le texte sur la marge de gauche

Section centre   Entrez ici le texte à afficher en plein milieu de la page

Section droite   Aligne le texte sur la marge de droite

Entrez le texte de votre choix par exemple votre nom.

1   Cliquez dans *Section gauche* et tapez votre nom. L'en-tête/pied de page peut comporter plusieurs lignes. Tapez **ENTREE** pour changer de ligne et indiquez votre domicile.

2   Laissez vide la section centre. Marquez le texte inscrit dans *Section centre* et tapez **SUPPR**.

3   Le numéro de page et la date du jour doivent apparaître du côté droit. Cliquez dans *Section droite*. Tapez d'abord le texte "Page" suivi d'un espace et cliquez sur l'icône *Page*. Excel insère le code *&[Page]* numérotant automatiquement les pages.

4   Ajoutez un espace puis le texte "sur" suivi d'un espace et cliquez sur l'icône du nombre total de page. Excel insère le code *&[Pages]*. Lors de l'impression, le numéro de page ainsi que le nombre total de pages seront affichés. Dans la feuille d'exemple, la numérotation se limitera à Page 1 sur 1.

5 Tapez **ENTREE** pour changer de ligne. Cliquez sur l'icône *Date*. Excel insère le code *&[Date]*. Lors de l'impression, vous verrez apparaître la date du jour à cet endroit.

6 Marquez le texte inscrit dans *Section gauche*. Cliquez sur l'icône *Police*. Cette icône affiche la boîte de dialogue **Police**.

7 Choisissez la police Times New Roman. Confirmez par **OK**.

En-tête personnalisé

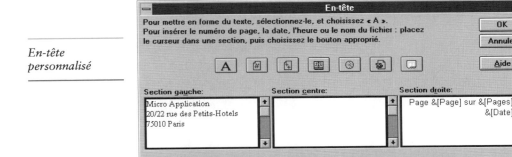

8 Terminez la définition de l'en-tête en cliquant sur **OK** dans la boîte de dialogue **En-tête.**

9 Cliquez une deuxième fois sur **OK** si la boîte de dialogue **En-tête/Pied de page** est réactivée. Excel bascule vers le mode *Aperçu avant impression* et donne une idée préliminaire du futur en-tête.

Aperçu avant impression modifié

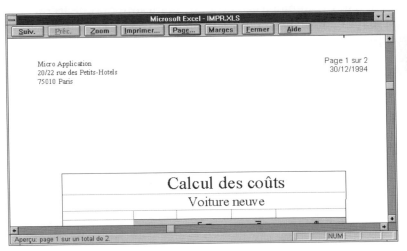

10 Cliquez sur le bouton **Fermer** pour quitter l'aperçu avant impression.

Pour achever la définition de la page d'impression, il ne reste plus qu'à désactiver le quadrillage.

Onglet Feuille

Les paramètres de base entrant dans la définition de l'impression sont réunis dans l'onglet *Feuille*. Indiquez ici si vous voulez imprimer le quadrillage, précisez la taille de la zone d'impression et l'existence du titre d'impression.

Onglet Feuille

Les options relatives à la zone et au titre d'impression concernent en particulier les feuilles volumineuses. Et, dans la mesure où une leçon entière est consacrée à la manipulation des grandes feuilles de calcul, cette leçon vous fournira toutes les explications nécessaires à ce sujet.

Excel imprime par défaut le quadrillage mais vous pouvez désactiver cette option.

1 Faites **Fichier/Mise en page/Feuille**.

2 Décochez la case *Quadrillage*.

3 Cliquez sur **Aperçu** pour contrôler le résultat dans l'Aperçu avant impression.

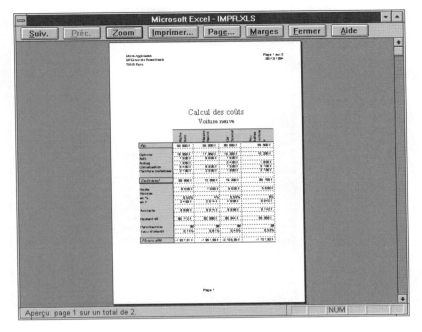

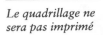

*Le quadrillage ne
sera pas imprimé*

4 Revenez à la définition de la page en cliquant sur **Page** dans l'Aperçu avant impression.

L'onglet **Feuille** renferme une autre option intéressante nommée *Impression en noir et blanc*. Vous devez contrôler les paramètres suivants avant d'imprimer en noir et blanc un document pourvu de couleurs.

1 Activez l'onglet **Feuille**.

2 Cochez la case *Impression en noir et blanc* située sous *Imprimer* pour imprimer en noir et blanc une feuille définie avec des couleurs. Excel remplace les couleurs par des tons de gris.

8

3 Cliquez sur **OK** pour contrôler les modifications en mode *Aperçu avant impression*.

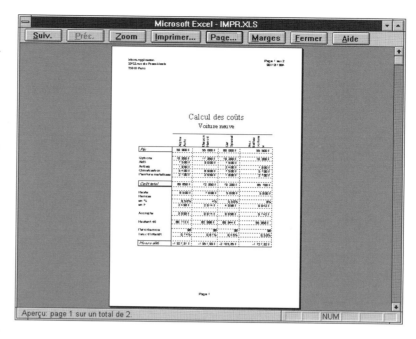

Option Impression en noir et blanc démontrée dans l'Aperçu avant impression

L'impression en noir et blanc ne produit pas toujours le meilleur résultat. Lorsque vous activez cette option, vérifiez systématiquement son effet dans l'aperçu avant impression.

Etapes suivantes

Excel revient toujours vers l'aperçu avant impression lorsque vous cliquez sur **OK** après avoir configuré la page d'impression et activé l'aperçu avant impression. Vous pouvez poursuivre votre travail de deux manières depuis le mode *Aperçu avant impression*.

Cliquez sur le bouton **Fermer** situé en haut de l'écran pour retourner dans la feuille.

Cliquez sur **Imprimer** pour imprimer la feuille de calcul. Cliquez sur **Fermer** pour quitter le mode *Aperçu avant impression*.

Aperçu avant impression

Vous avez sans doute utilisé maintes fois l'aperçu avant impression pour contrôler le résultat de la page d'impression. Ce mode permet en plus d'agir de façon plus poussée sur la définition de la page.

- Cliquez sur l'icône *Aperçu avant impression* dans la barre d'outils
  Standard ou faites **Fichier/Aperçu avant impression**.

Toutes sortes de boutons figurent en haut de cette fenêtre. L'un d'entre eux, le bouton **Page,** a déjà servi lors de la définition de la page d'impression. Voici un bref descriptif des autres boutons de l'aperçu avant impression :

Suiv./Préc.   Ces deux boutons permettent de parcourir vers l'avant ou l'arrière les pages d'une feuille composée de plusieurs pages

Zoom   Excel dispose de deux modes d'affichage dans l'Aperçu. Le mode *Aperçu avant impression* normal où la page entière est représentée en format réduit et le mode *Zoom* où la feuille est agrandie. Cliquez sur la page affichée ou sur *Zoom* pour commuter d'un mode à l'autre.

1   Cliquez sur *Zoom.*

2   Vérifiez l'affichage en utilisant les barres de défilement horizontale et verticale.

3   Recliquez sur *Zoom* pour activer la taille d'affichage habituelle.

Imprimer   Ce bouton sert à imprimer la feuille

Page   Sous Excel, le bouton **Page** permet de définir les marges, l'orientation de la page (Portrait ou Paysage), d'activer ou de désactiver le quadrillage.

         Activez la boîte de dialogue **Mise en page** directement depuis l'aperçu avant impression en cliquant sur **Page** afin d'effectuer ces différents réglages.

Marges   Une option supplémentaire de l'aperçu avant impression est celle qui permet d'ajuster directement les marges et les colonnes depuis ce mode d'affichage. C'est une commande très pratique. Vous pouvez intervenir dans l'aperçu dès que vous constatez qu'une colonne ne tient pas entièrement sur la page d'impression.

8

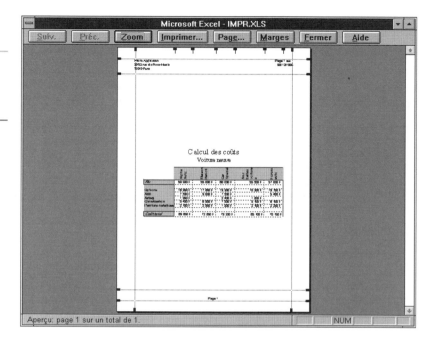

Définition des marges dans l'Aperçu avant impression

1 Cliquez sur le bouton **Marges** depuis l'aperçu avant impression. Dans ce mode, les marges sont représentées par des lignes pointillées. La largeur de colonne est représentée par un petit trait vertical épais en haut de la page.

2 Cliquez sur la marque de la marge de gauche et déplacez cette marque avec le bouton gauche appuyé.

3 Relâchez le bouton pour qu'Excel corrige les marges.

4 Recliquez sur **Marges** pour masquer les indicateurs de marge et de colonne.

Fermer Cliquez sur **Fermer** pour quitter l'aperçu avant impression sans imprimer la feuille.

Aide Cliquez sur ce bouton pour obtenir de l'aide sur l'aperçu avant impression.

Impression de certaines zones spécifiques

Excel imprime par défaut la page entière. Mais si vous voulez imprimer une zone précise de la feuille, vous devez en informer Excel au préalable. Dans la feuille des coûts d'une voiture neuve, vous décidez par exemple d'imprimer uniquement la partie supérieure de la feuille celle qui mentionne les prix pratiqués par les divers concessionnaires.

1 Marquez la plage à imprimer ici A1-F13.

2 L'icône *Imprimer* ne permet pas d'imprimer une zone spécifique. Il faut recourir dans ce cas à **Fichier/Imprimer**.

3 Activez l'option *Sélection*.

4 Cliquez sur **Aperçu** pour contrôler le résultat.

5 Cliquez sur **Fermer** pour quitter l'aperçu avant impression.

La plage marquée ne sera imprimée que lors de l'impression qui suit immédiatement la sélection. Par la suite, Excel réimprime la feuille entière. Pour conserver durablement la définition de cette sélection, reportez-vous à la leçon 12.

Masquer des lignes ou colonnes

Il s'avère parfois complètement superflu d'imprimer une certaine zone de la feuille. On préfère limiter l'impression à des lignes ou colonnes précises de la feuille.

Excel permet, dans ce cas, de masquer des lignes ou colonnes. Ces dernières, une fois masquées, ne sont ni affichées à l'écran ni imprimées.

Dans la feuille des coûts d'achat d'une voiture neuve, il convient d'ignorer les lignes concernant la période et le taux d'intérêt.

1 Marquez les lignes ou colonnes à masquer, ici 23 à 25.

2 Faites **Format/Ligne** ou **Format/Colonne** selon ce que vous masquez, ici il s'agit des lignes.

8

3 Optez par conséquent pour **Format/Ligne/Masquer**. Les lignes marquées disparaissent de l'écran. La numérotation des lignes (ou la désignation des colonnes) qui n'assure plus la continuité montre que des lignes ou des colonnes sont masquées.

4 Masquez de la même façon la ligne 17.

5 Vérifiez, en passant en mode Aperçu avant impression, si les lignes masquées sont également ignorées dans l'impression.

Lignes masquées dans la feuille

	Microsoft Excel - IMPR.XLS				
	Suiv.	Préc.	Zoom	Imprimer...	Page...	Marges	Fermer	Aide

Calcul des coûts

Voiture neuve

	Alpha Auto	Maison Renod	Car Spécial	Aux belles voiture s	Forum auto
Prix	53 300 F	55 000 F	60 000 F	55 500 F	57 000 F
Options	16 350 F	17 850 F	19 200 F	10 200 F	13 750 F
ABS	7 500 F	9 000 F	7 500 F		5 400 F
Airbag	1 350 F		2 400 F	1 800 F	
Climatisation	5 400 F	6 300 F	7 500 F	5 700 F	6 100 F
Peinture métallisée	2 100 F	2 550 F	1 800 F	2 700 F	2 250 F
Coût total	69 650 F	72 850 F	79 200 F	65 700 F	70 750 F
Reste					
Remise	6 500 F	7 000 F	5 000 F	5 800 F	7 100 F
en F	2 438 F	2 914 F	4 356 F	3 942 F	2 972 F
Acompte	8 938 F	9 914 F	9 356 F	9 742 F	10 072 F
Restant dû	60 712 F	62 936 F	69 844 F	55 958 F	60 679 F
Mensualité	-1 927,81 F	-1 951,93 F	-2 105,85 F	-1 727,82 F	-1 859,74 F

Aperçu: page 1 sur un total de 1.   NUM

Afficher des lignes ou colonnes

Les lignes ou colonnes masquées peuvent être facilement réaffichées.

1 Marquez les lignes situées au-dessus et en dessous de la ligne masquée ou les colonnes situées à gauche et à droite de la colonne masquée. Marquez les lignes 22 à 26 pour réafficher les lignes 23 à 25 qui ont été masquées dans la feuille d'exemple.

2 Faites **Format/Ligne/Afficher** ou **Format/Colonne/Afficher**.

Résumé

Vous voulez...	Sélectionnez...	Icône/Clavier
imprimer une feuille	**Fichier/Imprimer**	
activer l'aperçu avant impression	**Fichier/Aperçu avant impression**	
définir une page d'impression	**Fichier/Mise en page**	
régler les marges	**Fichier/Mise en page/Marges**	
choisir le format portrait ou paysage	**Fichier/Mise en page/Page/Orientation**	
définir un en-tête/pied de page	**Fichier/Mise en page/En-tête/Pied de page**	
imprimer une plage marquée	**Fichier/Imprimer/Sélection**	
masquer une ligne ou colonne	marquez la ligne ou colonne puis **Format/Ligne/Masquer** ou **Format/Colonne/Masquer**	

Contrôle des connaissances

1. **Horizontalement** L'une des commandes importantes de cet onglet concerne le choix du format *Portrait* et *Paysage*.

2. **Horizontalement** Dans cette ligne, Excel affiche par défaut le nom de la feuille.

2. **Verticalement** Dans cet onglet de la boîte de dialogue **Mise en page**, choisissez, par exemple, si le quadrillage doit être imprimé.

3. **Horizontalement** Menu contenant la commande **Mise en page**.

3. **Verticalement** Quittez l'Aperçu avant impression à l'aide de ce bouton.

4. **Horizontalement** Cette option de l'onglet **Page** permet, à l'impression, d'agrandir ou diminuer la taille de la feuille de calcul.

5. **Horizontalement** Option permettant d'imprimer une partie de feuille.

MOT MYSTÉRIEUX

1. **Verticalement** Cette zone de l'onglet **Marges** reproduit schématiquement la feuille telle qu'elle sera imprimée.

PARTIE C

Les graphiques

Leçon 9 :
Représentation graphique des données

50 min

Excel permet d'une part de construire et mettre en forme une feuille de calcul puis d'effectuer des calculs et d'autre part de générer des graphiques. Dans cette leçon consacrée aux graphiques, il s'agit de relever les difficultés liées à la création d'un graphique et de décrire l'utilisation de l'Assistant Graphique.

A l'issue de cette leçon vous saurez...

- ce qu'est un graphique,
- faire la distinction entre un graphique incorporé et une feuille graphique,
- marquer les données à convertir en graphique,
- recourir à l'Assistant Graphique.

Qu'est-ce qu'un graphique Excel ?

Un graphique est la représentation imagée des données de la feuille, c'est ce que vous indiquent grosso modo l'aide et le guide d'utilisation d'Excel. Nous allons élucider cette réponse plutôt évasive.

9

Apparence d'un graphique Excel de forme simple

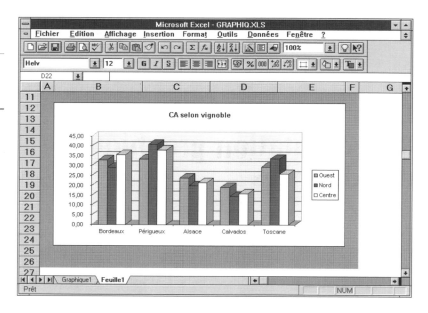

Lors de la création d'un graphique, Excel utilise des valeurs provenant de la feuille de calcul. Vous devez marquer au préalable les valeurs à convertir en graphique. Excel met automatiquement à jour le graphique dès que les valeurs de référence subissent des modifications.

Les valeurs de la feuille sont représentées sur le graphique sous forme de marques de données. Ces marques de données permettent de générer, selon le type de graphique choisi, des barres, des courbes, des histogrammes, des secteurs, des nuages de points et d'autres encore. Dans la figure précédente, les marques de données sont représentées par des barres, en 3D.

Les marques de données formant des groupes dans une cellule ou une colonne sont réunies en *séries de données*. Le graphique illustré précédemment se compose de trois séries de données. Ces dernières sont mises en évidence par des couleurs différentes sur le moniteur ou par des tons de gris ou motifs lors d'une impression en noir et blanc.

Un graphique, une fois créé, peut être édité. Vous pouvez lui ajouter une légende, un titre ou un quadrillage. La plupart des éléments d'un graphique peuvent être déplacés et redimensionnés. Ces éléments peuvent être affectés par des motifs, des couleurs et des bordures. Les éléments textes peuvent subir les mises en forme habituelles concernant l'alignement, le changement de police ou de taille.

Graphique incorporé ou feuille graphique

Vous devez décider tout d'abord de l'endroit où vous allez placer le graphique avant de le générer.

Graphique incorporé

Un graphique peut être inséré dans la feuille d'où proviennent les données. Dans la feuille, marquez la zone dans laquelle le graphique doit apparaître. Dans ce cas, le graphique est un objet qui peut être déplacé et redimensionné.

Cette insertion du graphique dans la feuille permet d'imprimer sur la même page les données et le graphique correspondant. C'est le principal avantage offert par le graphique incorporé.

Feuille graphique

Un graphique peut occuper une feuille indépendante. Dans ce cas, les données et le graphique sont répartis entre deux feuilles distinctes du classeur.

Nous allons décrire les deux modes d'affichage dans cette leçon. Mais avant de pouvoir créer un graphique vous devez marquer les données représenter sous forme de graphique.

Sélection des données à représenter

Le graphique dépend des valeurs stockées dans la feuille. A vrai dire, il est conçu à partir des nombres préalablement marqués dans la feuille. Les nombres ne suffisent pas à eux seuls de mener à bien l'opération. Il faut ajouter des informations explicitant les nombres. Ces informations ou étiquettes figurent le long des axes du graphique. Ces textes proviennent également de la feuille et nécessitent d'être marqués.

9

Structure de la feuille d'exemple

Le graphique créé dans cette leçon compare les chiffres d'affaires de plusieurs vignobles situés dans trois régions : le nord, le centre et l'ouest.

Ouvrez le fichier VIN.XLS depuis le répertoire \STEXCEL.

Source du graphique

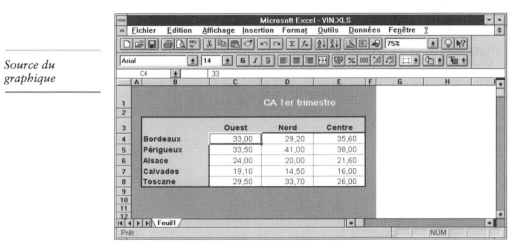

La feuille est composée de telle sorte que le graphique et le tableau apparaissent sur la même feuille. Le graphique est donc incorporé.

Sélection des données

Une règle simple régit la sélection des données entrant dans la création du graphique : les textes requis dans la feuille pour décrire un nombre servent à identifier les marques de données dans le graphique. Dans l'exemple, il s'agit des noms des vignobles Bordeaux, Alsace, etc. ainsi que des trois régions Ouest, Nord et Centre. Comme vous pouvez le constater, le bloc des valeurs numériques est complété à gauche par une colonne de texte et en haut par une ligne de texte. Ces indications serviront d'étiquettes dans le graphique. La sélection doit donc englober les nombres ainsi que les textes.

L'Assistant Graphique

L'Assistant Graphique facilite grandement la création de graphiques complexes. Le graphique ainsi généré peut être incorporé directement dans la feuille ou placé dans une feuille indépendante.

Au début de cette leçon, nous avons soulevé la différence entre graphique incorporé et graphique indépendant. La feuille prédéfinie est conçue pour générer un graphique incorporé. C'est pourquoi, la première étape décrit le mode d'incorporation d'un graphique dans une feuille. La dernière section de cette leçon montre comment créer un graphique sur une feuille indépendante.

1 Marquez la plage à convertir en graphique. N'oubliez pas d'inclure les intitulés dans la sélection. La plage à marquer dans la feuille est B3-E8.

Sélection d'une plage de données

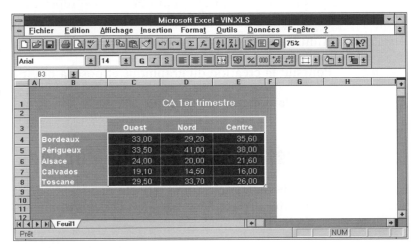

2 Cliquez sur l'icône Assistant Graphique dans la barre d'outils *Standard*. Vous avez l'impression qu'il ne se passe rien mais regardez de plus près la forme du pointeur. Il s'est transformé en une petite croix munie d'un histogramme. Dans la feuille, marquez maintenant la zone où vous voulez insérer le graphique.

Utilisez les barres de défilement jusqu'à ce que vous aperceviez un endroit vide. Dessinez un cadre avec le pointeur pour y inclure le graphique.

Appuyez sur **ALT** pendant que vous dessinez le cadre pour qu'il soit correctement ajusté au quadrillage c'est-à-dire à la feuille.

3 Faites un essai : dessinez un cadre depuis B12 à E24 selon les explications fournies plus haut.

4 Relâchez le bouton de la souris ainsi que la touche **ALT**. Vous assistez à l'ouverture de la première boîte de dialogue de l'Assistant Graphique.

9

189

Ne choisissez jamais une plage trop petite au risque de brouiller la lisibilité du graphique.

L'Assistant Graphique vous guide pas à pas vers la réalisation finale du graphique à travers cinq boîtes de dialogue. Certains boutons se répètent dans les cinq boîtes de dialogue :

Annuler   Annule la création du graphique, le curseur revient dans la feuille.

Suivant >   Poursuit la création du graphique et pose la question suivante.

< Précédent Active la boîte de dialogue précédente.

Etape 1 : Test de la plage des données

La première boîte de dialogue est une requête pro-forma où Excel vous invite à vérifier si la plage a été correctement marquée. Les coordonnées sont affichées dans une zone de texte.

Assistant Graphique Etape 1 - vérification de la

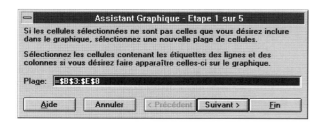

-    Vérifiez les coordonnées puis cliquez sur **Suivant >**.

Etape 2 : Sélection du type de graphique

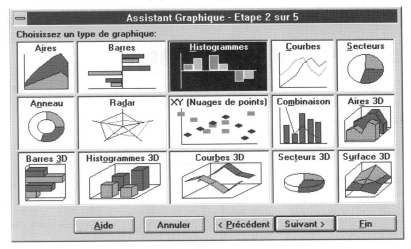

Assistant Graphique Etape 2 - Sélection du type de graphique

Choisissez le type du graphique :

1 Cliquez sur le type du graphique voulu, *Histogrammes 3D* pour l'exemple.

2 Cliquez sur **Suivant >**.

Etape 3 : Sélection du format de graphique

Excel propose plusieurs variations différentes pour chaque type de graphique. Choisissez le format proposé.

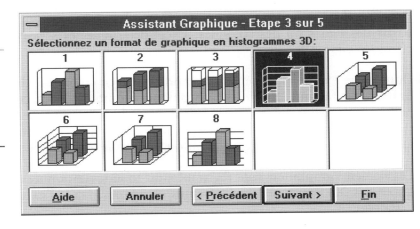

Assistant Graphique Etape 3 - Sélection du format de graphique

9

1   Cliquez sur le format 4.

2   Cliquez sur **Suivant >**.

Etape 4 : Mode d'affichage

Dans la zone *Exemple*, vous apercevez pour la première fois l'apparence de votre futur graphique. Vous avez une idée concrète de la manière dont les nombres seront représentés.

*Assistant
Graphique
Etape 4 - Mode
d'affichage*

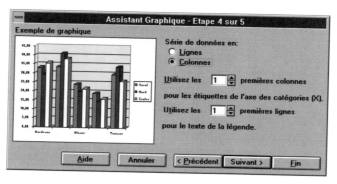

*N'hésitez pas à tester les divers types de graphique. Cliquez sur
< **Précédent** et choisissez le format 3 ou cliquez encore sur < **Précédent** et
choisissez un type de graphique complètement différent. Utilisez les
deux boutons < **Précédent** et **Suivant >** pour sauter les étapes de l'Assistant
Graphique et changer les paramètres.*

L'étape 4 est consacrée essentiellement aux séries de données, soit en fait à la structure du graphique. Dans un graphique, les séries peuvent être construites à partir des lignes ou des colonnes. Excel détermine les séries selon la sélection effectuée dans la feuille.

Dans notre exemple, les séries sont construites en colonnes. Une série est identifiable par le fait que les éléments graphiques (points, courbes, colonnes ou barres) possèdent la même couleur ou le même motif. Le graphique de l'exemple contient trois séries de données explicitées par la légende ajoutée à droite du graphique. Dans notre exemple, la légende mentionne les trois régions Ouest, Nord et Centre.

Les éléments graphiques sont regroupés soit en séries de données soit en catégories. L'axe des X détermine les différentes catégories. Dans l'exemple, il s'agit des vignobles.

L'étape 4 de l'Assistant Graphique permet de changer l'ordre des séries. Vous pouvez les construire en colonnes ou en lignes.

Testez les options proposées par l'Assistant et choisissez celle qui vous convient.

Séries de données en colonnes

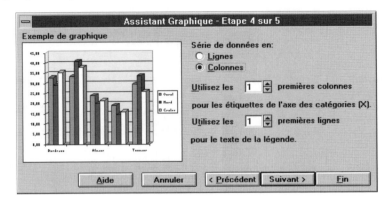

Le premier aspect que le graphique met en évidence est le vin le plus vendu. Il s'agit de Périgueux c'est ce qui saute aux yeux.

Séries de données en lignes

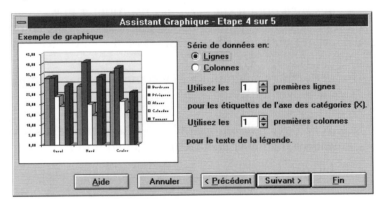

En revanche, le premier aspect que ce graphique met en évidence est de montrer la région ayant réalisé le plus grand chiffre d'affaires. On s'aperçoit ici que le volume des ventes varie considérablement d'une région à l'autre. La région favorite est le Nord.

1 Dans notre exemple, le graphique est structuré en colonnes à l'aide de l'option *Série de données en colonnes*.

2 Cliquez sur **Suivant >**.

Etape 5 : Ajout de légende et d'étiquettes

En dernière étape, donnez un titre au graphique, étiquetez les axes et ajoutez une légende.

*Assistant
Graphique
Etape 5 - légende
et étiquettes*

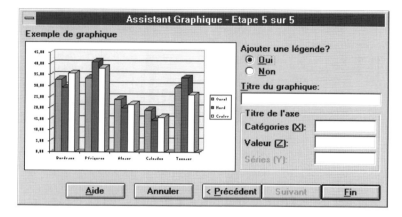

1 Cliquez sur l'option *Oui* ou *Non* sous Ajouter une légende. En règle générale, il est préférable d'ajouter une légende. Excel génère en principe la légende par défaut, dès qu'il identifie une plage de texte adaptée à la légende.

2 Donnez un titre au graphique en complétant par exemple la zone de texte par "CA selon vignoble".

3 Regardez l'exemple du graphique. Cliquez sur **Fin** s'il vous convient ou sur **< Précédent** si vous voulez changer sa définition.

Le graphique achevé

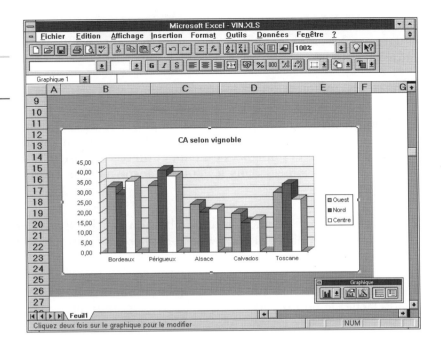

Excel insère le graphique dans la plage que vous aviez marquée auparavant.

Modifier un graphique

Si vous avez suivi nos indications pour générer le graphique d'exemple, vous avouez sans doute qu'il présente un aspect banal mais qu'il est bien placé dans la feuille. Il s'avère nécessaire d'effectuer ultérieurement quelques modifications pour améliorer un graphique généré par l'Assistant. Parfois le graphique est trop petit pour être lisible correctement. Si vous vous trouvez dans une telle situation, cela signifie que la plage que vous aviez marquée pour représenter le graphique était trop petite. Agrandissez, dans ce cas, le graphique à l'aide de la souris. Il arrive aussi que le graphique recouvre les données de la feuille. N'hésitez pas à déplacer le graphique.

Ajuster le cadre d'un graphique

Le graphique est inséré exactement dans la plage que vous aviez marquée avant d'appeler l'Assistant Graphique. Et pourtant vous risquez de rencontrer quelques difficultés notamment à cause de la taille du graphique.

9

Selon le cadre de sélection, le graphique peut être étiré fortement en hauteur ou en largeur. Le graphique et les étiquettes risquent en plus de se superposer si le cadre est trop petit.

Dans ce cas, redimensionnez le graphique :

1   Cliquez sur le graphique. Utilisez les poignées de sélection pour le redimensionner. Les poignées de gauche et de droite agissent sur la largeur du cadre de graphique. Les poignées du haut et du bas modifient la hauteur du cadre. Les poignées situées dans les coins transforment le cadre en hauteur et en largeur.

2   Cliquez sur une poignée, gardez le bouton gauche appuyé et tirez. Gardez la touche **ALT** appuyée si vous voulez aligner le graphique au quadrillage de la feuille.

3   Une ligne pointillée suit le mouvement et montre la nouvelle taille du cadre. Relâchez le bouton pour fixer le cadre de graphique.

Déplacer un graphique

Pour déplacer un graphique :

1   Cliquez dans le graphique. Un double-clic active le graphique (un cadre pointillé bleu entoure le graphique).

2   Cliquez dans le graphique, gardez le bouton gauche appuyé et déplacez. Ici également, gardez la touche **ALT** enfoncée pour aligner le graphique au quadrillage de la feuille. Un cadre pointillé montre le nouvel emplacement.

3   Relâchez le bouton pour fixer le graphique.

4   Enregistrez le fichier, dans le répertoire \STEXCEL\EXEMPLES, sous le nom VIN01.XLS.

Feuille graphique indépendante

Le graphique peut être créé sur une feuille indépendante.

1   Marquez les données de référence, ici B3-E8.

2 Appuyez sur **F11**. Excel génère automatiquement un graphique dans une feuille indépendante.

Création d'un graphique sur une feuille indépendante

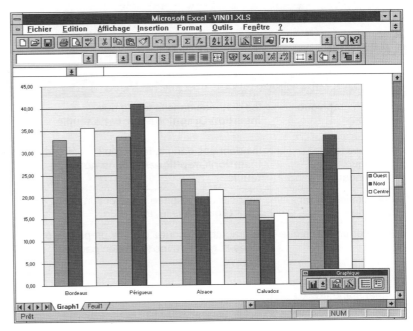

C'est la plus rapide des méthodes pour créer un graphique mais elle est moins souple que celle de l'Assistant Graphique. Ici Excel génère un graphique sous un format standard prédéfini.

Rien ne vous empêche d'éditer ultérieurement le graphique. La marche à suivre est décrite dans la leçon suivante. Mais une question importante reste posée : comment passer du graphique à la feuille ?

Utilisez les onglets situés au bas de l'écran pour commuter entre le graphique et la feuille. Un nouvel onglet intitulé *Graph1* est venu s'ajouter à la liste après la création du graphique. La feuille source est accessible par l'onglet *Feuil1*. Cliquez par conséquent sur l'onglet *Feuil1* ou *Graph1* pour basculer d'un affichage à l'autre.

9

Reportez-vous à la leçon 14 pour de plus amples informations sur la manipulation de plusieurs feuilles.

Enregistrez la feuille une deuxième fois. Excel enregistre la feuille graphique Graph1 ainsi que le graphique incorporé. Dans la leçon suivante, vous apprendrez à améliorer l'esthétique du graphique que vous venez de créer.

Résumé

Vous voulez...	Sélectionnez...	Icône/Clavier
créer un graphique incorporé	les données dans la feuille puis **Insertion/Graphique/Sur cette feuille**	
créer une feuille graphique indépendante	les données dans la feuille puis **Insertion/Graphique/Comme nouvelle feuille**	
redimensionner un graphique	tirez sur une poignée de sélection après avoir cliqué dans le graphique	
déplacer un graphique	le graphique, cliquez dans le graphique et faites-le glisser avec le bouton gauche appuyé	
créer un graphique de format standard		F11

Contrôle des connaissances

QUESTIONS

1. **Horizontalement** En dehors des séries de données, les éléments graphiques sont réunis dans ce qu'on appelle des ...

2. **Horizontalement** Des groupes d'étiquettes de données sont regroupés en ...

3. **Horizontalement** Combien d'étapes (en toutes lettres) faut-il franchir pour mener à bien le travail avec l'Assistant Graphique ?

4 **Horizontalement** Ce bouton interrompt la création du graphique.

2. **Verticalement** Appuyez sur cette touche pour aligner le cadre graphique au quadrillage lors du déplacement.

3. **Verticalement** Il facilite la création de graphiques complexes.

MOT MYSTÉRIEUX

1. **Verticalement**   Dans le graphique, Excel représente les valeurs de la feuille sous forme de ....

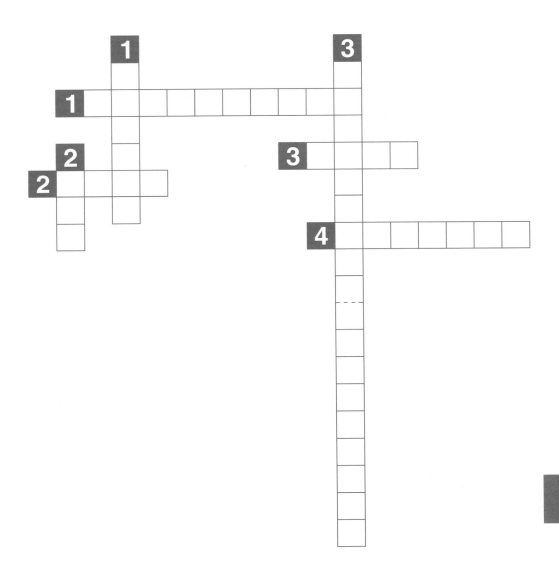

9

Leçon 10 : Mise en forme d'un graphique

30 min

Un graphique une fois créé peut être reformaté. Le mode de création du graphique joue ici un rôle important. Le graphique est-il incorporé dans la feuille ou représenté dans une feuille indépendante ? Le type de graphique, les couleurs et les bordures ainsi que la police et la taille des caractères sont modifiables à volonté.

A l'issue de cette leçon vous saurez...

- activer un graphique,
- modifier un type de graphique,
- ajouter ou changer un titre,
- marquer un élément graphique,
- changer les couleurs, motifs et bordures,
- changer la police,
- mettre à l'échelle et formater l'axe des ordonnées.

Activer un graphique

Ouvrez la feuille créée dans la leçon 9. Elle se trouve dans le répertoire \STEXCEL\EXEMPLES sous le nom VIN01.XLS.

Sinon utilisez le fichier prêt à l'emploi GRAPHIQ.XLS situé dans le répertoire \STEXCEL après l'installation de la disquette du livre.

Vous devez commencer par activer le graphique que vous voulez éditer. Un simple clic suffit si le graphique se trouve dans une feuille indépendante. Utilisez les onglets affichés au bas de l'écran pour commuter entre le graphique et la feuille. Par défaut,

10

le graphique est accessible via l'onglet *Graph1*, la feuille via l'onglet *Feuil1*. Cliquez sur l'onglet nécessaire pour changer de fenêtre.

Dans le cas d'un graphique incorporé, il faut faire la différence entre la sélection et l'activation.

Sélection   Cliquez dans le graphique pour le marquer. La marque de sélection est représentée par les poignées entourant le cadre du graphique. Utilisez ces poignées pour redimensionner le graphique.

Activation   Il convient de double-cliquer dans le graphique pour l'activer. Le graphique est activé lorsqu'il est entouré d'un cadre bleu pointillé.

Le graphique est activé

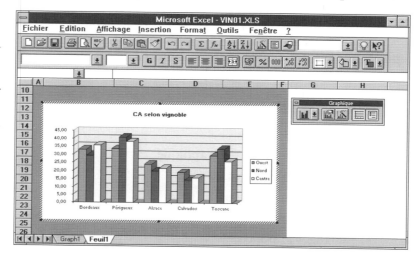

Cliquez en un endroit quelconque de la feuille pour annuler l'activation ou la sélection du graphique.

-      Pour l'exemple suivant, cliquez sur l'onglet *Graph1* pour accéder au graphique créé antérieurement.

Formatage via la barre d'outils Graphique

Excel affiche la barre d'outils *Graphique* dès que le graphique est activé. Cette barre d'outils facilite l'édition du graphique.

6800

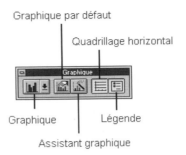

*Barre d'outils
Graphique*

Si la barre d'outils *Graphique* reste invisible :

1 Cliquez dans l'une des barres d'outils avec le bouton droit.

2 Cochez l'entrée Graphique dans la liste qui s'est déroulée.

*Menu contextuel
des barres d'outils*

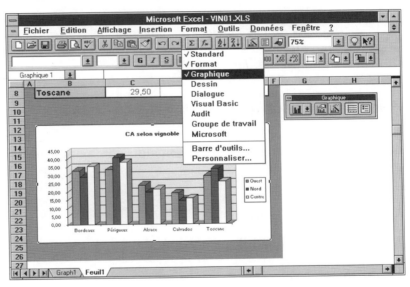

La barre d'outils est affichée comme une fenêtre sur la zone de travail. Pour déplacer la barre d'outils vers la partie supérieure de l'écran, cliquez dans sa barre de titre et faites-la glisser avec le bouton gauche appuyé.

10

Voici quelques détails sur les symboles de cette barre d'outils :

Graphique

Ouvre la palette des types de graphique permettant de changer le type du graphique en cours. Cette palette ne présente qu'un extrait infime de tous les formats disponibles dans Excel. La commande **Format automatique**, explicitée plus loin, offre un plus grand choix.

Graphique par défaut

Présente un type de graphique prédéfini. C'est un histogramme doté d'un quadrillage horizontal, d'une zone graphique de couleur grise à l'arrière-plan et d'une légende. Le graphique généré par Excel via la touche **F11** apparaît exactement dans ce format.

 Attention lorsque vous opérez sur un graphique généré par l'Assistant ou sur un graphique que vous avez déjà fortement modifié. Un clic sur l'icône Graphique par défaut supprime toutes les mises en forme que vous avez pu entreprendre par vos soins.

Assistant Graphique

L'Assistant Graphique est activable également depuis la barre d'outils *Graphique*. Les définitions s'appliquent alors automatiquement au graphique en cours.

Quadrillage horizontal

Active/désactive le quadrillage horizontal.

Légende

Active/désactive la légende.

La barre d'outils Graphique représente la méthode la plus facile et la plus élégante pour modifier un graphique. Son inconvénient est qu'elle ne permet pas d'accéder à toutes les options fournies dans Excel pour agir efficacement sur la mise en forme d'un graphique. Les sections suivantes dressent la liste des fonctions complémentaires existantes en ce domaine.

Le format automatique

Excel vous a proposé 15 types de graphiques différents lorsque vous aviez généré un graphique à l'aide de l'Assistant Graphique. Toutes sortes de variantes sont venues enrichir chacun des types proposé. Ces formats automatiques sont déjà mis en forme et certains contiennent un quadrillage, une légende et un titre. Un format automatique peut être appliqué par la suite à un graphique.

1 Cliquez sur l'onglet *Graph1*.

2 Faites **Format/Format automatique**. Excel ouvre la boîte de dialogue suivante :

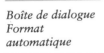

Boîte de dialogue Format automatique

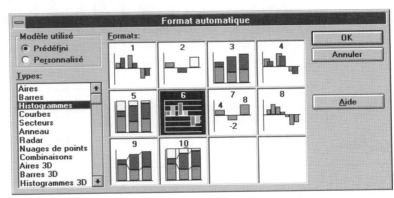

15 types de graphiques sont mentionnés dans la zone de liste *Types*.

3 Cliquez sur le type voulu, par exemple *Histogrammes 3D*. Excel affiche la liste des formats disponibles.

4 Cliquez sur le format voulu, par exemple le format 4 et confirmez par **OK**. Le résultat est montré à travers un exemple.

10

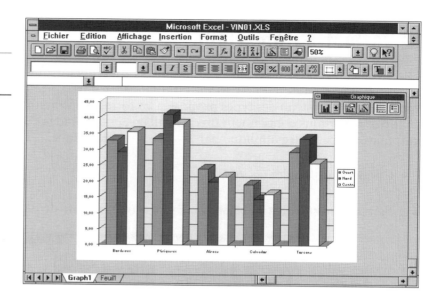

*Exemple de
graphique 3D*

*Notez que vous ne pouvez modifier qu'une seule série de données dans
un graphique en secteurs. En revanche, les graphiques en anneau qui
ont un aspect analogue, permettent d'intervenir sur plusieurs séries de
données.*

Dans cette phase de travail, vous avez comparé rapidement le graphique créé
automatiquement avec le graphique généré par l'Assistant dans la leçon 9. Maintenant, il s'agit d'y ajouter un titre.

Ajouter un titre de graphique

Le titre est un élément important du graphique. Un titre peut être défini le long de
l'axe des X ou des Y.

Titre de graphique

L'Assistant Graphique insère automatiquement le titre lors de la création du
graphique. Voici comment vous pouvez ajouter un titre au cas où il ferait défaut :

1 Faites **Insertion/Titre**. Vous obtenez la boîte de dialogue suivante :

Spécifiez le titre à ajouter

2 Cochez l'option *Titre du graphique* et validez. Excel affiche le mot *Titre* dans le graphique et attend que vous précisiez le texte adéquat.

Précisez un titre

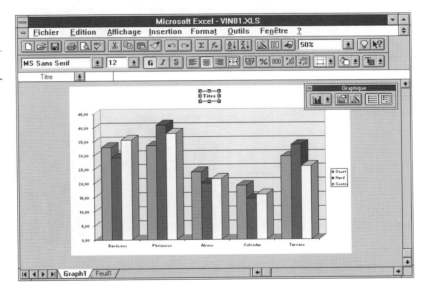

3 Tapez le texte "CA selon vignoble" et tapez **ENTREE**.

Pour changer un titre, cliquez dans le titre et placez le pointeur dans le texte. Le pointeur se transforme en un curseur. Cliquez à l'endroit où vous voulez corriger et faites les corrections nécessaires. Attention ! ici, ENTREE ne termine pas la saisie mais exécute un saut de ligne. Vous devez cliquer dans le graphique pour terminer la saisie.

10

Titre d'un axe

Le titre d'un axe sert à décrire plus en détail le contenu de l'axe. Dans notre exemple, les valeurs sont indiquées en milliers de F. Ces informations peuvent être inscrites dans le titre de l'axe des Y.

1 Faites **Insertion/Titre**.

2 Cochez la case *Axe des valeurs (Y)* et validez.

3 Précisez l'entrée "en 1000 F" et validez par **ENTREE**.

Affectation de titres au graphique

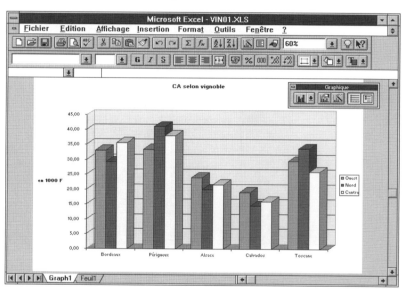

Le titre ainsi ajouté peut subir toutes les modifications relatives à un texte : changement de police ou alignement. Le paragraphe suivant donne des informations complémentaires à ce sujet.

Couleurs, motifs et polices - éditer les éléments graphiques

Une fois que vous avez choisi le format de base du graphique, Excel vous fournit d'innombrables options permettant de mettre en forme le graphique. La bordure et la couleur peuvent être définies pour la plupart des éléments. La police du texte peut être modifiée. Les autres options sont spécifiques aux éléments. Par exemple, vous pouvez décider de l'emplacement de la légende. L'axe des valeurs peut être mis à l'échelle.

Dans cette section, vous apprendrez à appliquer les diverses techniques de mise en forme sur les éléments d'un graphique. Les options nécessaires seront décrites au cours de cette leçon.

Sélection d'un élément graphique

Cliquez sur l'élément graphique à éditer. La zone *Nom* mentionne le nom de l'élément à gauche de la barre de formule.

Cliquez par exemple sur la légende. Celle-ci se voit dotée des poignées de sélection.

La plupart des éléments sont clairement identifiables dans le graphique : titre, légende, axes, etc. Le graphique lui-même ainsi que la zone de dessin font partie des éléments graphiques. Pour ces derniers, vous pouvez choisir une bordure et un motif particuliers.

Pour marquer la zone de dessin, cliquez à gauche de l'axe vertical ou au bas de l'axe horizontal. La zone *Nom* affiche la mention *Zone_traçage*.

Sélection de la zone de traçage

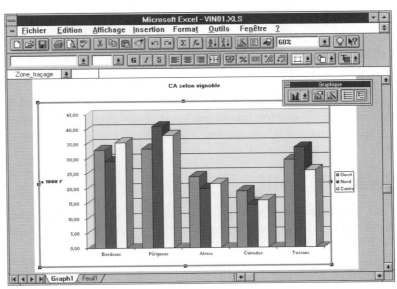

Pour marquer le graphique entier, cliquez hors de la zone de dessin par exemple à côté du titre. Dans la zone *Nom*, vous apercevez l'inscription *Graphique*.

10

Appel des commandes de mise en forme

L'élément marqué peut être mis en forme. Examinons la liste des options disponibles. La section suivante illustre ces notions à travers des exemples pratiques.

Barre d'outils Format

Tout comme dans la feuille, la police et la taille, l'alignement, la bordure et le motif peuvent être choisis dans la barre d'outils *Format*. Cliquez sur l'élément graphique et mettez-le en forme avec la barre d'outils *Format*.

Menu Format et menu contextuel

Les commandes de mise en forme sont réunies dans le menu **Format**. La première commande de ce menu ouvre la boîte de dialogue correspondant à l'élément marqué. Le nom de cette commande varie selon l'élément marqué dans le graphique. Si vous avez marqué la légende, la commande s'appellera **Légende sélectionnée**.

Un menu contextuel existe également pour le graphique. Il apparaît dès que vous cliquez sur un élément graphique avec le bouton droit. La commande relative à la légende s'appellera **Format de légende**.

Double-clic pour ouvrir un onglet

Une méthode très rapide pour mettre en forme un élément consiste à double-cliquer sur l'élément à éditer. Excel ouvre automatiquement la boîte de dialogue correspondant à l'élément.

Les principales commandes et onglets sont décrits ci-après à travers un exemple. Des indications complémentaires vous renseignent en outre sur les autres éléments auxquels s'applique cet onglet.

Bordure et motif

Pour appliquer une bordure et un motif à l'élément marqué, utilisez les icônes *Bordure* et *Couleur* de la barre d'outils *Format* ou l'onglet **Motifs**.

Les couleurs, motifs et bordures sont répertoriés dans l'onglet **Motifs**.

1   Double-cliquez sur l'élément zone de traçage en haut de l'histogramme ou bien cliquez sur cet élément puis faites **Format/Zone de traçage sélectionnée** ou exécutez la commande de même nom depuis le menu contextuel. Vérifiez dans

la zone *Nom* que vous avez marqué l'élément adéquat. Excel ouvre la boîte de dialogue **Format de zone de traçage**.

Onglet Motifs

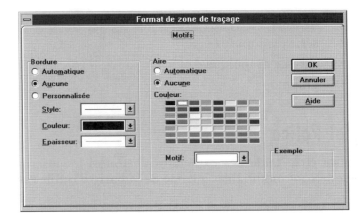

2   Sous *Bordure*, indiquez si vous voulez affecter une bordure à l'élément et si oui précisez son style, sa couleur et son épaisseur. Choisissez un trait fin en cliquant sur *Personnalisée*.

3   Choisissez la couleur et le motif sous *Aire*. Cliquez la couleur dans la palette des couleurs. Choisissez un gris clair.

4   Confirmez les définitions par **OK**.

Modification du graphique

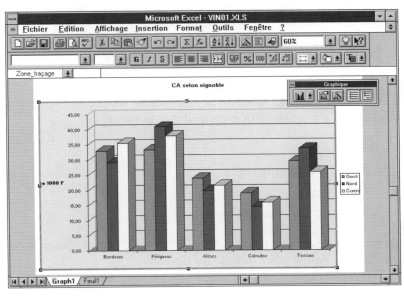

10

L'onglet **Motifs** et les icônes *Couleur* et *Bordure* sont disponibles entre autres pour les éléments suivants :

- légende
- série de données
- titre de graphique
- graphique

Onglet Police

La police et la taille des caractères de toutes les inscriptions ajoutées dans le graphique sont modifiables à l'aide de la barre d'outils **Format**.

Il existe également un onglet **Police** pour ces mises en forme. Il s'agit du même onglet que vous avez utilisé pour mettre en forme la feuille.

Onglet Police

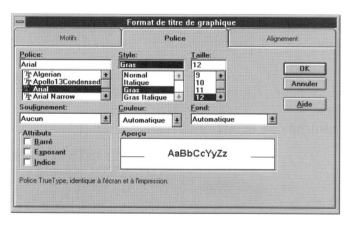

Les mises en forme relatives à une police deviennent disponibles dès que vous cliquez sur un texte associé aux éléments suivants :

- légende
- titre de graphique
- axes
- titre le long des axes

Il convient de choisir une autre police pour le titre. Utilisez la barre d'outils *Format* ou l'onglet **Police** pour définir les options.

Méthode 1 : Barre d'outils

1 Cliquez sur le titre du graphique. La zone *Nom* affiche *Titre*.

2 Cliquez dans la zone de liste *Police* et marquez *Times New Roman*. ` Arial      ⊥ `

3 Cliquez dans la zone de liste *Taille* et choisissez 20. ` 12  ⊥ `

Changement de la police du titre de graphique

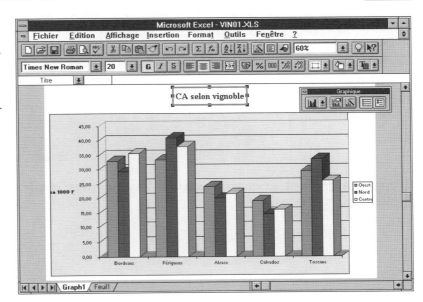

Méthode 2 : Onglet

1 Double-cliquez sur le titre pour qu'Excel ouvre la boîte de dialogue appropriée.

2 Cliquez sur l'onglet **Police**.

3 Choisissez la police et la taille.

4 Confirmez par **OK**.

10

Onglet Alignement

L'onglet **Alignement** n'est pas non plus une nouveauté pour vous : cette commande a servi à aligner verticalement les en-têtes de colonne dans la feuille. Le même procédé peut être appliqué sans difficulté dans un graphique. Le titre ou les étiquettes peuvent être alignées verticalement ou horizontalement le long des axes.

Onglet
Alignement

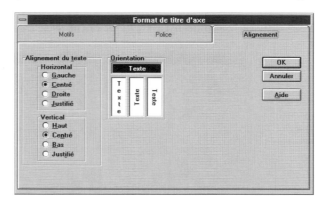

L'onglet **Alignement** devient disponible lorsque vous cliquez sur le texte des éléments suivants :

- légende
- titre du graphique
- titre d'un axe
- axes

Il s'avère nécessaire d'aligner verticalement un texte lorsqu'il s'agit notamment d'un titre :

1 Double-cliquez sur l'intitulé de l'axe "en 1000 F" pour qu'Excel ouvre la boîte de dialogue adéquate.

2 Cliquez sur l'onglet **Alignement**.

3 Cliquez sur le mode d'affichage voulu.

4 Confirmez par **OK**.

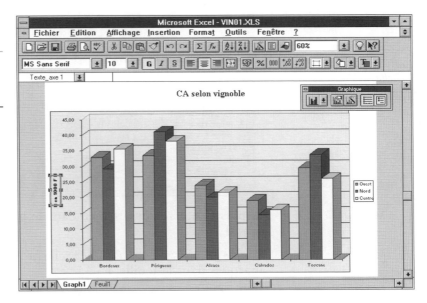

Le graphique produit un aspect plus attrayant. Il ne reste plus qu'à mettre en forme l'affichage des axes et des nombres.

Mise à l'échelle et format des nombres : l'axe des valeurs

Excel choisit automatiquement l'échelle et le format de l'axe des valeurs et en général de telle façon que les définitions ne nécessitent plus aucune intervention de votre part.

Par mise à l'échelle, il faut comprendre la division de l'axe à intervalles réguliers. Cette graduation se fait par rapport au quadrillage s'il est affiché.

Dans le graphique d'exemple, la principale échelle s'élève à 5 c'est-à-dire que l'axe est gradué par pas de 5. Les lignes du quadrillage sont donc tracées en fonction de cette graduation. Changez l'échelle de telle sorte que la graduation soit faite par pas de 10.

1   Double-cliquez sur l'élément *Axe 1* ou marquez l'élément et faites **Format/Axe sélectionné**. Excel ouvre la boîte de dialogue **Format d'axe**. Le plus simple est de marquer l'élément *Axe 1* en cliquant sur une unité de l'axe des valeurs.

10

2   Activez l'onglet **Echelle**.

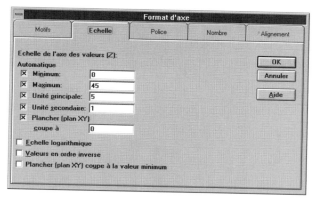

Boîte de dialogue Echelle

Minimum	la plus petite valeur affichée dans le graphique, par défaut 0
Maximum	la plus grande valeur à afficher ; elle provient des nombres marqués dans la feuille, ici 45
Unité principale	taille du pas permettant de graduer l'axe et de tracer les lignes du quadrillage, ici 5
Unité secondaire	taille du pas des graduations secondaires
Axe des catégories (X) coupe à	détermine le point d'intersection entre l'axe des X et l'axe des Y

Une croix dans la case à cocher signifie que cette valeur est déterminée automatiquement par Excel. Pour changer une valeur, cliquez dans la case concernée.

3 Commencez par *Unité principale*. Cliquez dans cette case. Le curseur saute vers la zone de texte associée à l'option. Entrez ici une valeur de votre choix, 10 pour notre exemple.

4 Changez l'unité secondaire. Cliquez dans cette case et entrez la valeur 2.

5 Cliquez sur l'onglet **Nombre** pour vérifier le format du nombre. Cet onglet a été décrit également lors du formatage des nombres de la feuille.

Dans le graphique, les nombres sont affichés avec deux décimales le long de l'axe des valeurs. C'est un affichage absurde car il ne faut utiliser que des nombres entiers dans le graphique.

6 Choisissez le premier format c'est-à-dire 0 dans la catégorie *Nombre*.

7 Terminez la définition par **OK**.

*Changement de
la mise en forme
de l'axe des
valeurs*

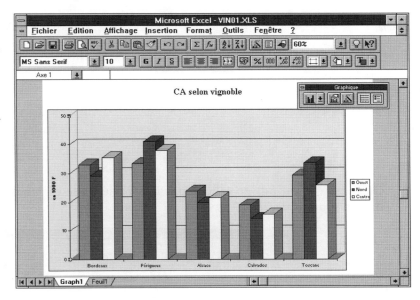

Après avoir édité l'axe des valeurs, il s'agit de formater la légende et de la placer à l'endroit adéquat.

Emplacement et taille de la légende

L'icône *Légende* de la barre d'outils *Graphique* permet élégamment d'activer ou de désactiver la légende. Il ne faut pas se croiser les bras une fois la légende affichée. Il faut en plus choisir la taille et l'emplacement adéquats de façon à ce que la légende n'encombre pas le graphique.

1 Activez la légende via l'icône *Légende*.

2 Double-cliquez sur la légende pour qu'Excel ouvre la boîte de dialogue **Format de légende.**

3 Activez l'onglet **Emplacement**. Il permet de spécifier l'emplacement de la légende dans le graphique.

10

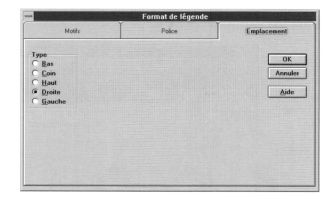

*Onglet
Emplacement*

4 Cliquez l'option *Bas* et validez par **OK**. La légende est maintenant placée au bas du graphique.

*Nouvel
emplacement de
la légende*

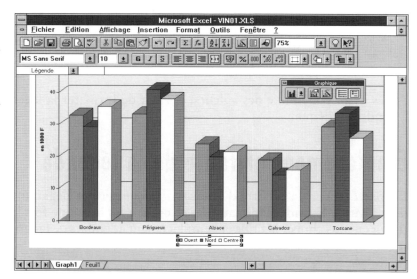

Vous venez de faire connaissance avec de nombreuses techniques de mises en forme du graphique mais une option essentielle fait défaut : déplacer les éléments du graphique.

Déplacer les éléments graphiques

Jusqu'à présent, nous avons utilisé l'appellation *éléments graphiques* pour désigner les divers composants du graphique. Ces éléments portent des noms immuables sous Windows. Ils sont considérés notamment comme des objets. Sous Windows, les objets peuvent avoir de multiples facettes mais ils ont un point commun : ils sont flexibles. Les objets peuvent être déplacés avec la souris. Parfois, ils peuvent être redimensionnés et supprimés.

Les objets répondant à cette définition typique sont par exemple la légende et la zone de traçage. Ces deux éléments peuvent être redimensionnés ou déplacés. Seule la légende peut être supprimée.

Le titre fait partie lui aussi des objets. Il peut uniquement être déplacé. Sa taille reste inchangée. L'appui sur un bouton permet de supprimer le titre.

Jugez par vos propres soins de la facilité avec laquelle un objet peut être traité. Mettons-nous d'accord sur le fait que tout ce qui est affiché dans le graphique n'est pas nécessairement un objet qui peut être édité en tant que tel.

Supprimer un objet

Vous avez déjà appris dans la feuille que ce qui est perdu n'est plus récupérable. Le même principe s'applique au graphique.

1   Cliquez sur l'objet à supprimer, dans cet exemple l'étiquette "en 1000 F".

2   Tapez **SUPPR**.

3   Cliquez sur l'icône *Annuler* pour annuler l'action.

Déplacer un objet

Certains objets peuvent être déplacés librement notamment le titre et la légende.

1   Cliquez sur l'objet à déplacer, ici le titre du graphique.

2   Placez le pointeur sur le cadre gris, gardez le bouton gauche appuyé et déplacez le titre vers la marge gauche.

3   Relâchez le bouton pour fixer le titre à la nouvelle position.

10

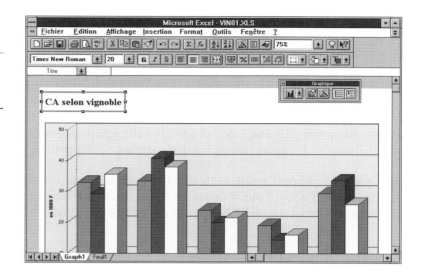

Déplacement du titre vers la marge gauche

Redimensionner un objet

Les poignées de sélection entourent un objet marqué. Cliquez et tirez sur ces poignées pour redimensionner l'objet. Cette opération ne fonctionne pas sur tous les objets mais elle peut être exécutée par exemple sur la légende.

1 Cliquez sur l'objet Légende.

2 Cliquez sur une poignée, gardez le bouton gauche appuyé et tirez l'objet.

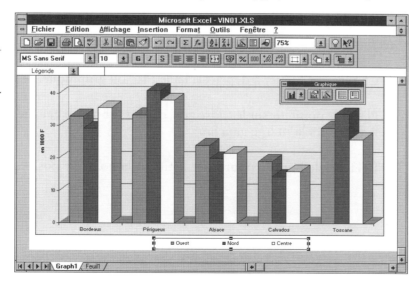

Agrandissement de la légende

Mise en forme d'un graphique - exemple

L'exemple suivant démontre les techniques d'édition applicables aux objets d'un graphique.

1 Supprimez l'étiquette de l'axe des valeurs si cela n'est pas encore fait.

2 Déplacez la légende complètement vers la marge gauche.

3 Cliquez sur la poignée de droite et étirez la légende sur toute la largeur du graphique.

4 Cliquez sur la poignée du haut et diminuez la hauteur de la légende.

5 Cliquez dans la zone de traçage et déplacez cette dernière vers le bas jusqu'au niveau de la légende.

6 Etirez la zone de traçage autant que possible vers la gauche et le haut.

Rappel : Marquez la zone de traçage en cliquant rapidement à côté de l'axe des valeurs ou sous l'axe des catégories. Le titre du graphique est repoussé de ce fait dans le zone de traçage.

7 Déplacez le titre de façon à ce qu'il apparaisse au-dessus de la dernière ligne du quadrillage.

10

*Exemple d'une
mise en forme de
graphique*

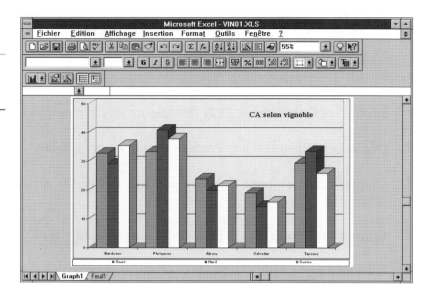

8 Enregistrez le graphique et la feuille via **Fichier/Enregistrer sous.** Choisissez le répertoire \STEXCEL\EXEMPLES et attribuez le nom de fichier GRAPH01.XLS.

Excel vous offre une issue de secours au cas où votre opération n'a pas apporté des résultats satisfaisants : cliquez sur l'icône *Graphique* par défaut dans la barre d'outils *Graphique*. Tous les paramètres que vous avez spécifiés sont ignorés et vous vous retrouvez avec un graphique prédéfini.

Pour conclure cette leçon, le tableau suivant fait la relation entre les options de mise en forme et les éléments ou objets graphiques auxquels elles peuvent être appliquées.

Objet	Option
Légende	Motifs Police Emplacement
Axes	Motifs (type et épaisseur du trait des axes) Echelle Police Format de nombre
Série de données	Motifs (trait et couleur) Etiquettes de données (valeurs ou pourcentages) Titre de graphique

Objet	Option
Etiquettes des axes	Motifs (couleur et bordure) Police Alignement
Graphique	Motifs (couleur ou motif)

Résumé

Vous voulez...	Sélectionnez...	Icône/Clavier
modifier le type de graphique	**Format/Format automatique**	
activer/désactiver la légende		
activer/désactiver le quadrillage		
modifier la police, définir la bordure ou la couleur	*Format/Elément sélectionné...*	
ajouter un titre	*Insertion/Titre*	
mettre à l'échelle l'axe des valeurs ou changer le format des nombres	*Format/Axe sélectionné...*	

10

Contrôle des connaissances

QUESTIONS

1. **Horizontalement**   Le type de graphique en ... ne permet de définir qu'une seule série de données.

2. **Horizontalement**   Cet onglet renferme les options relatives aux couleurs et bordures d'un graphique.

3. **Horizontalement**   Mot qui indique la division de l'axe des valeurs ou plus précisément les intervalles séparant chaque intitulé figurant sur l'axe.

4. **Horizontalement**   Menu contenant la commande permettant d'ajouter un titre de graphique.

2. **Verticalement**   La boîte de dialogue **Format de titre de graphique** contient les onglets **Motifs, Police** et ....

MOT MYSTÉRIEUX

1. **Verticalement**   Pour activer un graphique, il est nécessaire de ... dans le graphique.

Leçon 11 : Impression et copie de graphiques

30 min

En principe, vous enregistrez et imprimez le graphique une fois créé. Le graphique peut être imprimé séparément ou avec la feuille s'il est incorporé dans la feuille. Le graphique peut être copié vers d'autres programmes et imprimé à partir de ces derniers. Un tel cas se présente par exemple lorsque vous devez rédiger un texte qui fait référence au graphique Excel.

A l'issue de cette leçon vous saurez...

- imprimer indépendamment le graphique,
- imprimer un graphique incorporé,
- transférer un graphique vers un autre programme.

Imprimer uniquement le graphique

Avec la feuille Excel, vous avez déjà découvert une foule de méthodes permettant de paramétrer l'impression. Il s'agit notamment du réglage des marges et de la définition d'un en-tête et pied de page. Ces options sont disponibles également pour l'impression d'un graphique.

Comme nous l'avons souligné maintes fois, un graphique Excel peut être incorporé dans une feuille ou isolé dans une feuille indépendante. Dans les deux cas, le graphique peut être imprimé sans la feuille.

Pour cet exemple, ouvrez le fichier IMPR_GRA.XLS qui se trouve dans le répertoire \STEXCEL après l'installation de la disquette du livre.

Vous devez activer le graphique avant de l'imprimer. Rappelez-vous : double-cliquez dans le graphique pour activer un graphique incorporé ou cliquez sur l'onglet s'il s'agit d'un graphique indépendant.

1   Cliquez sur l'onglet *Graph1*.

2   Cliquez sur l'icône *Aperçu avant impression* pour vérifier auparavant la mise en forme du graphique.

Aperçu avant impression du graphique

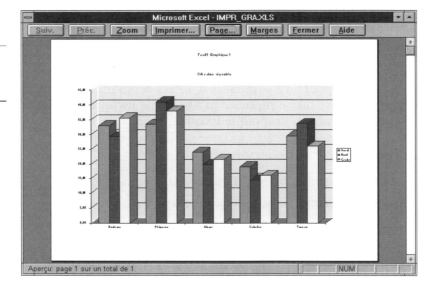

Changez la mise en forme. Le graphique est pourvu de nombreuses couleurs alors que l'impression doit avoir lieu sur une imprimante noir et blanc.

3   Pour obtenir un excellent résultat sur une imprimante noir et blanc, cliquez sur le bouton **Page** dans la fenêtre de l'aperçu puis sur **Graphique** dans la boîte de dialogue qui s'est ouverte.

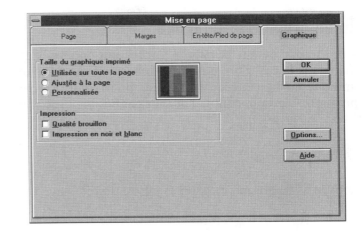

*Onglet
Graphique*

4 Cochez l'option *Impression en noir et blanc*.

5 Cliquez sur **OK** pour retourner dans la fenêtre Aperçu avant impression.

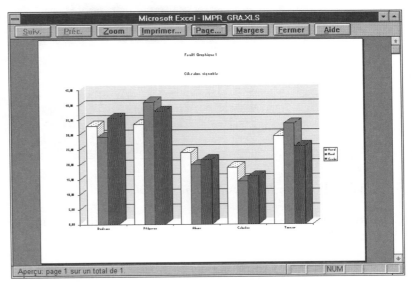

*Activation de
l'option
Impression en
noir et blanc*

6 Cliquez sur **Imprimer** sinon sur **Fermer**.

C'est tout ce que vous devez faire pour imprimer un graphique indépendant. Quant à l'impression d'un graphique incorporé, Excel demande de définir des options complémentaires.

Taille du graphique imprimé

Excel utilise par défaut la page d'impression entière. Cette définition peut être modifiée dans le cas d'un graphique incorporé. Excel tend généralement à étirer le graphique en hauteur ou en largeur pour qu'il occupe la totalité de la page d'impression. C'est pourquoi, il ne faut pas hésiter à spécifier la taille du graphique imprimé.

1   Cliquez sur l'onglet *Feuil1*.

2   Activez le graphique incorporé par un double-clic.

3   Faites **Fichier/Mise en page/Graphique**.

Onglet
Graphique

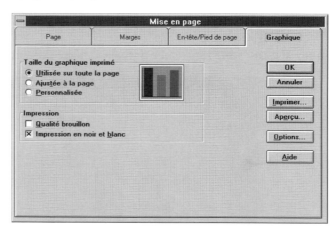

4   Cochez l'option *Impression en noir et blanc*.

Cette fois-ci vous devez choisir la taille du graphique imprimé selon l'une des trois alternatives suivantes :

- Utilisée sur toute la page
- Ajustée à la page
- Personnalisée

Utilisée sur toute la page

Excel étire le graphique sur toute la page d'impression. Le graphique est ajusté en hauteur et en largeur compte tenu de sa taille sur la feuille. C'est pour cela que le graphique est parfois étiré sans commune mesure.

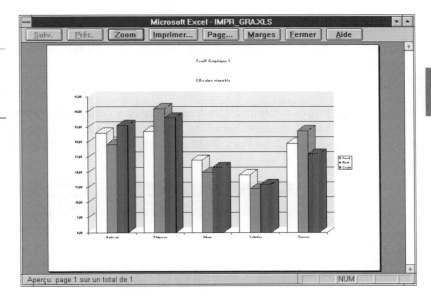

Taille du graphique imprimé : utilisée sur toute la page

Ajustée à la page

Cette option ajuste le graphique à la page mais en préservant les proportions à l'écran.

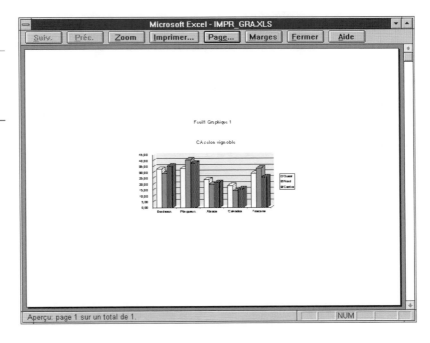

Taille du graphique imprimé : ajustée à la page

Personnalisée

Cette option donne à l'écran le reflet exact du graphique qui une fois imprimé. Le graphique n'est pas agrandi. Il est affiché dans le coin supérieur gauche de la page d'impression.

Si vous optez pour ce mode d'affichage, pensez à centrer le graphique dans la page avec les options *Horizontalement* ou *Verticalement* disponibles dans la boîte de dialogue **Mise en page** dans l'onglet **Marges.** La figure suivante illustre l'effet produit par ce paramétrage :

Taille du graphique imprimé : personnalisée

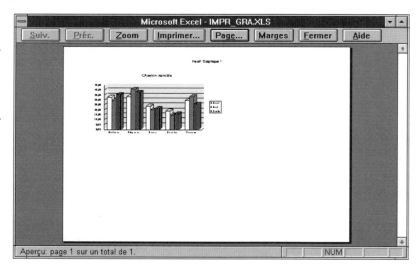

Choisissez l'affichage qui vous convient et cliquez sur **Imprimer** depuis la fenêtre Aperçu avant impression.

Les options que nous venons de décrire ne concernent que l'impression isolée d'un graphique incorporé. Un graphique incorporé peut être imprimé conjointement avec la feuille.

Imprimer le graphique et la feuille

Excel ne permet d'imprimer ensemble le graphique et la feuille que si le graphique est incorporé dans la feuille. Cette option n'existe pas pour les graphiques situés sur une feuille indépendante. Voici un exemple montrant l'impression simultanée d'une feuille et d'un graphique.

1   Cliquez sur l'onglet *Feuil1*.

2   Marquez le graphique et la plage à imprimer, ici A1-F26.

Sélection de la plage

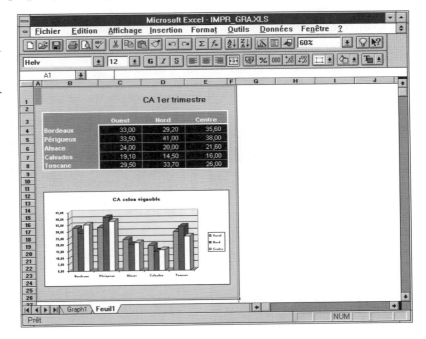

Vérifiez auparavant la taille et l'affichage du graphique et corrigez éventuellement la taille du cadre (cf. leçon 9). Le graphique sera imprimé exactement comme il est reproduit sur l'écran.

3   Faites **Fichier/Imprimer.**

4   Cochez l'option *Sélection.*

Boîte de dialogue
Imprimer

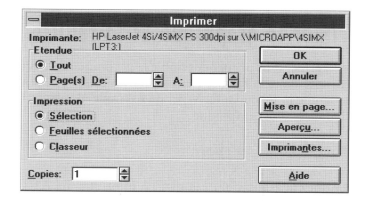

5 Contrôlez le futur résultat en cliquant sur **Aperçu**.

Affichage de la
feuille dans
l'aperçu avant
impression

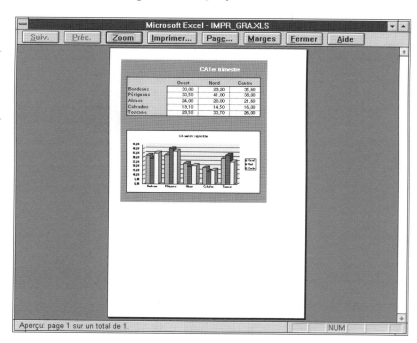

6 Corrigez la mise en page en cliquant sur **Page**.

7 Activez l'option *Paysage* et choisissez un facteur d'agrandissement de 110.

8 Activez les options *Horizontalement* et *Verticalement* dans l'onglet **Marges**.

9 Cliquez sur **OK** pour juger du résultat.

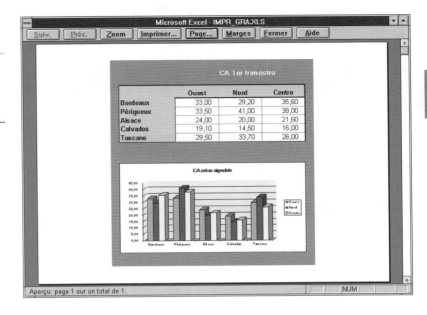

11

Aperçu avant impression de la feuille et du graphique

10 Démarrez l'impression en cliquant sur **Imprimer** ou quittez l'aperçu en cliquant sur **Fermer.**

L'impression conjointe d'une feuille et d'un graphique ne pose aucune difficulté particulière. Mais comment imprimer par exemple un graphique situé dans un document WinWord ? Ce n'est pas non plus un problème si vous transférez le graphique Excel vers le texteur.

Graphique Excel vers WinWord

Vous êtes en train de rédiger un important rapport pourvu de nombres, de tableaux et de comparaisons. Ne serait-il pas judicieux d'y inclure des graphiques parlant d'eux-mêmes ?

Microsoft permet d'exaucer ce souhait via OLE. Abréviation de *Object Linking and Embedding*, OLE est une technicité servant à lier et incorporer des objets. En d'autres termes, les données d'un programme A, par exemple un graphique Excel, peuvent être transférées vers un programme B, tel que WinWord.

L'opération se déroule de façon très simple à l'aide d'un copier/coller. La seule différence est que cela s'effectue entre deux programmes et non à l'intérieur de la même application. Les programmes Windows utilisent à cet effet le *Presse-papiers*.

Venons-en maintenant à la pratique. Le programme WinWord doit être installé sur votre ordinateur pour expérimenter l'exemple suivant.

Un graphique isolé ou un graphique incorporé dans une feuille peut être transféré vers WinWord. Quant à nous, nous allons transférer un graphique incorporé.

1 Cliquez sur le graphique Excel "CA selon vignoble". Contentez-vous de marquer le graphique sans l'activer par un double-clic.

2 Cliquez sur l'icône *Copier* ou faites **Edition/Copier**.

3 Activez une nouvelle barre d'outils en cliquant avec le bouton droit dans l'une des barres d'outils affichée. Cochez l'entrée **Microsoft** dans la liste des barres d'outils. Cette dernière permet d'accéder aux programmes Microsoft.

*La barre d'outils
Microsoft*

4 Cliquez sur l'icône *Microsoft Word*. Cette action provoque le démarrage de WinWord dont l'écran vierge est aussitôt affiché. Travaillez comme à l'accoutumée en ouvrant un document existant pour l'éditer ou le mettre en forme.

 Une seule restriction vous est imposée dans ce contexte : vous ne devez utiliser ni la commande **Couper** *ni la commande* **Copier***. Ces deux commandes modifient le contenu du Presse-papiers au risque de supprimer le graphique qui y est stocké.*

5 Placez le curseur à l'endroit où doit apparaître le graphique.

6 Cliquez sur l'icône *Coller*. Le graphique Excel est inséré à l'endroit où se trouve le curseur.

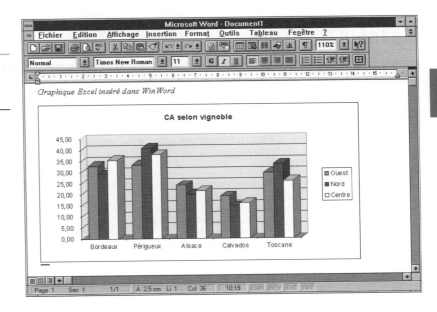

Insertion d'un graphique Excel dans Winword

7 Pour retourner dans Excel, cliquez dans une barre d'outils avec le bouton droit et cochez l'entrée *Microsoft*. Vous apercevez ici les icônes des divers programmes Microsoft exactement comme dans Excel.

8 Cliquez sur l'icône *Microsoft Excel*.

Vous constatez qu'il est très facile de transférer un graphique depuis Excel vers WinWord. Il en va de même de l'échange d'une feuille ou d'une plage de la feuille entre Excel et WinWord.

La marche à suivre est analogue à la précédente : marquez et copiez la plage puis basculez vers WinWord. Ouvrez le document cible, placez le curseur et collez la feuille.

Une feuille Excel est collée dans WinWord sous forme d'un tableau classique qui peut être édité avec les fonctions de tableau de WinWord.

Les objets Excel peuvent être transférés vers d'autres programmes qui ne sont pas nécessairement des programmes Microsoft. Les icônes permettant de basculer rapidement entre les programmes ne sont plus disponibles dans ce cas. L'échange doit s'effectuer par le biais du Gestionnaire de programmes de Windows.

Résumé

Vous voulez...	Sélectionnez...	Icône/Clavier
enregistrer la feuille et le graphique	**Fichier/Enregistrer** ou **Fichier/Enregistrer sous**	
imprimer un graphique	**Fichier/Imprimer** après avoir activé le graphique	
imprimer la feuille et le graphique	**Fichier/Imprimer/Sélection** après avoir activé la plage	
transférer un graphique vers WinWord	marquez le graphique puis **Edition/Copier**, basculez vers WinWord puis **Edition/Coller**	

Contrôle des connaissances

QUESTIONS

1. **Horizontalement** Menu contenant la commande **Imprimer**.

2. **Horizontalement** La boîte de dialogue Mise en page (pour un graphique) contient les onglets **...**, **Marges**, **En-tête/Pied de page** et **Graphique**.

3. **Horizontalement** Nom du bouton situé entre **Page** et **Fermer** dans l'Aperçu avant impression.

4. **Horizontalement** L'onglet **Mise en page/Graphique** permet de choisir deux qualités d'impression : *Qualité* ... et *Impression en noir et blanc*.

2. **Verticalement** Combien d'options (en toutes lettres) sont-elles fournies sous la rubrique Taille du graphique imprimée dans l'onglet Graphique ?

3. **Verticalement** Nom de la barre d'outils contenant l'icône WinWord.

MOT MYSTÉRIEUX

1. **Verticalement**   Lorsque le graphique est ... dans la feuille, Excel fournit une option permettant d'imprimer le graphique avec la feuille.

11

PARTIE D

Fonctions avancées d'Excel

Leçon 12 :
Les feuilles volumineuses

30 min

Les feuilles que vous avez utilisées dans les leçons précédentes étaient sobres et bien lisibles. Une page - et ce n'est pas toujours le cas - et le calcul était déjà achevé. Mais les capacités d'Excel ne s'arrêtent pas là. Rappelez-vous la description effectuée dans la première leçon : une feuille peut contenir 250 colonnes et 16 000 lignes.

Le fait que les options, qui facilitent la tâche dans les petites feuilles, jouent un rôle prépondérant dans les calculs complexes, est une évidence qui n'est pas à démontrer. Sachez toutefois qu'il existe des options qui ne présente un réel intérêt que dans les grandes feuilles. Certaines de ces options seront décrites dans cette leçon.

A l'issue de cette leçon vous saurez...

- effectuer un zoom sur une feuille,
- nommer une plage,
- utiliser la commande **Atteindre,**
- définir des titres pour l'affichage et l'impression,
- enregistrer une zone d'impression,
- enregistrer un affichage.

Zoom sur la feuille

Excel affiche normalement une feuille selon un rapport 1:1 ou avec un facteur de 100 %. Le mode d'affichage s'avère amplement suffisant pour la plupart des applications. Excel est équipé d'une commande de zoom permettant d'ajuster l'affichage à la situation du moment.

Pour cet exemple, ouvrez le fichier CLUB.XLS depuis le répertoire \STEXCEL.

La feuille d'exemple CLUB.XLS

	Microsoft Excel - CLUB.XLS									

Fichier   Edition   Affichage   Insertion   Format   Outils   Données   Fenêtre   ?

Arial   10   G   I   S   100%

H78   =SOMME(H4:H77)

	A	B	C	D	E	F	G	H	I	J	K
1			Gestion des membres du club								
2											
3	Nom	Prénom	N° téléphone	Adhé-rent	Junior	Senior	Coti-sation	Montant payé	Rendu		
4	Adam	Carine	45 12 25 34	x			12,50	15,00	2,50		
5	Aster	Hubert	42 14 12 85	x			12,50	20,00	7,50		
6	Bertrand	Monique	42 32 56 84	x			12,50	20,00	7,50		
7	Brétillon	Alphonse	43 25 33 15	x			12,50	15,00	2,50		
8	Claude	Nicolas	48 25 22 54	x			12,50	15,00	2,50		
9	Claude	Stéphane			x				0,00		
10	Clément	Sabine	48 36 85 49	x			12,50	15,00	2,50		
11	Dammier	Eric	49 25 46 25	x			12,50	15,00	2,50		
12	Deschamps	Alain	69 15 36 58	x			12,50		-12,50		
13	Deschamps	Martin	69 15 36 37			x		10,00	10,00		
14	Drapier	Francis	47 25 54 36	x			12,50	20,00	7,50		
15	Droittié	Barbara	48 35 65 87	x			12,50	20,00	7,50		
16	Duchemin	Brigitte	48 63 96 85	x			12,50	30,00	17,50		

Feuil1 / Feuil2 / Feuil3 / Feuil4

Prêt   NUM

Cette feuille est conçue pour gérer la trésorerie d'un club ou d'une association. Elle permet de contrôler les frais et les dépenses mensuels. Les trois premières colonnes contiennent les nom, prénom et numéro de téléphone des membres du club. Les trois colonnes suivantes indiquent si le membre du club est un adhérent, un senior ou un junior. La colonne qui suit spécifie le montant à payer par le membre concerné. La somme acquittée par chacun des membres dans le mois en cours est notée immédiatement après. Le montant à payer est ôté de cette somme et inscrite dans la colonne "Rendu".

Les informations, valeurs et formules sont déjà entrées dans la feuille. La mise en forme du tableau a été négligée volontairement. Seuls la police et l'alignement du texte sont définis. La largeur de colonne est ajustée.

Il est un problème qu'on rencontre souvent lors du formatage d'une grande feuille de calcul : lors de la sélection avec la souris, l'écran défile à toute vitesse, la souris accélère son déplacement et tout à coup une quantité excessive de cellules est marquée sans même qu'on s'en rende compte. Il existe heureusement un moyen pour faciliter la tâche.

Utilisez les options du zoom lorsque vous formatez une feuille. Vous pouvez ainsi réduire la taille d'affichage jusqu'à 25 % sur le moniteur. Les valeurs les plus adéquates s'échelonnent en général de 40 à 70 %.

1 Utilisez la barre d'outils *Standard* pour définir au plus vite le facteur de zoom. Cliquez sur la flèche associée au champ *Zoom*.

2 Les différentes valeurs se déroulent sous le champ *Zoom*. Choisissez 50 %.

12

Zoom de 50 %

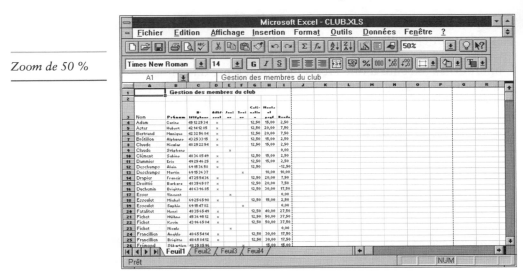

3 Vous pouvez choisir des facteurs de zoom différents de ceux mentionnés dans la liste. Cliquez sur la valeur en pour-cent située dans la zone de texte *Zoom*.

4 Le nombre étant marqué, remplacez-le par le facteur que vous voulez par exemple 30. Vous n'avez pas besoin de taper le signe %. Contentez-vous de taper **ENTREE**.

5 Si vous préférez passer par le menu, utilisez la commande **Affichage/Zoom**.

6 Cliquez sur le facteur voulu, par exemple 50 %.

En affichage réduit, il est plus facile de marquer une grande plage et d'affecter une couleur, une bordure ou un trait. Utilisez encore une fois la zone de liste *Zoom* pour rétablir la feuille à une taille qui permette de la lire.

Le facteur de zoom ne modifie que l'affichage à l'écran. Ce réglage n'influe aucunement sur l'impression.

La commande Atteindre

Un certain nombre de clics permettent rapidement de marquer une cellule ou une plage dans une feuille de petite taille.

L'opération s'exécute d'une façon bien différente dans une feuille volumineuse où il faut parcourir de nombreuses pages pour consulter un extrait précis ou marquer une plage spécifique. La meilleure solution et la plus efficace consiste à recourir à la commande **Atteindre**. Cette commande sélectionne la cellule ou la plage désignée sans obliger à faire défiler interminablement les pages à l'écran.

1 Tapez **F5**.

*Boîte de dialogue
Atteindre*

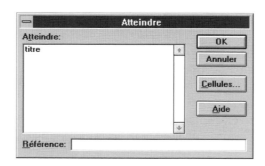

Dans la zone de texte *Référence*, Excel attend la spécification de la destination, c'est-à-dire la cellule ou la plage de cellules à sélectionner.

2 Précisez les coordonnées, I78 dans notre exemple. Il s'agit de la cellule dans laquelle est calculé le montant total des sommes rendues.

3 Confirmez par **ENTREE** ou **OK**. La cellule dont vous avez spécifié les coordonnées est marquée dans la feuille.

Vous pouvez marquer ainsi une plage de cellules au lieu d'une cellule isolée.

4 Tapez **F5**.

5 Dans le champ *Référence*, entrez cette fois-ci H4:H77. Il s'agit de la plage où sont notés les montants payés par les membres du club. Les cellules ainsi marquées peuvent être éditées et mises en forme comme à l'accoutumée.

6 Cliquez en un endroit quelconque de la feuille pour annuler la sélection.

Pour spécifier les coordonnées d'une plage, entrez la première coordonnée (en haut à gauche) et la dernière coordonnée (en bas à droite) que vous séparez par un double-point. L'entrée H4:H77 englobe toutes les cellules comprises entre H4 et H77.

12

La commande **Atteindre** mémorise la cellule ou la plage que vous avez choisie. Cette adresse est notée dans la boîte de dialogue et peut être rappelée à tout moment. Cela permet de répéter la sélection de la même zone sans avoir à redéfinir les coordonnées.

Noms dans la feuille

Les coordonnées sont d'une grande aide pour localiser rapidement des cellules et des plages de la feuille. Il n'est pas toujours facile de mémoriser des coordonnées. Il n'existe qu'une référence logique entre cellule et coordonnées sans qu'une relation intrinsèque puisse être établie.

Attribuez un nom à la cellule ou à la plage et vous aurez à votre disposition des références commentées.

Les noms de coordonnées représentent pour ainsi dire des pseudonymes. La cellule G24 peut s'appeler "Bénéfice" ou la plage A4-G24 "Dépenses". Les noms sont utilisables avec la commande **Atteindre**. Ils peuvent être inclus dans des formules et spécifiés dans une boîte de dialogue pour déterminer une plage.

La cellule I78 de la feuille CLUB.XLS contient le total des sommes rendues. Attribuez un nom à cette cellule.

1 Marquez la cellule I78 de préférence avec **Atteindre**.

2 Cliquez sur la référence inscrite dans la zone *Nom* de la barre de formule.

3 Excel a marqué la coordonnée que vous remplacez par un nom, ici "Total-Rendu".

*Nouveau nom
dans la zone Info*

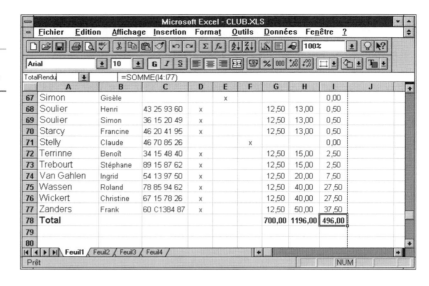

	A	B	C	D	E	F	G	H	I	J
67	Simon	Gisèle			x				0,00	
68	Soulier	Henri	43 25 93 60	x			12,50	13,00	0,50	
69	Soulier	Simon	36 15 20 49	x			12,50	13,00	0,50	
70	Starcy	Francine	46 20 41 95	x			12,50	13,00	0,50	
71	Stelly	Claude	46 70 85 26		x				0,00	
72	Terrinne	Benoît	34 15 48 40	x			12,50	15,00	2,50	
73	Trebourt	Stéphane	89 15 87 62	x			12,50	15,00	2,50	
74	Van Gahlen	Ingrid	54 13 97 50	x			12,50	20,00	7,50	
75	Wassen	Roland	78 85 94 62	x			12,50	40,00	27,50	
76	Wickert	Christine	67 15 78 26	x			12,50	40,00	27,50	
77	Zanders	Frank	60 C1384 87	x			12,50	50,00	37,50	
78	Total						700,00	1196,00	496,00	
79										
80										

4   Confirmez par **ENTREE**. Excel enregistre le nom.

*Veillez à donner un nom qui ne porte pas à confusion, qui soit différent
des noms de fonction et des coordonnées. Des noms tels que AX10 sont
interdits car il s'agit d'une coordonnée. De même, l'indication
MOYENNE est refusée car c'est le nom d'une fonction.*

Un nom peut se rapporter à une cellule ou à une plage.

1   Marquez la plage A3-C77 avec **Atteindre**.

Dans la feuille, cette plage renferme les noms, prénoms et numéros de
téléphone.

2   Cliquez dans la zone *Nom* de la barre de formule et précisez un nom, par
exemple "Adresse".

Le nom Adresse est attribué à la plage spécifiée

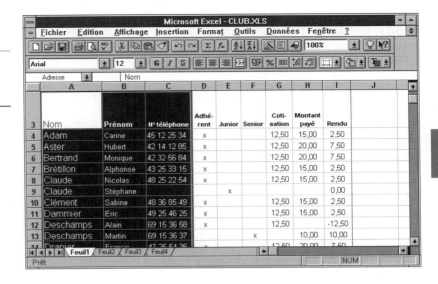

3 Confirmez par **ENTREE**.

Pour aller plus vite, marquez une cellule ou une plage nommée via la zone *Nom*. La flèche associée à ce champ signale l'existence d'une zone de liste.

1 Cliquez sur la flèche pour dérouler la liste des noms existants.

2 Cliquez sur le nom voulu par exemple "TotalRendu". Excel bascule immédiatement vers la cellule ou la plage correspondante.

Définir une zone d'impression

Il s'agit maintenant de définir une zone d'impression à l'aide d'un nom.

Excel imprime par défaut la feuille entière. Pour imprimer une plage précise, vous devez spécifier cette dernière avant de démarrer l'impression.

La zone d'impression peut être définie pour l'impression à réaliser dans l'immédiat ou elle peut être mémorisée durablement.

Modifier une zone d'impression

Cette option a été décrite dans la leçon 8.

1 Marquez la plage à imprimer.

2 Faites **Fichier/Imprimer**.

3 Activez l'option *Sélection*.

La zone ainsi spécifiée ne vaut que pour cette impression. Lors d'une impression ultérieure, Excel imprimera la feuille entière.

Enregistrer une zone d'impression

Utilisez la commande **Mise en page** pour conserver durablement une zone d'impression devant servir plusieurs fois par la suite.

Les informations stockées dans la feuille CLUB.XLS contiennent une petite liste des membres du club. On peut décider un jour d'imprimer les noms, prénoms et numéros de téléphone de façon à les distribuer à chacun des membres. Il est superflu de divulguer l'information concernant le montant payé par chaque membre.

La liste nécessite d'être réimprimée chaque fois qu'un numéro de téléphone change. Il faut donc définir la zone d'impression de telle sorte qu'elle puisse être utilisée maintes fois.

Commencez par attribuer un nom à la zone d'impression. C'est une tâche déjà faite. Dans la section précédente, vous avez attribué le nom "Adresse" à la plage A3-C77.

1 Faites **Fichier/Mise en page/Feuille**.

2 Cliquez dans la zone de texte *Zone d'impression*.

3 Entrez le nom de la plage, ici "Adresse".

Spécification de la zone d'impression

4   Confirmez par **OK**.

Définissez autrement la zone d'impression si elle ne comporte pas de nom :

-   indiquez les coordonnées de la plage,

-   marquez directement la plage dans la feuille.

Lors d'une sélection directe, la boîte de dialogue **Mise en page** couvre une grande partie de la feuille. Cliquez dans la barre de titre de la boîte, gardez le bouton gauche appuyé et tirez la boîte vers le coin inférieur droit de l'écran. Marquez la plage et ramenez la boîte de dialogue au milieu de l'écran.

Excel conserve durablement la plage ainsi définie. A partir de cet instant, Excel imprimera cette zone par défaut. La zone d'impression sera enregistrée. Pour demander de nouveau l'impression de la feuille entière, annulez la définition de la zone dans l'onglet **Feuille** de la boîte de dialogue **Mise en page**.

Les noms aident à définir et à commuter entre plusieurs zones d'impression. Attribuez un nom à chaque zone d'impression. Pour changer de zone, précisez tout simplement le nom de la zone voulue dans la zone de texte appropriée.

Les grandes feuilles ont un autre inconvénient : les premières lignes ou les premières colonnes sont repoussées vers l'extérieur de la zone d'affichage lorsque vous parcourez les pages. Ces lignes et colonnes renferment souvent un texte descriptif aidant à s'orienter dans la feuille. Pour peu que ces informations soient manquantes et vous voilà contraint d'agir à l'aveuglette dans la feuille. Pour remédier à ce désagrément, pensez à figer les lignes et colonnes sous forme de titres.

Figer des lignes ou colonnes sur l'écran

Dans la feuille CLUB.XLS, il serait judicieux de figer les trois premières lignes ainsi que la première colonne. Dans le cas présent, la commande est exceptionnellement plus facile à exécuter par le menu que par la souris. Le tout est de marquer correctement la plage.

Il faut choisir une cellule dans la ligne 4 vu qu'il s'agit de figer les trois premières lignes. Seule la première colonne doit devenir un titre. Il faut donc choisir une cellule dans la colonne B. Colonne B, ligne 4 on obtient les coordonnées B4. Cette cellule doit être marquée.

1   Cliquez en B4.

2   Faites **Fenêtre/Figer les volets**.

Excel exécute immédiatement la commande et divise l'écran en quatre parties. Cette division est à peine visible si la feuille est munie de bordures et couleurs.

Figer des lignes et colonnes

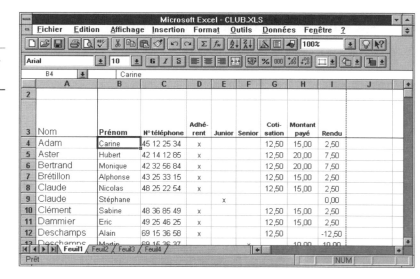

Parcourez la feuille vers le bas en utilisant les barres de défilement. Vous constatez alors que les trois premières lignes restent immobiles. Elles ne sont pas influencées par le défilement. Il en va de même de la première colonne. Le numéro de la ligne montre que le titre est figé.

Annulez la commande via **Fenêtre/Libérer les volets**.

L'action de figer les volets ne concerne que l'affichage, elle ne se répercute pas sur l'impression. Un effet similaire peut être obtenu lors de l'impression.

Répéter des lignes ou colonnes sur des pages de suite

Lors de l'impression d'une grande feuille, il faut faire attention à ce que les en-têtes de lignes et colonnes soient imprimés sur la même page que les données correspondantes - en règle général cela ne concerne que la première page.

Pour imprimer les en-têtes de lignes/colonnes sur les pages de suite, Excel permet de définir des lignes ou colonnes de répétition.

Les lignes supérieures de la feuille se répéteront sur chaque page d'impression dans le cas des lignes de répétition. Les premières colonnes de la feuille se répéteront sur chaque page d'impression dans le cas des colonnes de répétition.

La feuille CLUB.XLS n'occupe qu'une page en largeur mais s'étale sur deux pages en longueur. Il convient donc de définir des lignes de répétition.

1   Faites **Fichier/Mise en page/Feuille**.

2   Supprimez la zone d'impression définie précédemment. Excel imprimerait sinon la zone Adresse qui a été ainsi définie.

3   Cliquez dans la zone de texte voulue : *Lignes à répéter en haut* ou *Colonnes à répéter à gauche*. Dans l'exemple, il faut répéter les lignes du haut de la feuille.

4   Indiquez les coordonnées de la plage à répéter, ici B1:B3. Excel étend la sélection sur la ligne entière ou sur la colonne entière si vous avez choisi l'option *Colonnes à répéter à gauche*.

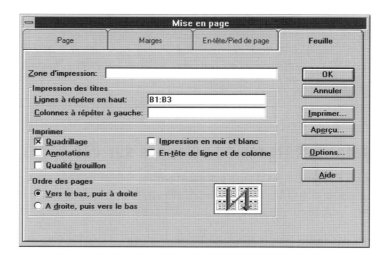

*Définition des
lignes à répéter*

5 Contrôlez le résultat dans l'aperçu avant impression. Parcourez la feuille avec le bouton **Suiv.** et vérifiez que les lignes sont répétées.

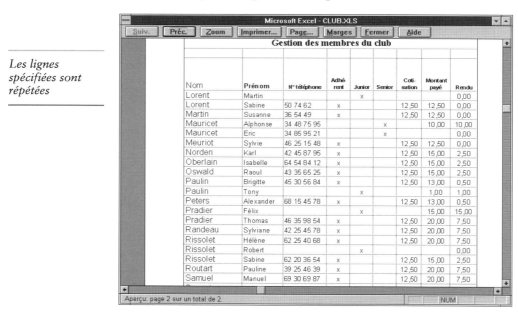

*Les lignes
spécifiées sont
répétées*

6 Cliquez sur **Fermer** pour quitter l'aperçu avant impression.

Dans cette leçon, nous avons examiné quelques commandes permettant d'ajuster l'affichage et l'impression. Chaque modification a été exécutée manuellement c'est-à-dire que vous deviez utiliser le menu ou la souris. A la fin de cette leçon, vous apprendrez à enregistrer des paramètres de façon à pouvoir les rappeler à tout moment.

Le gestionnaire de vues

Pour aider à stocker des paramètres variés et des volets d'écran, Excel est équipé de ce qu'on appelle un *Gestionnaire de vues*. Par exemple vous êtes en train de manipuler une grande feuille de calcul. Vous choisissez des modes d'affichage différents d'une part pour entrer des données ou créer des formules et d'autre part pour mettre en forme la feuille. Vous pouvez enregistrer chaque mode d'affichage indépendamment et les réactiver à tout moment.

Excel enregistre toujours l'affichage présent sur le moniteur notamment les paramètres suivants :

- la cellule active
- le facteur d'agrandissement
- la taille et l'emplacement de la fenêtre
- le titre figé
- la zone et les options d'impression.

Les définitions effectuées dans la boîte de dialogue **Outils/Options/Affichage** sont également enregistrées. Nous reviendrons plus en détail sur cet aspect.

Aménagez maintenant la feuille CLUB.XLS de telle sorte qu'elle soit parfaitement commode pour entrer des données :

1 Choisissez 100% en tant que facteur d'agrandissement.

2 Marquez la cellule B4 et figez le titre.

3 Masquez la colonne "Prénom" (cliquez dans la colonne puis **Format/Colonne/Masquer**).

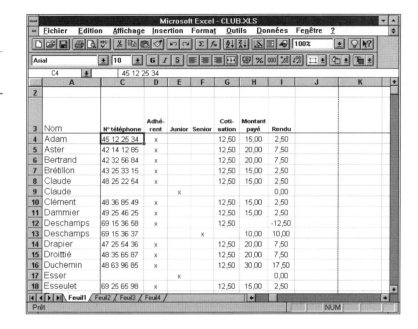

*Il faut enregistrer
cette vue*

Enregistrer une vue

Procédez comme suit pour enregistrer la vue qui est affichée sur l'écran :

1 Faites **Affichage/Gestionnaire de vues.**

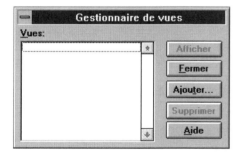

*Le Gestionnaire
de vues*

2 Cliquez sur **Ajouter.**

3 Précisez le nom sous lequel vous voulez enregistrer la vue, ici "Saisie" et cliquez
sur **OK.**

La vue qui se trouve affichée sur l'écran est ainsi enregistrée sous le nom *Saisie*.

Changez maintenant l'aspect de l'écran de telle sorte qu'il soit facile à mettre en forme :

1 Choisissez un facteur d'agrandissement de 50 %.

2 Affichez la colonne préalablement masquée (marquez les colonnes A et C puis **Format/Colonne/Afficher**).

La vue idéale pour la mise en forme

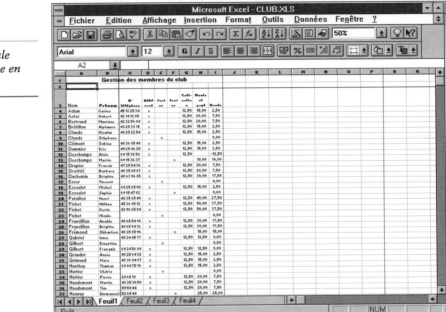

Enregistrez cette vue :

3 Faites **Affichage/Gestionnaire de vues**.

4 Cliquez sur **Ajouter**.

5 Précisez le nom de la vue, par exemple "Format".

6 Confirmez par **OK**.

Si vous devez changer l'affichage au cours de votre session de travail, vous n'aurez plus besoin de redéfinir les options une à une puisqu'elles sont stockées dans des vues. Contentez-vous de marquer la vue dans la boîte de dialogue **Gestionnaire de vues** puis cliquez sur **Afficher**.

7 Enregistrez le fichier sous le nom CLUB01.XLS dans le répertoire \STEX-CEL\EXEMPLES via **Fichier/Enregistrer sous.**

La zone d'impression est enregistrée simultanément avec la vue. Cette commande peut servir également à stocker des zones d'impression différentes en cas de besoin.

Résumé

Vous voulez...	Sélectionnez...	Icône/Clavier
appliquer un zoom sur l'écran	**Affichage/Zoom**	`100%` ⬇
atteindre une cellule spécifique	**Edition/Atteindre**	F5
figer des lignes ou colonnes	**Fenêtre/Figer les volets**	
définir des lignes ou colonnes à répéter	**Fichier/Mise en page/Feuille/Impression des titres**	
attribuer un nom	marquez la plage, **Insertion/Nom** ou double-clic dans la zone *Nom* puis précisez le nom	
enregistrer une vue	effectuez les réglages, **Affichage/Gestionnaire de vues**, bouton **Ajouter** puis précisez le nom	

Contrôle des connaissances

QUESTIONS

1. **Horizontalement**   Cliquez sur cette option dans la boîte de dialogue **Imprimer** pour imprimer une plage spécifique.

2. **Horizontalement**   Cet onglet permet de définir les lignes qui seront imprimées sur chaque page.

3. **Horizontalement**   La touche **F5** permet d'activer la boîte de dialogue ....

2. **Verticalement**   Utilisez cette commande du menu **Affichage** pour adapter l'affichage de façon optimale à la situation de travail en cours.

3. **Verticalement**   Cliquez sur ce bouton dans la boîte de dialogue **Gestionnaire de vues** pour atteindre la boîte de dialogue **Ajouter une vue**.

4. **Verticalement**   Ce menu contient la commande nécessaire pour immobiliser des lignes et colonnes.

5. **Verticalement**   Dans cette zone de liste de la boîte de dialogue **Atteindre**, indiquez la ligne ou la plage à sélectionner.

MOT MYSTÉRIEUX

1. **Verticalement**   Pour enregistrer des paramètres et des vues, Excel dispose d'un ... de vues.

Leçon 13 : Personnaliser Excel

40 min

Dès lors que vous commencerez à utiliser fréquemment Excel, vous serez amené à changer les paramètres par défaut du programme. La police proposée par défaut ne vous plaît pas ? Vous souhaitez réorganiser les barres d'outils ? Excel permet de changer les paramètres à volonté.

A l'issue de cette leçon vous saurez...

- modifier l'affichage,
- ignorer les paramètres par défaut,
- réorganiser une barre d'outils et créer une barre d'outils personnalisée,
- utiliser des modèles.

Affichage

Le quadrillage, les en-têtes de lignes et colonnes ou les valeurs nulles sont des éléments que vous pouvez afficher ou non à l'écran. A travers l'exemple de la feuille éditée dans la leçon précédente, nous allons montrer comment certains réglages peuvent changer l'apparence de la feuille.

Pour cet exemple, ouvrez le fichier PARAM.XLS depuis le répertoire \STEXCEL.

---

1   Sélectionnez **Outils/Options.**

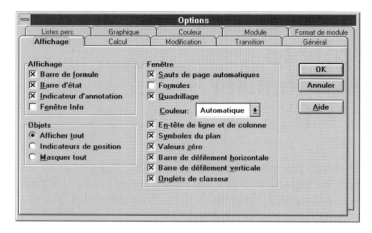

*Affichage des
éléments de
l'écran*

2   Activez l'onglet **Affichage.**

L'onglet est divisé en trois parties : *Affichage*, *Objets*, *Fenêtre*.

-   Sous *Affichage*, indiquez si vous voulez que la barre de formule reste affichée en permanence.
-   Sous *Objets*, spécifiez le mode d'affichage des objets.
-   Sous *Fenêtre*, mentionnez les éléments à afficher.

Désactivez le quadrillage si vous affectez des bordures et des couleurs à la feuille. Sinon, il serait difficile de discerner les traits des lignes du quadrillage.

Une autre option utile dans la rubrique *Fenêtre* est celle qui permet de masquer les valeurs zéro. Excel affiche en général le résultat d'une formule même s'il vaut 0.

Faites un test :

1   Désactivez l'option *Quadrillage*.

2   Désactivez également l'option *Valeurs zéro*.

3   Confirmez par **OK** et observez ce qui se produit dans la feuille.

Désactivation du quadrillage et des valeurs zéro

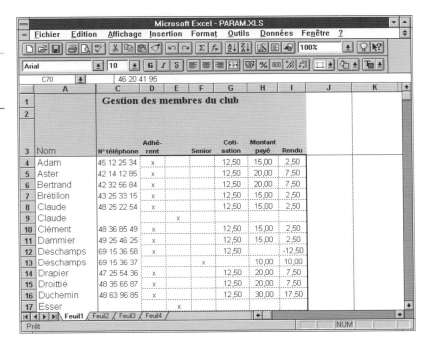

Le quadrillage a disparu et les cellules qui contenaient des zéros dans la colonne "Rendu" sont devenues vierges.

Notez que les réglages que vous effectuez ici ne s'appliquent qu'à la feuille en cours. Lors de la création d'une nouvelle feuille, Excel utilise de nouveau les valeurs par défaut.

Modifier les paramètres par défaut

Hormis l'affichage à l'écran, la police par défaut, le nom d'utilisateur et le répertoire dans lequel s'effectue la sauvegarde sont autant de paramètres qui sont prédéfinis par un programme. Ces divers paramètres sont inclus dans la boîte de dialogue **Options**.

1 Ouvrez la boîte de dialogue **Outils/Options/Général**.

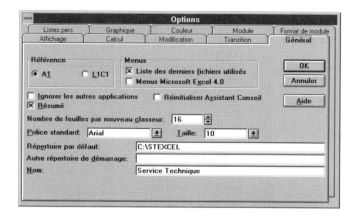

L'onglet Général

2 Dans les deux zones de liste *Police standard* et *Taille*, indiquez la police et la taille à utiliser implicitement lors de la création d'une nouvelle feuille.

3 Dans la ligne *Répertoire par défaut*, précisez le répertoire auquel Excel doit accéder en premier lors de l'enregistrement ou l'ouverture de fichiers.

Excel demande de compléter le résumé lors d'un premier enregistrement d'une feuille. Le résumé est utilisé par le Gestionnaire de fichiers interne. Les informations précisées dans le résumé peuvent être recherchées dans le Gestionnaire de fichiers d'Excel. Désactivez l'option *Résumé* si vous ne voulez pas obtenir l'affichage de la boîte de dialogue **Résumé**. Contrôlez le nombre de feuilles par classeur à l'aide de l'option de même nom. Excel propose par défaut 16 feuilles dans chaque classeur. Vous aurez rarement besoin d'autant de feuilles.

4 Ramenez le nombre de feuilles par classeur à 4.

5 Confirmez les définitions par **OK**.

Attention !

Excel annonce que la police par défaut ne peut pas être modifiée pour la feuille en cours. La modification n'entre en vigueur que si vous quittez et redémarrez Excel. Il en va de même du nombre de feuilles dans le classeur.

Tous les paramètres spécifiés dans l'onglet **Général** sont des valeurs par défaut s'appliquant à la feuille en cours ainsi qu'aux feuilles que vous allez créer dans le futur.

Barre d'outils personnalisée

Les nombreuses barres d'outils d'Excel peuvent être activées/désactivées à tout moment. Vous pouvez de plus modifier les barres d'outils en y ajoutant ou supprimant des outils. Rien ne vous empêche non plus de créer vos propres barres d'outils pourvues des outils que vous avez l'habitude d'utiliser tous les jours.

Modifier une barre d'outils

1   Exécutez la commande **Affichage/Barre d'outils/Personnalisée**. Vous obtenez la boîte de dialogue suivante :

Définition d'une barre d'outils

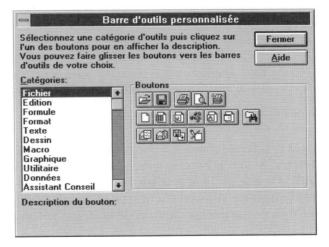

2   Hors de cette boîte de dialogue, cliquez sur l'icône *Souligné* dans la barre d'outils *Format* et amenez-la vers la zone de travail avec le bouton gauche appuyé. L'icône a été enlevée de la barre d'outils.

3   La boîte de dialogue **Barre d'outils personnalisée** contient la liste *Catégories*. Cliquez sur la catégorie *Texte*. Les icônes relatives à cette catégorie apparaissent dans la liste *Boutons*.

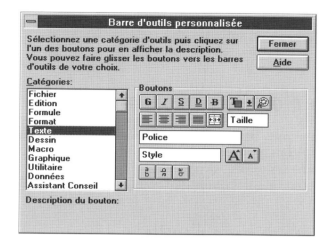

Parmi les icônes de la catégorie *Texte*, on aperçoit par exemple celles augmentant ou diminuant la taille des caractères. Ces icônes sont représentées par la lettre A munie d'une petite flèche dirigée vers le haut ou vers le bas selon le cas.

Une description succincte du bouton apparaît au bas de la boîte de dialogue dès que vous cliquez sur un bouton.

4   Ajoutez ces deux icônes. Cliquez sur l'icône augmentant la taille des caractères, gardez le bouton gauche appuyé et tirez l'icône vers la barre d'outils *Format*. Si l'endroit où vous venez d'insérer l'icône dans la barre d'outils ne vous convient pas, cliquez de nouveau sur l'icône et déplacez-la tout en gardant le bouton de la souris enfoncé.

5   Ajoutez l'icône servant à réduire la taille de la police à côté de l'icône d'agrandissement.

Vous risquez de rencontrer la situation suivante : la dernière icône est repoussée complètement hors de la barre d'outils. Supprimez dans ce cas une autre icône ou diminuez la taille des zones de liste *Police* et *Taille* pour créer un peu de place dans la barre d'outils.

6   Cliquez dans la zone de liste *Police*. Elle est entourée d'un cadre gris. Placez le pointeur exactement sur ce cadre. Le pointeur prend la forme d'un trait vertical muni de deux flèches orientées vers la droite et la gauche.

7 Cliquez sur le cadre gris, gardez le bouton gauche appuyé et diminuez la taille du cadre.

8 Procédez de même pour la zone de liste *Taille* jusqu'à ce que la dernière icône soit visible.

9 Fermez la boîte de dialogue.

Barre d'outils personnalisée

A partir de cet instant, la barre d'outils *Format* que vous venez de personnaliser restera à votre disposition. Si vous décidez de rétablir la barre d'outils *Format* dans sa version originale, faites comme suit :

1 Cliquez avec le bouton droit dans une barre d'outils et activez la commande **Barres d'outils** depuis le menu contextuel.

2 Cliquez dans la barre d'outils à rétablir, ici **Format**. Cliquez sur **Rétablir** et l'opération est terminée.

Créer une barre d'outils

Pour personnaliser Excel à votre goût personnel, vous pouvez créer vos propres barres d'outils.

1   Cliquez dans une barre d'outils avec le bouton droit et activez la commande **Barres d'outils** depuis le menu contextuel.

2   Double-cliquez dans la zone de texte Nom de la barre d'outils (l'entrée existante est marquée) et précisez le nom sous lequel vous voulez enregistrer votre barre d'outils personnalisée.

Création d'une
barre d'outils

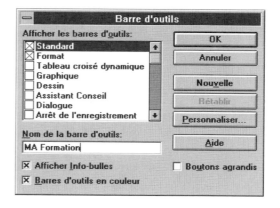

3   Cliquez sur **Nouvelle.**

4   Vous obtenez la boîte de dialogue **Barre d'outils personnalisée** ainsi qu'une petite barre d'outils vierge. Elle ressemble à une petite fenêtre.

Définition d'une
nouvelle barre
d'outils

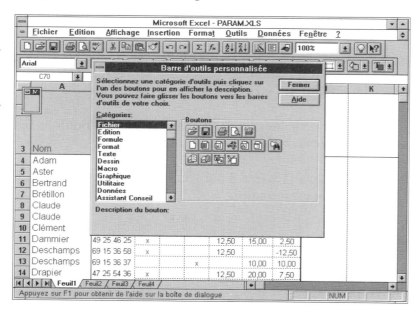

5 Choisissez la catégorie voulue pour obtenir la liste des boutons correspondants dans la liste de droite.

6 Cliquez sur une icône, gardez le bouton gauche appuyé et faites glisser l'icône vers la nouvelle barre d'outils.
La barre d'outils s'allonge automatiquement au fur et à mesure que vous ajoutez des icônes. Excel génère une barre d'outils verticale si vous ajoutez les icônes les unes sous les autres.

7 Terminez la création de la barre d'outils en cliquant sur **Fermer**.

Votre barre d'outils est insérée dans la liste des barres d'outils Excel d'où elle peut être affichée, masquée ou déplacée exactement comme n'importe quelle barre d'outils.

13

Les modèles

Les nombreuses commandes décrites dans cette leçon ou dans les leçons précédentes sont fortement utiles pour personnaliser Excel à vos propres besoins. Le seul inconvénient de ces commandes est qu'elles sont limitées à la feuille ou au classeur dans laquelle (lequel) elles ont été appliquées. Pour donner une validité universelle à ces commandes, vous pouvez utiliser ce qu'on appelle un *modèle*.

Dans son principe, un modèle n'est rien de plus qu'un classeur. Le modèle est conçu de telle sorte qu'il peut être utilisé comme critère de base pour d'autres modèles. Les éléments suivants peuvent être stockés dans un modèle :

- textes et nombres saisis,
- graphiques,
- formules et macros.

Un modèle de ce type s'avère d'une grande aide lors de la création de feuilles similaires en plusieurs exemplaires pour effectuer par exemple un décompte hebdomadaire.

Un modèle contient également :

- les attributs de mise en forme comme par exemple la police par défaut,
- la mise en page, format portrait ou paysage,
- les en-têtes et pieds de page,
- les vues.

Le modèle que vous créez peut, par conséquent, renfermer tous les paramètres que vous avez spécifiés pour la composition de vos feuilles.

Effectuer les réglages

Le meilleur moyen de créer un modèle est de se servir d'un classeur. Fermez la feuille en cours et ouvrez une nouvelle feuille. Définissez à présent tous les paramètres avec lesquels vous voulez travailler sous Excel. Il peut s'agir notamment des commandes suivantes :

1 **Fichier/Mise en page/Page,** orientation *Paysage*.

2 **Fichier/Mise en page/En-tête/pied de page,** en-tête personnalisé (cf. leçon 8).

3 **Fichier/Mise en page/Feuille,** quadrillage désactivé.

4 Définissez deux vues et enregistrez-les via **Affichage/Gestionnaire de vues** (cf. leçon 12).

5 Testez immédiatement la fonction modèle : tapez le texte "Modèle" en A1, choisissez la taille 24 et l'attribut gras. Attribuez une bordure et une couleur aux cellules A1 et B1.

Paramètres du modèle

Le classeur ainsi préparé doit être enregistré comme un modèle.

Enregistrer un modèle

1 Cliquez sur l'icône *Enregistrer*.

*Enregistrement
d'un modèle*

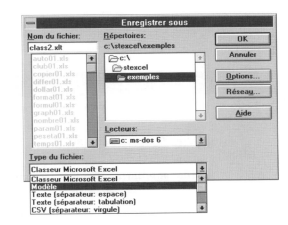

2 Attribuez un nom au classeur par exemple "Paysage" (à cause de l'orientation *Paysage* qui a été choisie).

3 Choisissez *Modèle* comme type du fichier. Excel ajoute automatiquement l'extension XLT au lieu de XLS.

4 Cliquez sur **OK**.

5 Fermez le fichier.

Créez maintenant une nouvelle feuille sur la base de ce fichier que vous venez d'enregistrer.

Créer une feuille d'après un modèle

1 Cliquez sur l'icône *Ouvrir*.

2 Marquez l'entrée *Modèles (*.xlt)* dans la liste *Types de fichiers*.

3 Choisissez le modèle enregistré auparavant, c'est-à-dire PAYSAGE.XLT.

Excel génère une nouvelle feuille sur la base de ce modèle.

Lors de l'ouverture d'un modèle, Excel crée une copie du modèle original. Vous avez ainsi la garantie que le modèle ne sera pas remplacé accidentellement. Lorsque vous cliquez sur l'icône *Enregistrer*, Excel ouvre la boîte de dialogue **Enregistrer sous** attendant le nom de fichier. La feuille créée sur la base du modèle est enregistrée comme un classeur normal muni de l'extension XLS.

Résumé

Vous voulez...	Sélectionnez...	Icône/Clavier
choisir l'affichage de l'écran	**Outils/Options/Affichage**	
modifier les paramètres par défaut	**Outils/Options/Général**	
modifier une barre d'outils	**Affichage/Barres d'outils/Personnaliser**	
créer une barre d'outils	**Affichage/Barres d'outils/Nouvelle**	
enregistrer un modèle	**Fichier/Enregistrer sous**, type de fichier *Modèle*	

Contrôle des connaissances

QUESTIONS

1. **Horizontalement** Menu contenant la commande **Options**.

2. **Horizontalement** Cet onglet de la boîte de dialogue **Outils/Options** contient des zones de texte intitulées *Nom* et *Répertoire par défaut*.

3. **Horizontalement** Nom de la boîte de dialogue contenant entre autres les onglets **Affichage, Général, Calcul, Modification**, etc.

4. **Horizontalement** L'onglet **Outils/Options/Affichage** est divisé en trois parties : ..., Objets et Fenêtre.

2. **Verticalement** Bouton ou commande de menu contextuel permettant de créer ou de modifier une barre d'outils.

3. **Verticalement** Catégorie contenant les icônes permettant d'augmenter ou de réduire la taille de la police du texte sélectionné.

MOT MYSTÉRIEUX

1. Verticalement Un ... est pratiquement similaire à un classeur. Il est conçu de manière à servir de base à la création d'autres classeurs.

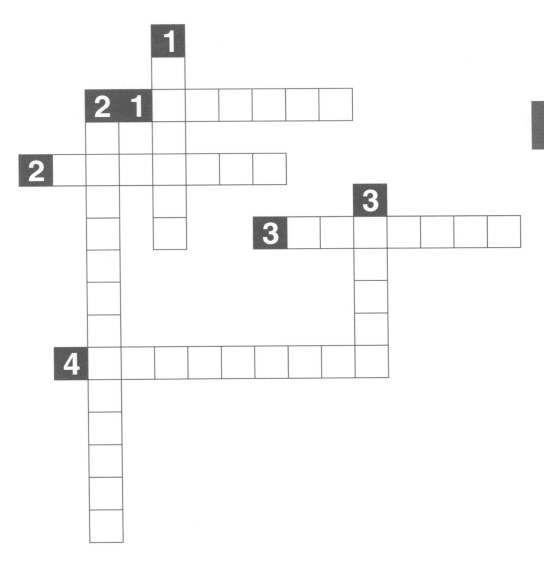

13

Leçon 14 :
Les classeurs

60 min

Les calculs effectués dans les leçons précédentes ne couvrent qu'une seule feuille de calcul. Excel permet d'étendre pourtant les opérations sur un nombre quelconque de feuilles d'un classeur. Lorsque vous ouvrez un fichier, Excel présente non seulement une seule feuille mais une gamme complète de 16 feuilles englobées dans un classeur. Cette leçon décrit la manipulation d'un classeur et de plusieurs feuilles de calcul.

14

A l'issue de cette leçon vous saurez...

- la signification d'un classeur,
- supprimer et ajouter un classeur,
- nommer un classeur,
- utiliser un groupe de travail,
- exécuter simultanément des opérations dans plusieurs feuilles,
- créer des formules faisant intervenir de nombreuses feuilles.

A quoi sert un classeur ?

Excel permet de définir plusieurs feuilles de calcul dans un classeur. Comme vous le savez déjà, un classeur peut contenir par défaut 16 feuilles. Il s'avère nécessaire de répartir un calcul sur des feuilles multiples dans les cas suivants :

- Vous devez exécuter les mêmes opérations sur des périodes différentes, pour des filiales ou produits divers.

  Définissez, dans ce cas, un fichier pourvu de plusieurs feuilles. Chaque feuille est conçue de la même façon, possède la même mise en page et les mêmes formules et c'est uniquement les données qui diffèrent.

Créez en plus un tableau regroupant le résultat de toutes les feuilles. Ce tableau peut à son tour être construit à partir des autres feuilles avec la même mise en page.

- Vous réalisez un calcul extrêmement complexe faisant intervenir des résultats intermédiaires.

Définissez plusieurs feuilles dans un fichier et effectuez les opérations intermédiaires dans des feuilles indépendantes. Les formules peuvent se référer ainsi aux valeurs stockées dans une feuille quelconque - les données ne figurent pas nécessairement dans la feuille où vous avez écrit la formule.

L'avantage de cette méthode est qu'elle permet de créer une feuille unique et indépendante pour chaque opération. Et malgré la complexité du calcul, chaque feuille reste en soi très explicite.

*La commande **Outils/Options/Général** contient une option permettant de spécifier le nombre de feuilles que doit contenir un classeur. Limitez le nombre des feuilles dans un classeur à 4 pour ne pas nuire à la lisibilité du document. Ajoutez une feuille chaque fois que cela s'avère nécessaire. Notez que la modification du nombre des feuilles n'est prise en compte qu'après avoir quitté et redémarré Excel.*

Une feuille peut être supprimée, ajoutée, déplacée et renommée. La mise en forme et les données d'une feuille peuvent être recopiées sur d'autres feuilles disparates ou sur toutes les feuilles. Les calculs peuvent s'étaler sur plusieurs feuilles.

Commuter entre les feuilles

Dans un classeur, les feuilles de calcul obtiennent automatiquement les noms *Feuil1*, *Feuil2*, etc. L'existence des feuilles d'un classeur est annoncée au bas de l'écran dans des onglets.

Pour étudier l'exemple de cette leçon, vous allez commencer par limiter à 4 le nombre des feuilles comme suit :

1   Faites **Outils/Options/Général**.

2   Indiquez la valeur 4 dans la zone de texte appropriée.

3   Fermez la boîte de dialogue.

4   Quittez Excel via **Fichier/Quitter** ou **ALT + F4** pour valider la modification.

5   Redémarrez Excel en double-cliquant sur son icône. Excel ouvre le classeur *Class1* en affichant quatre onglets de feuille.

Le meilleur moyen pour changer rapidement de feuille consiste à cliquer sur l'onglet voulu.

1   Cliquez sur l'onglet *Feuil2*.

Un classeur doté de quatre feuilles où la feuille 2 est activée

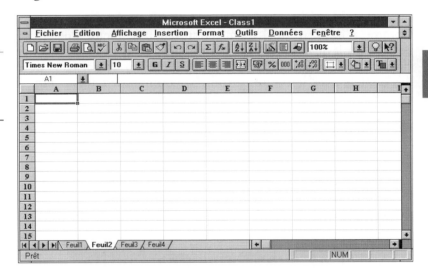

L'onglet dont la feuille est active est représenté par une couleur claire. Dans la figure précédente, il s'agit de la feuille 2. Les autres onglets sont gris.

Pour changer de feuille à l'aide du clavier, utilisez les combinaisons de touches suivantes :

CTRL + PgSuiv	feuille suivante
CTRL + PgPréc	feuille précédente

2   Revenez à *Feuil1*.

Menu Onglet

De nombreuses fonctions concernant l'organisation des feuilles dans un classeur sont accessibles directement à l'aide des onglets ou du menu **Onglet**. Vous pouvez ainsi ajouter, supprimer, renommer ou déplacer des feuilles.

Menu Onglet

```
Insérer...
Supprimer
Renommer...
Déplacer ou copier...
Sélectionner toutes les feuilles
```

Comme n'importe quel menu contextuel, le menu **Onglet** est accessible par le bouton droit de la souris. Les commandes du menu **Onglet** concerne une feuille du classeur. Autrement dit pour appeler le menu **Onglet** vous devez cliquer sur l'un des onglets avec le bouton droit. La commande choisie dans le menu déroulant s'applique à la feuille sur laquelle vous avez cliqué.

Faites un test :

1 Cliquez avec le bouton droit sur *Feuil1*. Les commandes du menu contextuel qui s'est déroulé s'appliqueront à cette feuille.

2 Cliquez dans la feuille pour fermer le menu contextuel.

Ajouter et supprimer une feuille

Le menu **Onglet** représente la solution idéale et efficace pour ajouter ou supprimer une feuille.

Ajouter une feuille

1 Cliquez sur la feuille devant laquelle vous allez ajouter une nouvelle feuille, ici *Feuil4*.

2 Cliquez sur le bouton droit pour ouvrir le menu contextuel puis sur **Insérer**. Excel ouvre une boîte de dialogue vous invitant à préciser le document que vous voulez ajouter.

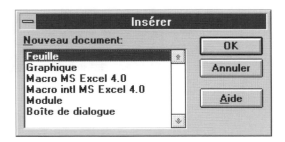

Boîte de dialogue
Insérer

3 Cliquez sur l'entrée *Feuille* et confirmez par **OK**. La feuille insérée obtient un numéro consécutif à celui de la feuille qui la suit, ici *Feuil5*.

Une feuille peut être ajoutée également à l'aide du menu.

1 Cliquez sur l'onglet *Feuil5* devant lequel vous voulez insérer une feuille.

2 Faites **Insertion/Feuille de calcul**. Cette commande s'exécute sans renvoyer de message de confirmation.

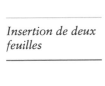

Insertion de deux
feuilles

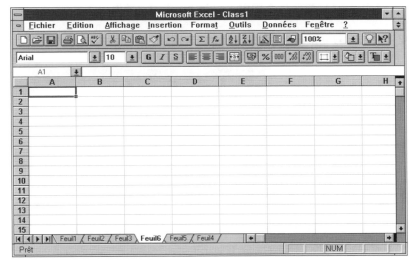

3 Pour ranger maintenant les feuilles suivant l'ordre numérique qui convient, cliquez sur *Feuil5* avec le bouton droit et cliquez sur **Déplacer ou copier** dans le menu contextuel.

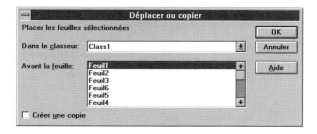

*Boîte de dialogue
Déplacer ou
copier*

4 Dans la zone de liste *Avant la feuille*, choisissez l'entrée *(en dernier)* et cliquez sur **OK**.

5 Répétez les étapes 3 et 4 pour déplacer la feuille 6.

Supprimer une feuille

Supprimez comme suit les feuilles que vous venez d'insérer :

1 Cliquez sur *Feuil6* puis sur le bouton droit.

2 Cliquez sur **Supprimer** dans le menu contextuel.

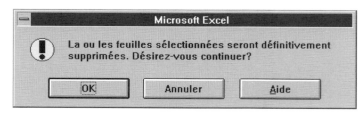

*Confirmation
avant la
suppression*

3 Validez par **OK** le message renvoyé par Excel.

Une autre méthode permet également de supprimer une feuille :

1 Cliquez sur *Feuil5*.

2 Faites **Edition/Supprimer une feuille**. Le message de confirmation apparaît dans ce cas également.

3 Confirmez le message.

4 Supprimez de la même façon les feuilles 3 et 4.

Renommer une feuille

Les feuilles obtiennent par défaut des noms tels que *Feuil1*, *Feuil2*, etc. Vous pouvez les changer par des noms plus explicites évoquant la fonction qu'elles remplissent.

Pour cette leçon, nous avons choisi un exemple se rapportant aux entreprises. Il s'agit de comparer les prévisions et les réalisations de deux filiales. Les deux filiales de la société sont situées à Paris et Marseille. Les feuilles de calcul doivent donc porter des noms qui font référence à ces villes.

1   Cliquez avec le bouton droit sur la feuille à renommer par exemple sur *Feuil1*.

2   Cliquez sur **Renommer** depuis le menu contextuel.

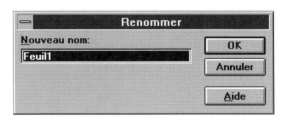

Boîte de dialogue Renommer

3   Précisez le nouveau nom ici "Paris" et confirmez.

4   Renommez la deuxième feuille qui doit s'appeler "Marseille".

Feuilles renommées

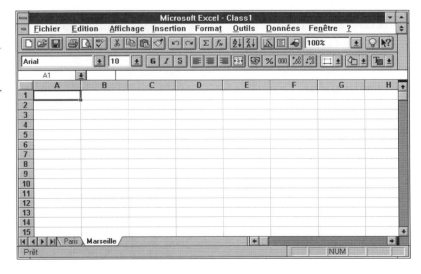

Attribuez des noms courts occupant peu de place dans les onglets.

Manipuler simultanément plusieurs feuilles

Certaines commandes d'Excel peuvent être appliquées simultanément sur plusieurs feuilles d'un classeur :

- police et taille
- alignement
- bordures, traits et motifs
- largeur de colonne et hauteur de ligne.

Cet automatisme vous soulage de la tâche pénible à formater une à une chaque feuille.

Ce n'est pas tout. Les saisies effectuées dans une feuille peuvent être copiées en une seule fois dans toutes les feuilles. C'est un moyen efficace pour effectuer des calculs similaires dans deux feuilles portant de plus les mêmes en-têtes de lignes et colonnes. Ce mode dans lequel vous pouvez éditer simultanément plusieurs feuilles s'appellent *Groupe de travail*.

Vous devez sélectionner tout simplement les feuilles pour lesquelles vous voulez définir la même mise en forme et copier une entrée vers d'autres feuilles.

Sélection des feuilles

La sélection des feuilles se réalise à l'aide des onglets. La première feuille est déjà cliquée. Marquez les autres feuilles comme suit :

MAJ + CLIC

Gardez la touche **MAJ** appuyée pour marquer les feuilles qui vous intéressent depuis la première jusqu'à celle que vous cliquez en dernier.

CTRL + CLIC

L'appui sur **CTRL** pendant la sélection permet de marquer des feuilles isolées.

Pour marquer toutes les feuilles :

1 Cliquez sur un onglet quelconque avec le bouton droit.

2 Choisissez l'entrée **Sélectionner toutes les feuilles.**

La mise en forme ainsi que la suppression des cellules, lignes ou colonnes sont des opérations qui s'appliquent sur toutes les feuilles marquées. La cellule que vous supprimez dans une feuille sera supprimée également dans toutes les feuilles marquées. Vérifiez bien que vous n'avez pas marqué involontairement des feuilles qui ne sont pas concernées par l'action que vous envisagez. Dès que vous avez marqué plusieurs feuilles, Excel affiche la mention [Groupe de travail] dans la barre de titre derrière le nom de fichier.

14

Effectuer des entrées dans plusieurs feuilles

La saisie peut commencer une fois les deux feuilles marquées.

Entrez les données

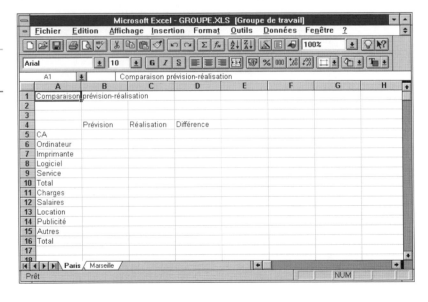

1 Entrez le texte en vous aidant de la figure précédente.

2 Effectuez la première mise en forme. Cliquez en A5, appuyez sur **CTRL** et cliquez en A11.

3 Mettez les deux cellules en gras en cliquant sur l'icône *Gras* dans la barre d'outils *Format*.

Annuler le groupe

Contrôlez le résultat dans la feuille Marseille. Vous devez annuler au préalable le groupe :

1 Cliquez avec le bouton droit sur un onglet quelconque.

2 Marquez l'entrée **Dissocier les feuilles**. Le groupe de travail est annulé et l'onglet sur lequel vous aviez cliqué est actif.

3 Cliquez successivement sur les onglets Paris et Marseille.

Les deux feuilles renferment des textes identiques et les deux feuilles comportent les entrées CA et Charges qui sont affichées en gras.

La mise en forme a été copiée

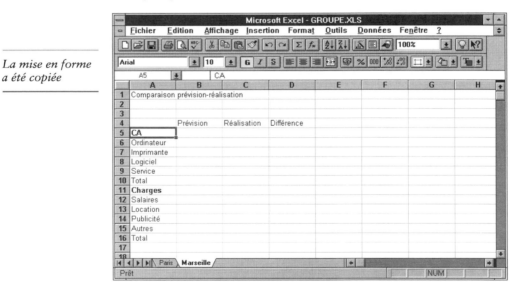

Ajoutez maintenant les nombres sachant que le groupe est annulé. Dans chaque feuille, vous devez spécifier la succursale à laquelle se rapportent les valeurs. Aidez-vous des figures suivantes pour entrer les valeurs.

1 Cliquez sur la feuille Paris.

2 Entrez les données suivantes dans la feuille Paris. N'oubliez pas d'ajouter l'indication "Succursale de Paris" en A2.

Entrée des valeurs dans la feuille Paris

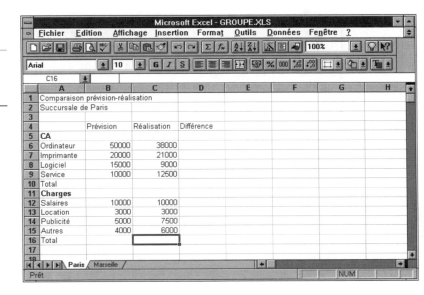

3 Cliquez sur l'onglet Marseille.

4 La feuille Marseille doit contenir les données de la figure suivante. Ici également, mentionnez le nom de la succursale en A2.

Entrée des valeurs dans la feuille Marseille

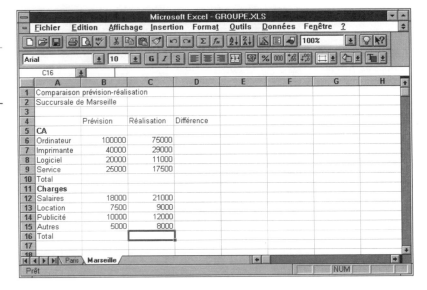

5 Enregistrez le classeur sous le nom PREVREAL dans le répertoire \STEX-CEL\EXEMPLES.

Changer la mise en forme dans plusieurs feuilles

Examinons quelques aspects fondamentaux de la mise en forme avant de nous intéresser aux calculs proprement dits. Ici également, les deux feuilles doivent être identiques.

1 Cliquez sur un onglet avec le bouton droit.

2 Choisissez l'entrée **Sélectionner toutes les feuilles.**

3 Marquez la plage B6-C16.

4 Cliquez sur l'icône *Style milliers*.

5 Réduisez le nombre de décimales à zéro pour visualiser tous les nombres. Cliquez pour cela deux fois sur l'icône *Supprimer une décimale*.

6 Attribuez une largeur de 11 avec **Format/Colonne/Largeur**.

Changement de la mise en forme des nombres

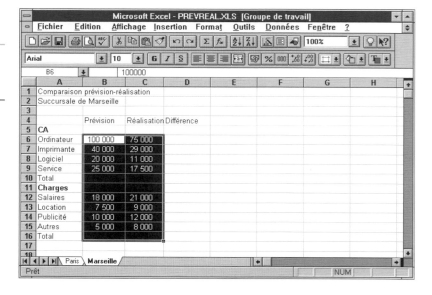

7 Marquez la plage A1-D2.

8 Cliquez sur l'icône *Centrer sur plusieurs colonnes*.

9 Choisissez la police Times New Roman en taille 14.

10 Marquez la plage A5-D5, appuyez sur **CTRL** et marquez la plage A11-D11.

11 Choisissez la couleur gris clair dans la palette.

12 Marquez la plage B6-D10, appuyez sur **CTRL** et marquez B12-D16.

13 Faites **Format/Cellule** ou appuyez sur **CTRL + 1**. Activez l'onglet **Bordure**.

14 Cliquez sur la ligne pointillée en haut sous *Style* et cochez *Gauche*, *Droite*, *Haut* et *Bas*.

15 Cliquez sur *Contour* et choisissez un trait épais. Validez les définitions par **OK**.

Paramètres de la bordure

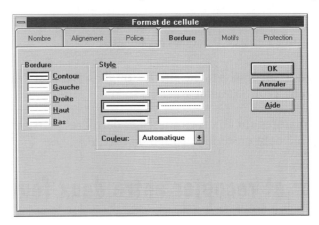

16 Marquez B4-D4. Mettez le texte en gras.

17 Centrez le texte en cliquant sur l'icône *Centré*.

La feuille mise en forme

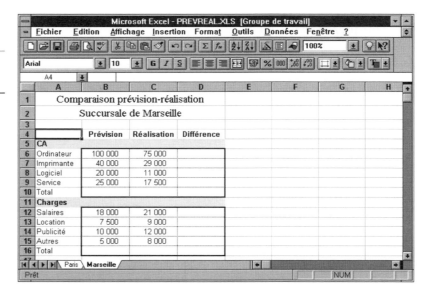

Vérifiez que les commandes ont été effectivement exécutées dans les deux feuilles.

1 Cliquez sur un onglet avec le bouton droit.

2 Marquez l'entrée **Dissocier les feuilles.**

3 Cliquez successivement sur les onglets Paris et Marseille. Les deux feuilles doivent avoir la même mise en forme.

Passons maintenant aux formules. Ces dernières peuvent elles aussi être construites confortablement en mode groupe de travail.

Copier et recopier entre deux feuilles

Nous vous proposons exceptionnellement un exercice difficile en vous demandant de commencer par un calcul complexe portant sur une différence mais en pourcentage.

Ne vous hâtez pas d'évaluer les autres formules de la feuille, notamment la somme, car il existe à cet effet une solution miraculeusement rapide.

La formule nécessaire pour calculer la différence en pourcentage a été décrite en détail dans la leçon 7 : il faut ôter la valeur prévision de la valeur réalisation et diviser le résultat par la valeur prévision. Exprimée en coordonnées, la formule donne :

=(C6-B6)/B6

1 Cliquez en D6 dans la feuille Paris.

2 Entrez la formule

=(C6-B6)/B6

N'oubliez pas le signe égal ni les parenthèses. Confirmez par **ENTREE**.

3 Marquez de nouveau D6 et cliquez sur l'icône *Style pourcentage*. En résultat, Excel affiche -24 %.

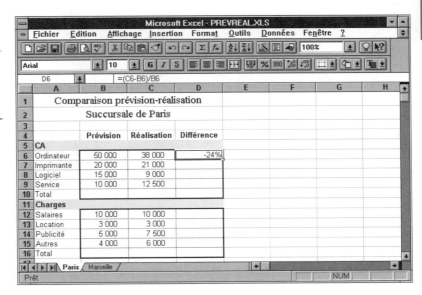

Formule de différence inscrite dans la feuille Paris

La même formule que celle figurant dans la feuille Paris doit être utilisée dans la feuille Marseille. Il faut donc copier cette formule.

Copier une formule

Les commandes **Copier** et **Coller** opèrent entre deux feuilles exactement comme dans une feuille unique. Autrement dit, vous pouvez copier des nombres, des textes ainsi que des formules d'une feuille vers une autre.

1 Cliquez en D6 dans la feuille Paris.

2 Copiez cette cellule en cliquant sur l'icône *Copier*.

3 Marquez D6 dans la feuille Marseille.

4 Insérez la formule en cliquant sur l'icône *Coller*.

Copie de la formule dans la feuille Marseille

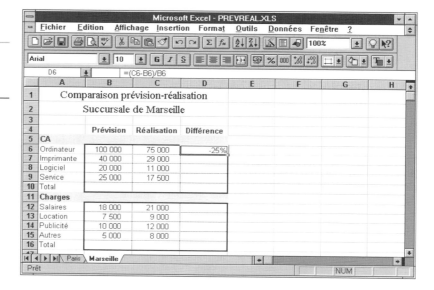

La différence entre la prévision et la réalisation est de - 25 % pour la succursale de Marseille.

Pour copier rapidement une formule, activez le mode groupe de travail et écrivez la formule. Le but de cet exemple est de montrer qu'une formule peut être copiée dans plusieurs feuilles de calcul.

Recopier dans une plage

Chaque feuille contient une formule qu'il convient de copier dans la plage D6 à D10. Les tâches que vous exécutez dans une feuille peuvent être effectuées dans plusieurs feuilles. Vous pouvez utiliser la commande **Recopier**, dans plusieurs feuilles, pour remplir simultanément une plage vers le haut ou le bas, la droite ou la gauche.

1 Cliquez sur l'onglet Paris avec le bouton droit.

2 Marquez l'entrée **Sélectionner toutes les feuilles.**

3 Marquez la plage D6-D10.

4 Faites Edition/Recopier/Vers le bas.

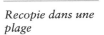

Recopie dans une plage

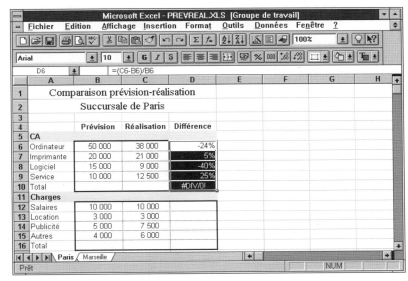

Toutes les cellules marquées sont remplies avec la formule et le résultat correspondant est affiché.

Le message d'erreur #DIV/0 est renvoyé en D10 pour annoncer qu'une division par 0 est impossible. Ne corrigez pas l'erreur. Elle sera éliminée automatiquement lorsque vous calculerez la somme dans la ligne Total.

Comme d'habitude, vérifiez que la commande a été exécutée dans les deux feuilles.

1 Annulez le groupe.

2 Contrôlez le résultat dans les feuilles Paris et Marseille.

La différence en pourcentage du chiffre d'affaires a été calculée. Il ne reste plus qu'à évaluer les charges dans les deux feuilles. Copiez d'abord la formule dans la première ligne des charges puis remplissez les cellules du bas.

1   Marquez les feuilles.

2   Cliquez en D6 dans la feuille active.

3   Cliquez sur l'icône *Copier*.

4   Cliquez en D12.

5   Cliquez sur l'icône *Coller*. Recopiez la formule dans les cellules du bas selon la méthode décrite précédemment ou via la commande **Coller** ou encore avec la souris.

6   Cliquez sur la poignée de recopie de la cellule D12. Le pointeur se transforme en une croix.

7   Etendez la sélection jusqu'en D16 avec le bouton gauche appuyé. La formule sera copiée dans les cellules une fois le bouton relâché.

Recopie de la formule dans les cellules

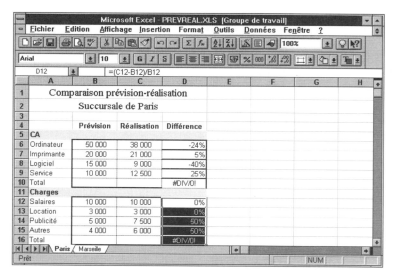

Le message d'erreur #DIV/0 réapparaît en D16. Comme auparavant, l'erreur sera corrigée lors du calcul de la somme dans la ligne 16.

Contrôlez le résultat de l'opération dans les deux feuilles.

Formules identiques dans des feuilles disparates

Les commandes **Copier** et **Coller** permettent de transférer une formule d'une feuille à l'autre. La formule créée dans une feuille peut être inscrite au même moment dans les autres feuilles marquées. Faites un test en calculant la somme :

1 Marquez les feuilles Paris et Marseille avec la commande **Sélectionner toutes les feuilles** du menu contextuel.

2 Marquez B6 à C10.

3 Cliquez sur l'icône *Somme automatique*. Le calcul s'exécute dans les deux colonnes de nombres. La somme est calculée, l'erreur est corrigée et la différence en pourcentage est affichée.

4 Marquez B12-C16.

5 Cliquez sur *Somme automatique*.

Cette méthode ne fonctionne que si la structure des feuilles est absolument identique c'est-à-dire qu'elles contiennent les mêmes informations aux mêmes endroits.

Calcul de la somme dans les lignes 10 et 16 dans la feuille Marseille

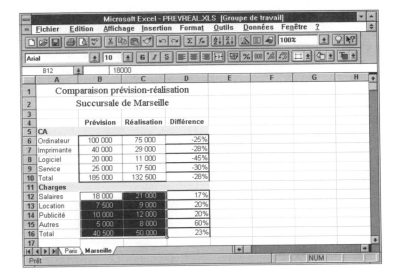

La feuille Marseille doit ressembler à la figure précédente.

Effectuez quelques réglages pour améliorer l'aspect esthétique des deux feuilles en mode groupe de travail.

1 Marquez D6-D10 puis D12-D16 avec la touche **CTRL** appuyée. Cliquez deux fois sur l'icône *Ajouter une décimale*.

2 Marquez B6-D10 puis B12-D16 avec la touche **CTRL** appuyée.

3 Faites **Format/Cellule/Bordure**. Affectez une ligne pointillée à gauche, à droite, en bas et en haut et un trait épais au contour.

4 Marquez la ligne 5 puis la ligne 11 avec la touche **CTRL** appuyée.

5 Faites **Format/Ligne/Hauteur**.

6 Entrez la valeur 25 dans la boîte de dialogue *Hauteur de ligne* et confirmez. La hauteur des lignes 5 et 11 est agrandie à 25 points.

7 Marquez A10-D10 puis A16-D16 avec **CTRL** appuyée.

8 Faites **Format/Cellule/Bordure**. Affectez un trait épais au contour. Confirmez par **OK**.

La feuille mise en forme

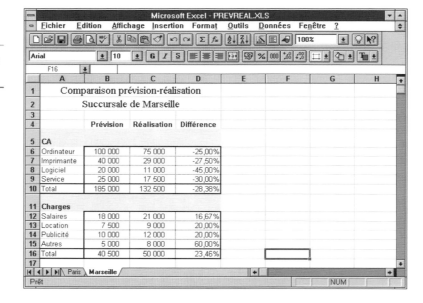

Les calculs sont effectués dans les deux feuilles. Ces dernières sont formatées. Mais il manque quelque chose : il faut consolider le résultat global c'est-à-dire additionner les valeurs des deux feuilles Paris et Marseille.

Copier une feuille entière

Vous pouvez utiliser le menu contextuel pour générer une feuille supplémentaire mais la feuille obtenue est complètement vierge dépourvue de toute information et de toute mise en forme.

Pour l'exemple qui nous concerne, cela signifie qu'il faut répéter une grande partie des tâches qui ont déjà été accomplies. Excel est suffisamment intelligent pour vous épargner cette labeur. En fait la feuille peut être copiée dans son ensemble y compris les entrées, les formules et les attributs de mise en forme. La copie et l'original se ressemblent comme deux gouttes d'eau. Cette méthode convient parfaitement pour générer une feuille supplémentaire ayant le même format comme c'est le cas de notre exemple.

1 Dissociez les feuilles.

2 Cliquez avec le bouton droit sur l'onglet Marseille.

3 Choisissez l'entrée **Déplacer ou copier** dans le menu contextuel.

Boîte de dialogue Déplacer ou copier

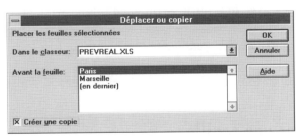

4 Cochez l'option *Créer une copie*. La feuille sera déplacée sans être copiée si l'option n'est pas activée.

5 Cliquez sur Paris dans la liste *Avant la feuille*.

6 Confirmez par **OK**.

Copie de la feuille Marseille (2)

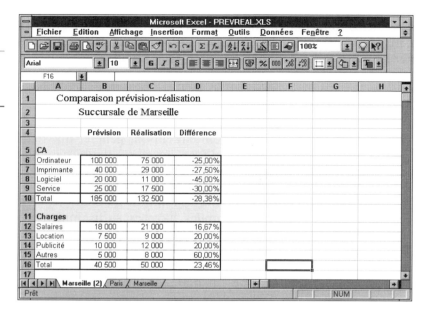

Excel copie la feuille en cours et insère la copie à l'endroit spécifié. En guise de nom, la feuille copiée obtient le nom de la feuille originale suivie de l'indication (2). Le nom complet est donc Marseille (2).

Changez ce nom :

1 Cliquez avec le bouton droit sur l'onglet Marseille (2).

2 Marquez l'entrée **Renommer.**

3 Attribuez le nom "Totalité" et confirmez.

Déplacer une feuille

L'emplacement d'une feuille déplacée ou copiée peut être modifié à tout moment. Il faut déplacer la feuille Totalité vers la toute dernière position.

1 Cliquez sur l'onglet Totalité et gardez le bouton gauche appuyé. Le pointeur se voit doté d'un symbole représentant une page. A gauche du symbole et au-dessus du nom de la feuille apparaît une petite flèche noire signalant que la feuille cliquée peut être déplacée.

2 Tirez l'onglet vers l'endroit voulu avec le bouton gauche appuyé, ici en dernière position. L'onglet sera placé à l'endroit spécifié dès que vous relâcherez le bouton.

La souris permet de déplacer et copier une feuille. Gardez la touche **CTRL** *appuyée lors du déplacement pour copier la feuille.*

Revenons à nos calculs. Il s'agit maintenant d'additionner les valeurs réalisées par les deux succursales.

Calculer dans plusieurs feuilles

Sous Excel les calculs peuvent s'étaler sur plusieurs feuilles. Effectuez par exemple des évaluations faisant intervenir des nombres stockés dans des feuilles disparates. Vous pouvez ainsi construire des formules et appliquer des fonctions.

Nous allons présenter les deux éventualités. Pour additionner les valeurs des deux succursales, utilisez la fonction SOMME ou faites l'addition manuellement.

Commencez par supprimer les nombres figurant dans la feuille Totalité :

1 Cliquez dans la feuille Totalité. Par mesure de sécurité, vérifiez une fois de plus que vous avez marqué uniquement cette feuille : l'indication *[Groupe de travail]* ne doit apparaître dans la barre de titre.

2 Marquez B6-C9 et B12-C15. Ces deux plages contiennent les valeurs du chiffre d'affaires ainsi que les charges de la succursale de Marseille. Les fonctions SOMME des lignes 10 et 16 peuvent être préservées.

3 Tapez **SUPPR** pour supprimer les données dans les plages marquées. La fameuse erreur #DIV/0 réapparaît dans la colonne Différence. Elle sera éliminée dès que la somme sera calculée.

4 Cliquez en A2 et remplacez la mention "Succursale de Marseille" par "Tous secteurs".

Suppression des valeurs Prévision/ Réalisation relatives au chiffre d'affaires et aux charges

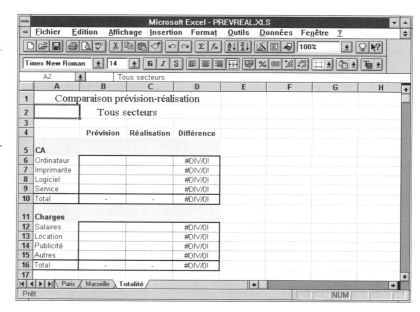

5   Cliquez en B6, cellule qui doit contenir la première somme.

6   Tapez le signe égal pour débuter la formule.

7   Cliquez sur l'onglet Paris contenant la première valeur à additionner.

8   Cliquez en B6. La barre de formule affiche "Paris!B6" signifiant que la cellule B6 est marquée dans la feuille Paris.

9   Tapez le signe plus.

10   Cliquez sur l'onglet Marseille contenant la deuxième valeur à additionner.

11   Recliquez en B6. L'indication "Marseille!B6" est ajoutée dans la barre de formule.

12   La formule complète est exprimée comme suit :

=Paris!B6+Marseille!B6

Tapez **ENTREE** pour valider la formule. 150 000 est la valeur trouvée dans la feuille Totalité pour le chiffre d'affaires global réalisé par les succursales de Paris et Marseille.

Chiffre d'affaires global de Paris et Marseille

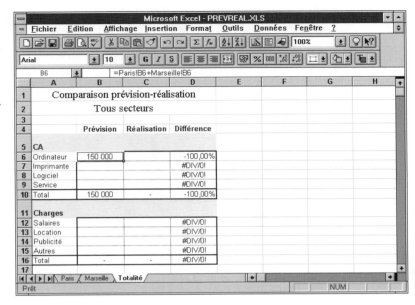

Recopiez cette formule dans les cellules concernées :

1 Cliquez en B6 dans la feuille Totalité.

2 Complétez d'abord les cellules de la colonne C. Placez le pointeur sur la poignée de recopie de la cellule B6, gardez le bouton gauche appuyé et étirez la sélection vers C6. La formule est copiée dans la cellule et la plage B6-C6 est marquée.

3 Cliquez sur la poignée de recopie de la cellule C6 et tirez-la vers la ligne 9.

Leçon 14

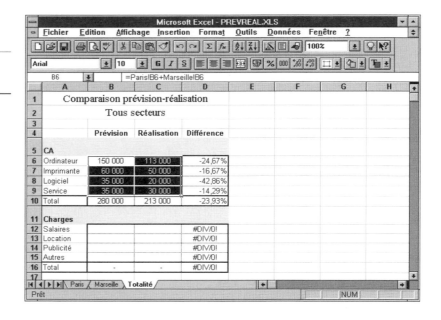

Recopie de la formule en B6

La mise en forme a été prise en compte lors de la copie. N'affectez des couleurs et des bordures qu'une fois les cellules copiées.

Les colonnes B et C de la feuille Totalité sont complétées. Les résultats correspondants sont affichés. Le chiffre d'affaires a connu une baisse de 23,93 % par rapport aux prévisions.

Dans la feuille Totalité, il faut évaluer par ailleurs le montant total des charges notifiées dans les feuilles Paris et Marseille. Cet exemple montre comment la fonction SOMME peut opérer par-delà plusieurs feuilles.

1 Activez la feuille dans laquelle vous voulez effectuer le calcul, ici Totalité.

2 Cliquez en B12.

3 Cliquez sur l'icône *Somme automatique*.

4 Cliquez sur l'onglet de la feuille contenant la première valeur à additionner, ici Marseille.

5 Cliquez dans la cellule devant contenir la somme, B12 de nouveau.

6   Avec la touche **MAJ** appuyée, cliquez sur la feuille renfermant la somme, ici Paris.

7   La formule s'énonce comme suit :

=SOMME('Paris:Marseille'!B12)

Tapez **ENTREE**. Excel évalue la fonction et renvoie la valeur 28 000. C'est correct puisque 18 000 F à Marseille et 10 000 F à Paris donnent bien 28 000. Il ne reste plus qu'à copier cette fonction.

Formule Somme de la cellule B12

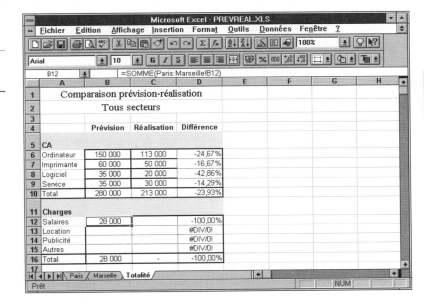

8   Cliquez en B12 dans la feuille Totalité.

9   Copiez d'abord la formule dans la colonne C. Placez le pointeur sur la poignée de recopie de B12 et étendez la sélection jusqu'en C12 avec le bouton gauche appuyé.

10 Cliquez sur la poignée de recopie de la cellule C12 et tirez-la jusqu'à la ligne 15.

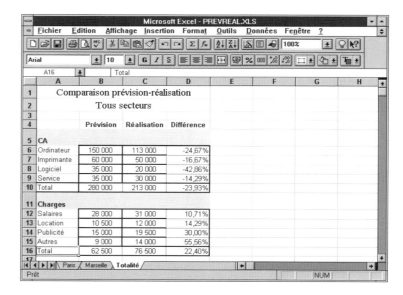

Construction achevée de la feuille Totalité

Tous les calculs sont effectués. Le chiffre d'affaires est d'environ 24 % inférieur aux prévisions tandis que les charges dépassent les prévisions de 22 %.

11 Pour redéfinir les bordures comme précédemment, marquez B6-D9 puis B12-D15 avec le bouton gauche appuyé.

12 Faites **Format/Cellule/Bordure** et effectuez les réglages nécessaires.

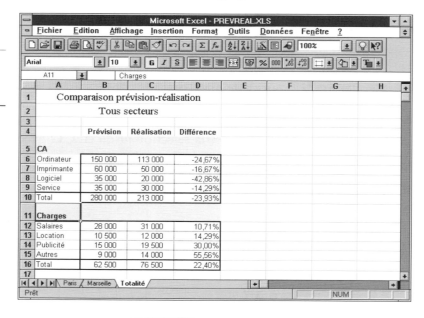

Les bordures sont reformatées adéquatement

13   Enregistrez le fichier.

Imprimer un classeur

Cette leçon s'achève une fois de plus par l'impression. Une feuille du classeur ou le classeur entier peut être imprimé(e). Les options d'impression habituelles (masquer des lignes ou colonnes, configuration de la page) sont disponibles.

Imprimer une feuille unique

Pour imprimer rapidement une feuille :

1   Cliquez sur la feuille.

2   Cliquez sur l'icône *Imprimer*.

Imprimer un classeur

L'impression d'un classeur entier ne peut être exécutée que par une commande :

1   Faites **Fichier/Imprimer** ou tapez **CTRL + P.**

2   Cochez l'option *Classeur* et validez par **OK.**

Chaque feuille du classeur sera imprimée sur une page indépendante.

Option à activer pour l'impression d'un classeur

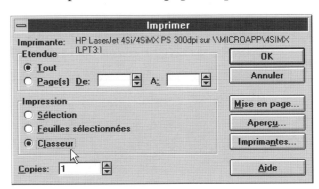

Imprimer des plages identiques

Vous pouvez imprimer la même plage située dans des feuilles distinctes.

1 Marquez toutes les feuilles à partir desquelles vous voulez imprimer la même plage. Cliquez sur les onglets concernés tout en gardant la touche **CTRL** appuyée.

2 Marquez la plage à imprimer.

3 Faites **Fichier/Imprimer**.

4 Cochez l'option *Sélection*.

Chaque plage sera imprimée sur une page indépendante.

Option à activer pour l'impression des plages marquées

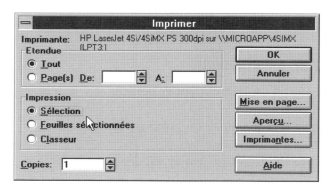

Comparez votre travail avec la feuille prédéfinie située dans le répertoire \STEXCEL sous le nom GROUPE.XLS.

Résumé

Vous voulez...	Sélectionnez...	Icône/Clavier
ajouter une feuille	**Insertion/Feuille** ou commande **Insérer** dans le menu **Onglet**	
supprimer une feuille	**Edition/Supprimer** ou commande **Supprimer** dans le menu **Onglet**	
marquer toutes les feuilles	commande **Sélectionner toutes les feuilles** du menu **Onglet**	
annuler un groupe	commande **Dissocier les feuilles** du menu **Onglet**	
renommer une feuille	commande **Renommer** du menu **Onglet**	
déplacer une feuille	commande **Déplacer ou copier** du menu **Onglet**	.
copier une feuille	commande **Déplacer ou copier** du menu **Onglet**, option *Créer une copie*	

14

Contrôle des connaissances

QUESTIONS

1. **Horizontalement** Gardez cette touche appuyée pour marquer toutes les feuilles - depuis la feuille en cours jusqu'à celle que vous cliquez.

2. **Horizontalement** Un classeur contient par défaut 16 ... de calcul.

3. **Horizontalement** Deux méthodes permettent de supprimer une feuille. Dans quel menu se trouve la commande **Supprimer une feuille** ?

4. **Horizontalement** *Nombre de feuilles par nouveau classeur* est une option située dans cet onglet, de la boîte de dialogue **Options**.

2. **Verticalement** Ce menu est activé lorsque vous cliquez avec le bouton droit sur le nom d'une feuille.

3. **Verticalement** L'option ... *une copie*, dans la boîte de dialogue **Déplacer ou copier**, permet de copier la feuille active sans la déplacer.

MOT MYSTÉRIEUX

1. Verticalement   Mode permettant l'édition simultanée de plusieurs feuilles.

PARTIE E

Techniques de travail étendues

Leçon 15 :
La base de données Excel

50 min

Une feuille Excel peut être gérée et évaluée comme une base de données. En principe, Excel ne vous demande rien de plus particulier, si ce n'est de respecter quelques règles lors de la création de la feuille. Une fois la base construite, les données peuvent être ajoutées, éditées et supprimées confortablement dans un masque. Il est possible de trier et filtrer les informations. Cette leçon apprend à élaborer et manipuler une base de données sous Excel.

A l'issue de cette leçon vous saurez...

- comprendre l'essence d'une base de données Excel,
- construire un masque de saisie,
- ajouter, corriger et supprimer des données,
- trier la base de données,
- filtrer la base de données,
- définir des critères d'évaluation.

Structure de la base de données

Une base de données Excel est construite sous forme d'une liste. Il peut s'agir d'une liste d'adresses, d'une liste d'achats, de chiffres statistiques ou toutes autres données similaires. Excel dispose d'une légion de fonctions aidant à éditer et gérer de telles listes. La condition préalable est de respecter quelques règles de base.

La base de données Excel est décrite, dans cette leçon, à travers l'exemple d'une simple évaluation des dépenses. Les calculs sont agrémentés de la date, du type de livraison et du nom du fournisseur. Les initiales de la personne ayant passé la commande sont mentionnées dans la liste. Les prix HT et TTC ainsi que la TVA ne font pas défaut. La liste se termine par la spécification du service pour lequel l'article a été commandé.

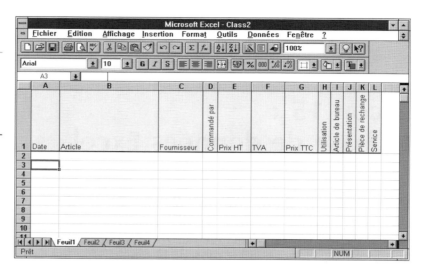

Cette feuille
représente la
source de la
future base de
données

Aidez-vous de la figure précédente pour construire la base de données.

Structure de la base

La première ligne de la base de données contient les en-têtes de colonnes. Ce sont de brèves indications sur les données stockées dans une colonne. Ces intitulés seront utilisés dans le masque pour trier ou filtrer les données. Vous en déduisez que les en-têtes de colonnes doivent être explicites ne portant pas à confusion.

Veillez à ne pas générer des colonnes vierges lorsque vous précisez les en-têtes. La largeur de colonne augmente selon la longueur des en-têtes. Si les en-têtes sont beaucoup plus longs que les données de la colonne, ajoutez un saut de ligne ou placez les en-têtes verticalement.

Précisez les en-têtes de colonnes de la base :

1 Tapez le premier texte "Date" en A1.

2 Entrez le mot "Article" dans la cellule contiguë. Il ne faut surtout pas générer une colonne vierge même si ce titre déborde vers la colonne C.

3 Entrez "Fournisseur" en C1.

4 Ajoutez les autres indications comme le montre la figure suivante. Rappelons une fois de plus que les colonnes vierges sont à bannir.

*Spécification des
en-têtes de
colonnes*

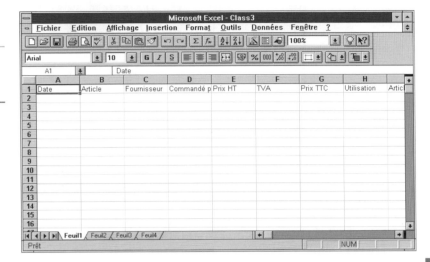

5 Il convient de formater la base une fois les textes saisis. Agrandissez ou diminuez les colonnes selon les cas via **Format/Colonne/Largeur**.

6 Marquez la plage H1 à L1 et orientez ces textes verticalement. Cliquez sur le bouton droit et choisissez la commande **Format de cellule** dans le menu contextuel.

7 Activez l'onglet **Alignement** et choisissez l'orientation du milieu parmi les trois modèles d'orientation verticale. Validez par **OK**.

8 Faites **Format/Colonne/Ajustement automatique**.

15

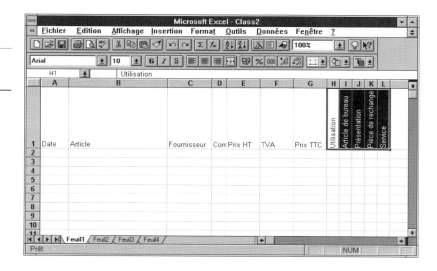

*Orientation
verticale*

9 Affectez de la même façon l'orientation verticale à l'en-tête "Commandé par"
dans la cellule D1.

10 Marquez A1-L1 et attribuez une couleur claire à cette plage à l'aide
de la palette.

11 Affectez des traits à gauche et en bas en vous aidant de la figure
précédente, et à droite pour la cellule L1. Utilisez pour cela l'icône
Bordure.

*Il faut copier
cette mise en
forme*

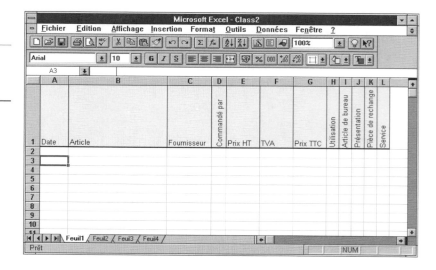

Deux règles importantes sont à respecter pour la saisie des données. Evitez l'ajout de lignes vierges dans la zone de données. Elles seraient prises en compte au début ou à la fin de la liste lors d'un tri. Ne commencez pas une zone de texte par des espaces. Pris en compte dans un tri ou un filtre, ces derniers risquent de générer des résultats incorrects.

Insérer et formater la date

Revenons à la saisie qui commence par un champ particulier, la date.

-   Tapez la première date 3/1/95 en A2.

Inscrivez la date en entier avec le jour, le mois et l'année pour pouvoir trier et filtrer par la suite les données sur la date. Excel ne considère votre entrée comme une date qu'à cette condition. Le format d'affichage de la date peut être choisi ultérieurement.

Par défaut, Excel affiche la date au format *jj/mm/aaaa* où *jj* représente l'indication du jour sur deux chiffres, 10 ou 09. *mm* correspond aux deux chiffres du mois et *aaaa* aux quatre chiffres de l'année. Après confirmation du champ, la date entrée sera affichée sous la forme 03/01/1995.

15

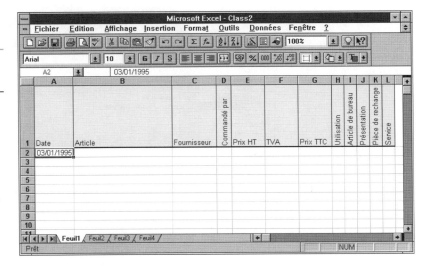

La date formatée par défaut

Sachez que la largeur de colonne est trop petite si vous apercevez des dièses au lieu de la date. Augmentez la largeur de colonne dans ce cas.

L'affichage de l'année s'avère superflu dans l'exemple. Il faut donc choisir un format qui renvoie uniquement le jour et le mois sur deux chiffres.

1   Marquez la colonne A en cliquant sur l'en-tête de colonne.

2   Faites **Format/Cellule** ou **Format de cellule** depuis le menu contextuel.

3   Ouvrez l'onglet **Nombre**.

4   Cliquez sur la catégorie *Date*.

5   Cliquez sur le premier format de date *jj/mm/aaaa*. Excel copie ce format dans la zone de texte au bas de la boîte de dialogue.

6   Avec la touche **RETOUR ARRIERE**, effacez l'abréviation de l'année */aaaa*. Le format restant s'écrit *jj/mm*.

Redéfinition du format de date

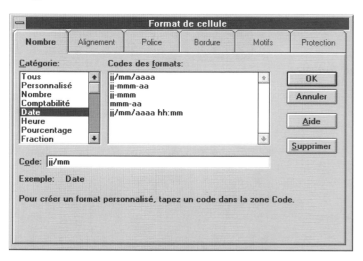

7   Confirmez par **OK**.

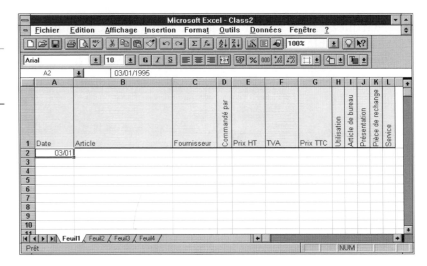

Dans la feuille, la date est affichée au format adéquat c'est-à-dire 03/01. Mais ne vous trompez pas : l'indication de l'année qui a été omise ici doit subsister dans le cas d'autres entrées de date. Comme nous l'avons souligné plus haut, Excel ne reconnaît une date qu'en tant que telle. Les autres spécifications seraient considérées comme des textes générant des résultats incorrects lors d'un tri ou d'un filtre.

15

Saisie dans la base

1 En B2, tapez le texte "Update Excel". Le fournisseur mentionné en B3 s'appelle Electronics et le produit a été commandé par RV c'est-à-dire le service Révision.

2 Intéressons-nous maintenant aux prix. Entrez le prix net 180 en E2.

3 Il faut inclure la TVA du moment que les calculs peuvent être effectués sur plusieurs colonnes à l'intérieur d'une base. La formule du calcul de la TVA est : =E2*18,6 %. Inscrivez cette formule en F2 sans oublier le signe de pourcentage. Le résultat doit s'élever à 33,48.

4 Il faut calculer ensuite le prix brut en G2. Inscrivez ici la formule =E2+F2. Le résultat donne 213,48.

5 Tapez un "x" en K2 pour désigner le poste ayant commandé le produit.

6 Marquez E2-G2 et ajoutez deux décimales en cliquant sur *Ajouter une décimale*. Elargissez la colonne si la valeur ne tient pas entièrement dans la cellule. Le premier enregistrement est prêt.

L'enregistrement saisi

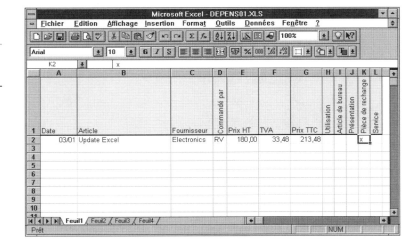

7 Enregistrez la feuille sous le nom DEPENS01.XLS dans le répertoire \STEXCEL\EXEMPLES.

Facilitez-vous la tâche pour saisir les données restantes. Demandez à Excel de générer un masque de saisie. Relevons tout d'abord les principales règles afférentes à la structure d'une base de données avant de décrire ce qu'est un masque de saisie.

- La première ligne contient les en-têtes de colonne.

- La base de données doit être dépourvue de toute colonne vierge même si les en-têtes de colonne sont longs. Si l'en-tête déborde d'une colonne, ajoutez un saut de ligne ou orientez le texte verticalement.

- Les calculs peuvent être effectués sans difficulté entre deux champs de la base. Créez des formules et appliquer des fonctions comme à l'accoutumée.

- Aucune ligne vierge ne doit figurer dans la zone des données.

- Si vous devez ajouter des données dans la feuille de la base, laissez un espace de deux colonnes ou lignes par rapport à la zone de données.

- Aucune donnée importante ne doit être entrée à côté de la zone de données. Elle sera masqué lors d'un filtre.

Masque de saisie : la grille

Vous devez préciser la première ligne de la base directement dans la feuille car cette ligne permet de construire les formules et de définir la mise en forme (format des nombres). Les données restantes seront faciles à saisir grâce au masque.

Créer un masque de saisie

Excel génère automatiquement un masque de saisie :

1   Cliquez en C2.

2   Exécutez la commande **Données/Grille**. Excel affiche le masque de saisie quelques instants après.

Le masque de saisie

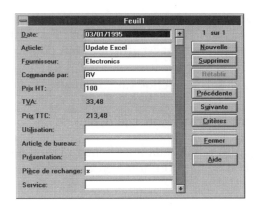

Sur ce masque, les en-têtes de colonnes sont listés gauche. A droite figurent les zones de texte correspondantes. Les données du premier enregistrement sont affichées dans le masque. Faites attention aux champs TVA et Prix TTC où vous n'avez pas le droit d'entrer des données, puisque ces champs sont calculés.

Entrer des données à l'aide de la grille

Pour saisir un autre enregistrement :

1   Cliquez sur **Nouvelle**. Excel ouvre une grille vierge.

2   Entrez un enregistrement. Tapez **TAB** pour passer à la ligne suivante ou **MAJ +** **TAB** pour atteindre la ligne précédente.

Faites attention à l'effet produit par les touches de direction ← et →. Elles commutent vers l'enregistrement précédent ou suivant sans déplacer le curseur dans la grille.

Les champs TVA et Prix TTC seront sautés dès que vous aurez précisé le prix HT.

Entrez un troisième enregistrement après avoir rempli toutes les lignes. Une autre grille vierge apparaît dès que vous cliquez sur **Nouvelle**.

3 Après avoir entré toutes les données de cet enregistrement, passez à l'enregistrement précédent avec la barre de défilement.

4 Faites un test : la flèche située à l'extrémité supérieure de la barre permet d'atteindre l'enregistrement précédent ; la flèche du bas fait passer à l'enregistrement suivant. Il y a une exception : Excel affiche la grille vierge lorsque le dernier enregistrement est affiché. Vous pouvez ainsi ajouter d'autres données.

5 Terminez la saisie en cliquant sur **Fermer**.

6 Enregistrez la base. Fermez le fichier.

Nous allons utiliser maintenant un fichier prédéfini pour montrer les autres fonctions de la base. De nombreux enregistrements sont déjà entrés dans ce fichier.

Rechercher et modifier des données

La grille aide d'une part à saisir les données et d'autre part à rechercher et corriger facilement les données.

Ouvrez le fichier DEPENSES.XLS depuis le répertoire \STEXCEL.

Dans une base dotée d'une quantité importante d'informations, il s'avère difficile de localiser rapidement un enregistrement. La solution consiste à utiliser la grille pour cibler la recherche.

1 Cliquez sur une cellule quelconque de la base.

2 Faites **Données/Grille.**

3 Cliquez sur le bouton **Critères**. Excel ouvre une grille vierge.

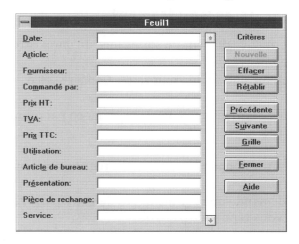

*Grille attendant
la spécification
des critères de
recherche*

4 Précisez le critère de recherche dans la ligne adéquate. Dans l'exemple, la recherche doit porter sur le mot "toner". Il faut donc entrer le mot "toner" dans la ligne Article.

5 Cliquez sur **Suivante**. Excel montre l'enregistrement suivant dans lequel intervient le critère spécifié. Cet enregistrement peut être édité à volonté.

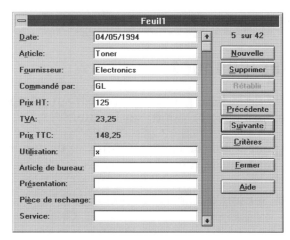

*Le premier
enregistrement
remplissant le
critère*

6 Cliquez encore une fois sur **Suivante**. Excel affiche l'enregistrement suivant remplissant le critère. Ce procédé fonctionne aussi longtemps qu'il y a d'enregistrements concordants. Un signal sonore annonce le bon déroulement de l'opération.

Supprimer un enregistrement

La grille permet également de supprimer un enregistrement :

1 Cliquez sur une cellule puis faites **Données/Grille.**

2 Marquez l'enregistrement à supprimer en parcourant la base ou en définissant un critère.

3 Cliquez sur **Supprimer** une fois l'enregistrement affiché.

4 Excel demande une confirmation de votre part. La suppression n'est exécutée que si vous répondez par OK.

Avertissement avant la suppression d'un enregistrement

5 Fermez la grille.

Trier les données

Les données de la base peuvent être triées sur n'importe quelle colonne. Notre exemple invite à effectuer un tri sur la date.

Cliquez sur une cellule de la base. Choisissez de préférence une cellule située dans la colonne sur laquelle vous allez trier.

1 Cliquez sur une cellule de la colonne A.

2 Cliquez sur l'icône *Trier dans l'ordre croissant* dans la barre d'outils *Standard*. Excel trie la base entière sur la date.

Le tri est exécutable également par une commande du menu. C'est une solution à adopter pour un tri portant sur plusieurs critères.

1 Cliquez sur une cellule de la base.

2 Faites **Données/Trier**. Excel ouvre la boîte de dialogue **Trier**.

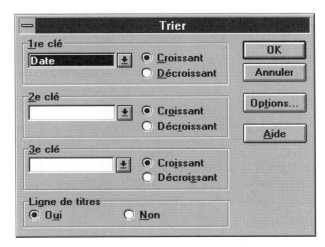

Boîte de dialogue Trier

La zone de liste située sous *1ère clé* contient tous les en-têtes des colonnes de la base. La colonne dans laquelle vous avez cliqué est proposée par défaut.

3 Cliquez dans la zone de liste. Parcourez les entrées en cliquant sur la flèche associée à ce champ. Dans cette liste, marquez l'entrée devant servir de 1ère clé de tri.

4 Cliquez sur l'entrée "Commandé par". La colonne "Commandé par" contient les initiales de chaque service. Il convient donc de définir un deuxième critère de tri.

5 Cliquez sur l'entrée "Fournisseur" sous *2e clé*.

6 Choisissez l'ordre du tri. Dans l'exemple, il faut trier par ordre croissant. L'option correspondante est déjà activée.

7 Cliquez sur **OK** pour trier la base.

*La base de
données triée*

Excel peut trier les données mais peut en plus extraire les enregistrements remplissant le critère spécifié. La base DEPENSES peut être filtrée par exemple sur un fournisseur spécifique ou sur un service précis.

Filtrer les données

Filtrer des données dans Excel est une opération extrêmement facile car Excel dispose de la commande **Filtre automatique**. Une fois activée, cette commande filtre la base sur une colonne quelconque ou sur une information quelconque située dans cette colonne. Les enregistrements affichés ne sont que ceux qui remplissent le critère de filtre spécifié. Les enregistrements restants sont masqués.

Il convient de filtrer les données pour imprimer un certain nombre d'enregistrements bien précis. Excel n'imprimera alors que les enregistrements filtrés.

Le filtre peut être d'une grande aide lors de l'édition des données. Filtrez la base en fonction des données à modifier. La liste ne renferme dans ce cas que les enregistrements répondant au critère de filtre. Cette méthode permet de restreindre la recherche à un petit nombre d'enregistrements.

Filtre automatique

Dans la base DEPENSES.XLS, nous allons appliquer un filtre sur la colonne "Commandé par". Parmi les dépenses globales, il ne faut extraire que les livraisons destinées au service GL.

1 Cliquez sur une cellule de la base.

2 Faites **Données/Filtre/Filtre automatique.**

Commande Filtre automatique appliquée à la base

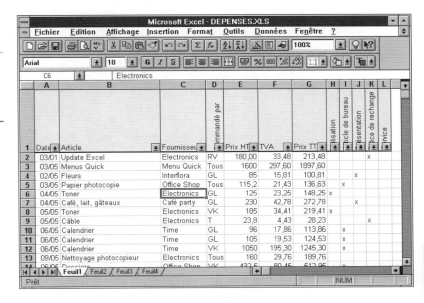

Le filtre automatique est activé. Cette activation est reconnaissable par le fait que chaque en-tête de colonne se voit dotée d'une zone de liste.

Filtrer les données

Appliquer à présent un filtre est un jeu d'enfant : cliquez dans la colonne sur laquelle vous voulez filtrer et choisissez un critère dans la liste. Avançons étape par étape pour filtrer la base sur la colonne "Commandé par" :

1 Cliquez sur la zone de liste de la colonne D. Toutes les entrées de cette colonne se déroulent dans la liste. La colonne "Commandé par" contient les entrées GL, RV, T, Tous et VK.

2 Marquez l'entrée sur laquelle vous voulez filtrer, ici GL.

C'est tout ce que vous devez faire. Excel filtre automatiquement les enregistrements correspondants et affiche uniquement ces derniers.

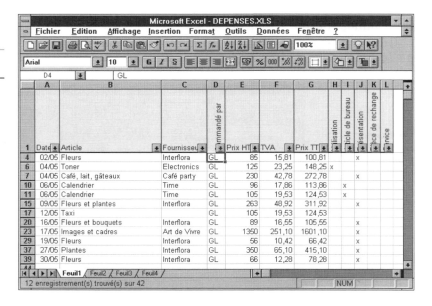

La numérotation des lignes sur le côté gauche de la feuille signale que la base contient plus d'enregistrements que ce qui est affiché. Les lignes contenant des enregistrements ne répondant pas au critère sont masquées sans être supprimées. C'est d'ailleurs la raison pour laquelle la numérotation est en désordre.

Jusqu'à présent, vous avez appliqué un seul niveau de filtre. Mais vous n'allez pas en rester là. Les données déjà filtrées peuvent être refiltrées de façon à restreindre davantage l'affichage. Parmi les livraisons réceptionnées par GL, il faut rechercher celles qui provenaient de Interflora.

1 Cliquez dans la zone de liste "Fournisseur" en colonne C.

2 Dans la liste des entrées de la colonne qui se déroule, marquez cette fois-ci Interflora.

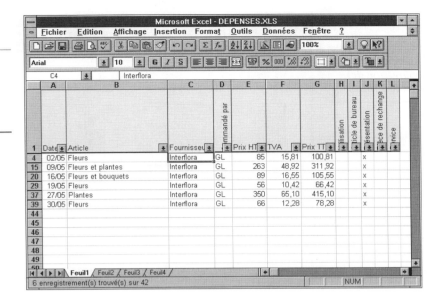

Six enregistrements seulement sont affichés. Les autres sont masqués car ils ne remplissent qu'une seule condition de filtre.

15

Toutes les conditions de filtre doivent être remplies lorsque vous filtrez plusieurs fois une base. Seuls les enregistrements remplissant tous les critères sont affichés.

Imprimer les données filtrées

Avant d'imprimer les données filtrées, contrôlez l'affichage avec le mode *Aperçu avant impression*.

1 Cliquez une cellule de la base.

2 Cliquez sur l'icône *Aperçu avant impression*.

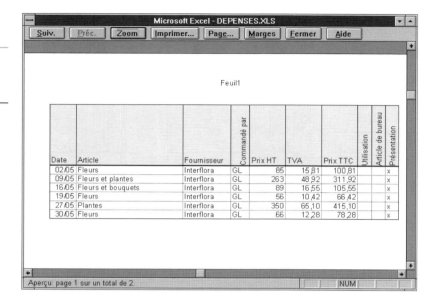

Aperçu avant impression des données filtrées

3 Vous constatez que l'affichage ne porte que sur les six enregistrements filtrés auparavant. Quittez le mode *Aperçu avant impression*.

Réafficher toutes les données

Cliquez dans les colonnes sur lesquelles vous avez filtré et marquez l'entrée *(Tout)*.

Les colonnes pour lesquelles un filtre a été défini ont des flèches de couleur différente.

1 Annulez le filtre appliqué au fournisseur en cliquant sur la zone de liste "Fournisseur" en colonne C.

2 Cliquez sur l'entrée *(Tout)* située en haut de la liste. Utilisez la barre de défilement pour parcourir la liste.

Tous les fournisseurs sont réaffichés. Le filtre sur GL effectué dans la colonne "Commandé par" est encore actif. Vous devez en fait annuler chacun des filtres selon la même méthode. Une autre technique permet d'afficher plus vite toutes les données :

3 Cliquez sur une cellule de la base.

4 Faites *Données/Filtre/Afficher tout*. Tous les enregistrements seront affichés quel que soit le nombre de niveaux de filtre définis.

Modifier et supprimer les données filtrées

Les commandes s'appliquent uniquement aux données filtrées c'est-à-dire aux données affichées. Vous avez constaté cet état de fait lors de l'impression. Vous avez imprimé les données filtrées au lieu de la base tout entière.

Il en va de même des autres commandes Excel. Les mises en forme telles que police ou gras ne sont affectées qu'aux données affichées. Les lignes masquées sont ignorées par les commandes. Prenons un exemple simple pour illustrer cette action :

1 Cliquez sur la zone de liste "Commandé par" en colonne D.

2 Cliquez sur l'entrée GL. La base sera filtrée sur ce critère.

3 Marquez les cellules contenant GL.

15

Sélection obligatoire des cellules

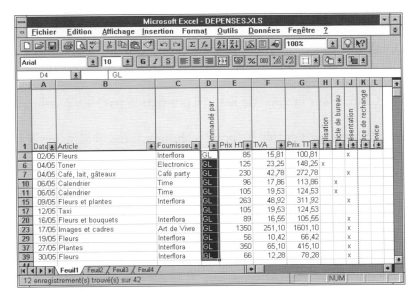

4   Cliquez sur l'icône *Gras*.

5   Recliquez sur la zone de liste "Commandé par" et choisissez l'entrée *(Tout)* pour réafficher tous les enregistrements.

Mise en gras de GL

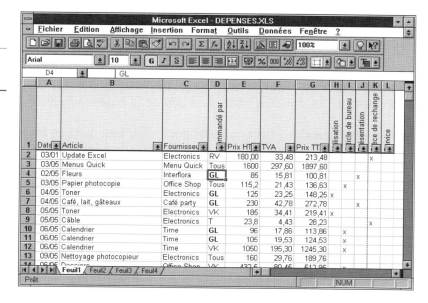

Vous constatez dans la liste que seule l'abréviation GL est mise en gras.

Le fait que les commandes ne s'exécutent que sur les données affichées permet de supprimer en une seule fois plusieurs enregistrements. Prenons un exemple :

1   Cliquez sur la zone de liste "Commandé par" en colonne D.

2   Cliquez sur l'entrée T (pour technique). Excel affiche six lignes.

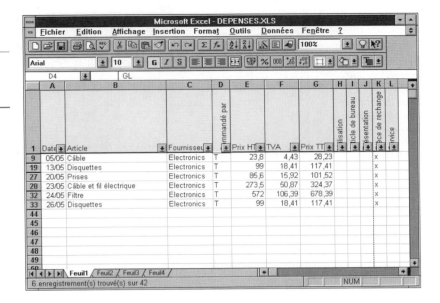

Les enregistrements filtrés

3 Marquez les six lignes à l'aide des en-têtes.

4 Cliquez avec le bouton droit dans la sélection pour ouvrir le menu contextuel.

5 Cliquez sur **Supprimer la ligne.**

La commande sera exécutée immédiatement et toutes les lignes seront supprimées si vous avez marqué ces dernières.

Si vous avez marqué une plage, vous recevrez un message demandant de confirmer la suppression des lignes. Répondez par **OK**.

Tous les enregistrements où T était le service ayant passé la commande sont supprimés. Contrôlez ce qui est advenu des autres enregistrements :

1 Cliquez sur "Commandé par" en colonne D.

2 Cliquez sur *(Tout)* en haut de la liste.

*Les
enregistrements
renfermant T
dans la colonne
D sont supprimés*

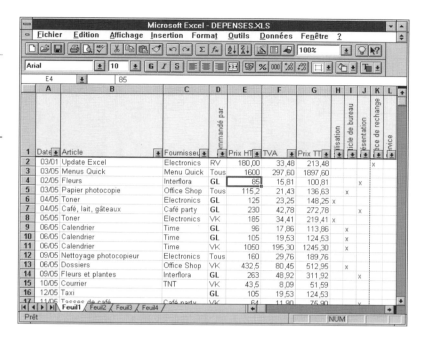

Les autres enregistrements sont encore disponibles.

Désactiver le filtre automatique

La fonction de filtre ne sera plus utilisée pour la suite de l'exercice. Désactivez par conséquent cette commande :

1 Cliquez dans une cellule de la base.

2 Faites **Données/Filtre/Filtre automatique**.

Les zones de liste incluses dans les en-têtes de colonne disparaissent de l'écran. Tous les enregistrements sont réaffichés.

Calculer un sous-total

Les principales évaluations effectuées dans une base portent essentiellement sur le calcul des sommes et des sous-totaux. Une fois les coûts répartis selon plusieurs critères différents comme dans la feuille d'exemple, il s'avère nécessaire de calculer leur montant total.

Dans la base DEPENSES.XLS, il faut d'ores et déjà additionner les coûts selon chaque service. Il faut en fait calculer le total des dépenses pour chacun des services Tous, GL, etc. puis de les afficher comme des sous-totaux dans la base. Cette fonction est en quelque sorte préparée d'avance car elle nécessite une simple sélection.

La première étape de calcul des sous-totaux porte sur le tri. Pour calculer un sous-total sur la colonne "Commandé par", il faut commencer par trier la base sur cette colonne.

1 Cliquez sur une cellule de la colonne "Commandé par".

2 Faites **Données/Trier**. L'inscription "Commandé par" est déjà précisée dans la zone de texte. L'option *Croissant* qui est déjà activée représente également le bon choix.

3 Confirmez par **OK**. La base de données est correctement triée. Les sous-totaux peuvent maintenant être calculés.

4 Cliquez dans une cellule de la base.

5 Faites **Donnés/Sous-total**.

15

Boîte de dialogue Sous-total

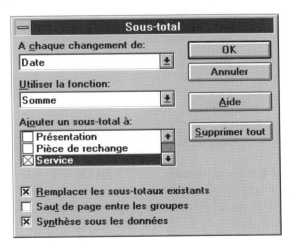

Indiquez le mode de calcul des sous-totaux. Première étape : suivant quel groupe, ou mieux quel champ, faut-il afficher les sous-totaux. Dans l'exemple, il s'agit de "Commandé par".

6   Cliquez sur la zone de liste *A chaque changement de* puis sur "Commandé par".

Précisez le type du calcul dans la zone de liste *Utiliser la fonction*. Choisissez ici l'entrée *Somme*.

Les cases à cocher *Ajouter un sous-total* à spécifient les colonnes à évaluer. Il peut y avoir une ou plusieurs colonnes. Dans l'exemple, trois sommes sont intéressantes : Prix HT, TVA et Prix TTC.

7   Cochez les cases adéquates.

8   Cliquez sur **OK**.

Sous-totaux calculés dans la base

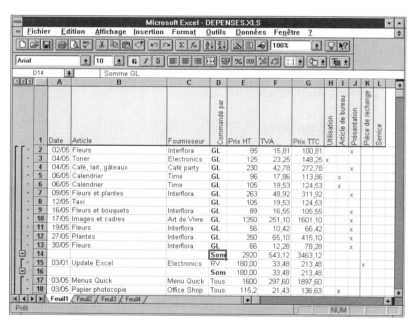

Observez la base : la somme des dépenses est calculée et affichée pour chaque service. Le montant global des trois colonnes Prix HT, TVA et Prix TTC est affiché à la fin de la base. Elargissez au besoin les colonnes pour visualiser le contenu.

Excel génère automatiquement un plan avec le calcul du sous-total. Des icônes de plan apparaissent dans la marge gauche de la feuille. Vous pouvez désactiver le plan sans pour autant influencer les sous-totaux.

1   Cliquez sur une cellule de la base.

2 Faites **Données/Grouper et créer un plan/Effacer le plan.**

Suppression des icônes de plan

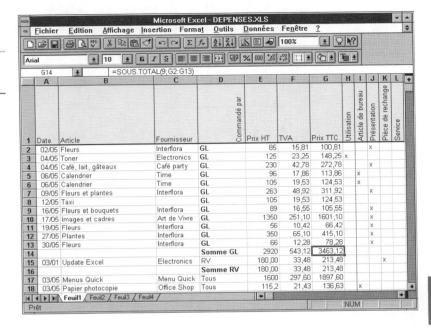

L'opération s'est bien déroulée mais nécessite une petite correction d'ordre esthétique. Pour chaque sous-total, Excel ajoute un petit texte tel que "Somme Tous". Ce texte est inscrit dans la colonne utilisée pour la création du groupe, ici "Commandé par". Cette colonne étant très étroite et le texte étant centré, la mention ajoutée par Excel crée un effet inélégant. C'est là un léger désagrément que vous pouvez contourner facilement en éditant le texte. Alignez le texte à droite pour le rendre lisible.

Supprimer un sous-total

Pour supprimer un sous-total :

1 Cliquez dans une cellule de la base.

2 Faites **Données/Sous-total/Supprimer tout.**

Les sous-totaux disparaissent immédiatement.

*La feuille sans
sous-totaux*

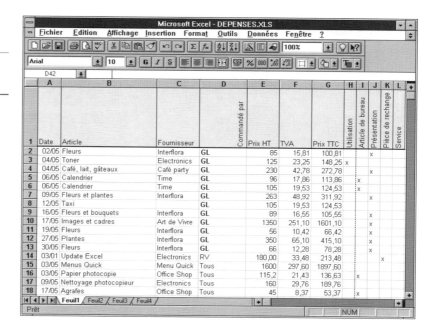

Résumé

Vous voulez...	Sélectionnez...	Icône/Clavier
créer un masque de saisie	**Données/Grille**	
effectuer une recherche dans la grille	**Données/Grille/Critères**	
trier des données	**Données/Trier**	
filtrer des données	**Données/Filtre/Filtre automatique**	
calculer un sous-total	**Données/Sous-total**	

Contrôle des connaissances

QUESTIONS

1. Horizontalement   Cette zone de données ne doit pas contenir de ... vierges.

2. Horizontalement   Dans cette zone de liste de l'onglet **Nombre,** marquez l'entrée *Date* pour afficher le format de nombre adéquat.

3. Horizontalement   Les ... de colonnes occupent toujours la première ligne dans une base de données.

2. Verticalement   Cliquez sur ce bouton pour rechercher un enregistrement spécifique dans la grille de données.

3. Verticalement   Grâce à la ..., il devient facile de saisir des données dans Excel.

4. Verticalement   Ouvrez cette boîte de dialogue à l'aide du menu *Données* pour appliquer plusieurs critères de tri.

15

MOT MYSTÉRIEUX

1. Verticalement   Ce menu contient la commande *Filtre*.

Leçon 16 :
Tableau croisé dynamique

60 min

Un tableau croisé dynamique permet de synthétiser et analyser des données provenant d'une liste ou d'une feuille existante. N'importe quelle relation et n'importe quelle référence croisée définissable dans une liste peut être évaluée par un tableau croisé dynamique. Un assistant vous guide pas à pas dans la création d'un tableau de ce type.

A l'issue de cette leçon vous saurez...

- créer un tableau croisé dynamique avec l'Assistant,
- ajouter ou supprimer des lignes ou colonnes dans le tableau,
- afficher et masquer des détails complémentaires,
- filtrer les données affichées à l'aide des champs Page,
- mettre à jour un tableau croisé dynamique.

16

Qu'est-ce qu'un tableau croisé dynamique ?

Un tableau croisé dynamique représente la plus souple des méthodes pour évaluer une liste ou une base. Prenons un exemple pour illustrer cette notion.

Dans le cadre de votre société ou de votre service, vous préparez un tableau mettant en évidence des valeurs statistiques réalisées au deuxième trimestre. Pour des raisons de clarté, nous nous limiterons à deux groupes de produits répertoriés sous les noms Service et Vente. De même, il n'existe que deux vendeurs dénommés Adam et Bertrand. Si on vous demande de calculer la somme du chiffre d'affaires, des charges et du montant brut, vous exécutez l'opération en un clin d'oeil. Vous obtiendriez un tableau de cette forme :

	Service	Vente	Total
Adam			
CA	34 000	30 000	64 000
Charges	29 000	25 000	54 000
Montant brut	5 000	5 000	10 000
Bertrand			
CA	15 000	25 000	40 000
Charges	15 000	20 000	35 000
Montant brut	0	5 000	5 000

Vous souhaitez effectuer une évaluation complémentaire portant sur des groupes de clients. Comment les deux postes Service et Vente se partagent le chiffre d'affaires suivant les groupes de clients ? Pour faciliter la compréhension, prenons encore une fois deux groupes de clients seulement, Industrie et PME. Le tableau se présenterait comme suit :

	Industrie	PME	Total
Service			
CA	39 000	10 000	49 000
Charges	35 000	9 000	44 000
Montant brut	4 000	1 000	5 000
Vente			
CA	25 000	30 000	55 000
Charges	20 000	25 000	45 000
Montant brut	5 000	5 000	10 000

En troisième lieu, il vous faut un tableau indiquant quel vendeur a réalisé quel chiffre d'affaires auprès de quel client. Voici à quoi pourrait ressembler cette étude :

	Industrie	PME	Total
Adam			
CA	24 000	40 000	64 000
Charges	20 000	34 000	54 000
Montant brut	4 000	6 000	10 000
Bertrand			
CA	40 000	0	40 000
Charges	35 000	0	35 000
Montant brut	5 000	0	5 000

Vous venez de créer trois tableaux contenant en principe des données similaires concernant le chiffre d'affaires réparti suivant des facteurs différents. Comment pourriez-vous par exemple consulter les résultats mensuels ? Et si vous vouliez consulter la liste des ventes réalisées par un certain vendeur au lieu de vous intéresser uniquement au chiffre d'affaires global ? Le nombre des tableaux tend de plus en plus à augmenter pour devenir incontrôlable ! Et le pire, c'est que tous les tableaux contiennent toujours les mêmes données si ce n'est qu'elles sont groupées et additionnées différemment.

Le but visé par un tableau croisé dynamique est d'éviter tout ce travail en générant les divers tableaux à partir d'une liste unique.

Familiarisez-vous avec le principe du tableau. Une feuille Excel est conçue sur un quadrillage dotée des en-têtes de lignes et colonnes. Les données sont entrées dans le quadrillage. La structure en lignes et colonnes limite à deux le type des informations contenues dans la feuille par exemple Vendeur et Produit ou Produit et Client ou Vendeur et Client.

Le tableau croisé dynamique lève cette restriction dans la mesure où les données proviennent d'une liste pour être ensuite converties en tableau. Le tableau cherche les informations stockées dans une liste, par exemple les chiffres d'affaires d'un vendeur, puis affiche la somme.

Contrairement à la feuille décrite plus haut se limitant à deux informations principales, une liste peut renfermer un nombre illimité d'informations. Pour en rester à l'exemple, vous pouvez préciser en parallèle le vendeur, le client, le produit et le mois ou la région ou bien n'importe quelle autre information. Une liste peut être construite selon la figure suivante :

16

Chiffres d'affaires suivant le vendeur le produit et le client

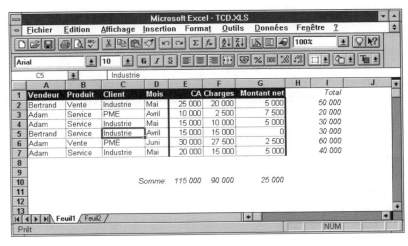

La liste illustrée ci-dessus contient toutes les informations demandées mais elle reste confuse. Il faut se donner beaucoup de peine pour discerner les évaluations qui y sont stockées. Et pourtant cette liste sert de base aux évaluations puisque les trois tableaux décrits précédemment sont générés à partir de cette dernière.

Le tableau présenté plus haut sert de base à la création d'un tableau croisé dynamique. "Somme" dans la ligne 10 et "Total" dans la ligne I ne sont mentionnés qu'en guise de contrôle. Ces résultats, de même que bien d'autres opérations multiples, sont calculés automatiquement par le tableau croisé dynamique. Nous avons inclus ces additions dans le tableau dans le seul but de pouvoir affecter et contrôler les calculs dans le tableau croisé dynamique. La distance uniligne ou unicolonne est très importante car les résultats ne seront pas ainsi reportés en ligne 10 et en colonne I du tableau croisé dynamique.

A partir d'une liste, un tableau croisé dynamique peut générer n'importe quel tableau pourvu d'en-têtes de lignes et colonnes. Il vous faut tout simplement spécifier les informations à inscrire dans les lignes et les colonnes. Vous devez en outre indiquer au moins un champ à calculer. Excel se charge sinon de toutes les tâches complémentaires. Observez donc la magie.

Générer un tableau croisé dynamique

Ouvrez le fichier TCD.XLS situé dans le répertoire \STEXCEL.

L'exemple choisi est fort simple. Il vous aidera à comprendre le principe d'un tableau croisé dynamique. La structure de la liste ne porte pas non plus à confusion. Les quatre premières colonnes sont des colonnes texte, les trois dernières colonnes contiennent des nombres. Une analyse intéressante sera réalisée dans un tableau à partir de deux colonnes texte qui seront combinées :

Vendeur	Produit
Vendeur	Client
Vendeur	Mois
Client	Produit

Vendeur	Produit
Client	Mois
Produit	Mois

L'Assistant tableau croisé dynamique peut générer rapidement une récapitulation de ce type.

Appeler l'Assistant tableau croisé dynamique

La commande nécessaire se trouve dans le menu **Données** car un tableau croisé dynamique évalue essentiellement des bases et des listes.

1 Cliquez une cellule de la liste à partir de laquelle vous voulez générer un tableau croisé dynamique, ici A1.

2 Faites **Donnnées/Tableau croisé dynamique.**

Assistant tableau croisé dynamique - Etape 1

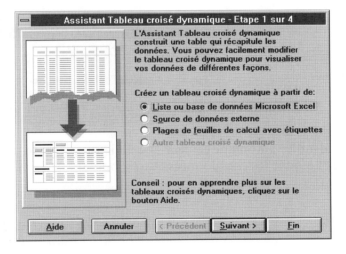

16

Excel active l'Assistant tableau croisé dynamique et affiche la première boîte de dialogue. Notez les boutons situés au bas de la fenêtre. Ils seront disponibles dans les quatres étapes. Vous les avez déjà rencontrés dans le contexte de l'Assistant Graphique.

Aide   appelez à tout moment l'aide sur la création d'un tableau croisé dynamique en cliquant sur ce bouton.

Annuler   annule la création du tableau croisé dynamique.

< *Précédent* bascule vers l'étape précédente.

Suivant >   valide les définitions de la boîte de dialogue en cours et passe à l'étape suivante.

Fin   génère le tableau croisé dynamique.

Source des données du tableau croisé dynamique

Commencez par choisir la base de création du tableau croisé dynamique. L'option *Liste ou base de données Microsoft Excel* est déjà activée par défaut. Ne changez pas cette définition car elle convient parfaitement.

-   Cliquez sur **Suivant >**.

Définir la plage de données

Précisez ensuite la plage de données à partir de laquelle vous voulez générer le tableau croisé dynamique.

Sélection de la plage de données

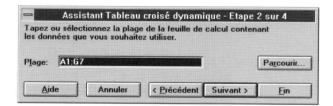

Excel identifie automatiquement la cellule ou plage de cellules marquée dans la feuille et affiche les coordonnées correspondantes.

Corrigez les coordonnées si cela est nécessaire. Tapez les coordonnées au clavier par exemple B4:G30 ou marquez la plage dans la feuille.

-   Cliquez sur **Suivant >**.

Créer la mise en page du tableau croisé dynamique

Définissez maintenant la structure du futur tableau croisé dynamique.

Définition de la structure du tableau croisé dynamique

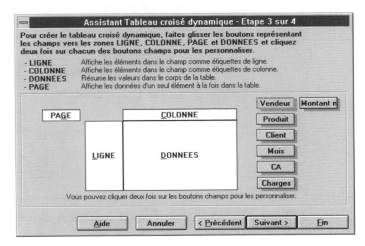

A droite de la boîte se trouvent les boutons représentant les champs de la liste. Cliquez et déplacez ces boutons pour créer la structure du tableau croisé dynamique. Vous devez avoir une idée précise des champs à utiliser. Le tableau croisé dynamique possède trois zones clairement mises en évidence dans la boîte de dialogue.

COLONNE   Faites glisser vers cette zone le champ devant représenter l'en-tête de colonne, ici Produit.

LIGNE   Faites glisser vers cette zone le champ devant représenter l'en-tête de ligne, ici Vendeur.

DONNEES   Faites glisser vers cette zone les champs à calculer ou afficher par exemple CA. Excel additionne les divers chiffres d'affaires à partir de la liste puis affiche la somme dans le tableau croisé dynamique.

1   Cliquez sur Produit et faites glisser ce champ vers la zone COLONNE tout en gardant le bouton gauche appuyé.

2   Les en-têtes de lignes du futur tableau croisé dynamique doivent être représentés par les noms des vendeurs. Cliquez sur le bouton Vendeur et amenez-le vers la zone LIGNE.

3   La zone de données ne doit contenir que la somme des chiffres d'affaires. Cliquez sur le bouton CA et faites-le glisser vers la zone DONNEES. La boîte de dialogue doit ressembler à la figure suivante.

16

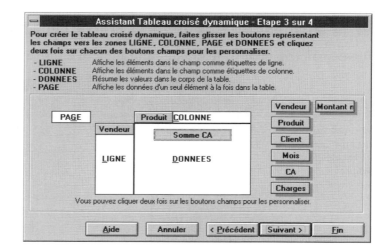

Définition du tableau croisé dynamique

Vous avez déplacé un bouton inadéquat ou tiré un bouton vers une zone incorrecte ? Si oui, cliquez sur ce bouton et sortez-le de la zone de définition.

4   Cliquez sur **Suivant >**.

Emplacement du tableau croisé dynamique

Indiquez en dernier lieu l'endroit où le tableau croisé dynamique doit être inséré.

Sélection de la destination du tableau croisé dynamique

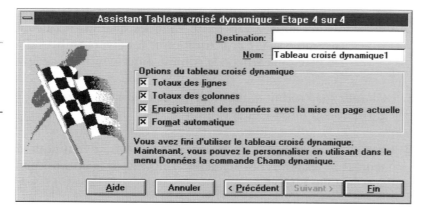

Le tableau croisé dynamique peut être placé en un endroit quelconque de la feuille et sur une feuille quelconque d'un classeur. Il convient de préciser correctement les coordonnées du coin supérieur gauche ou de cliquer avec la souris.

Il est conseillé de créer le tableau croisé dynamique sur une feuille indépendante. Excel attribut un format prédéfini au tableau qui tend à modifier la largeur de colonne.

Le mieux est de créer le tableau croisé dynamique sur une feuille indépendante pour ne pas changer la mise en forme de la feuille source.

1   Cliquez sur l'onglet *Feuil2*.

2   Cliquez en A1 là où doit commencer le tableau. Si la boîte de dialogue recouvre la zone cible, cliquez sur la barre de titre et déplacez la boîte de dialogue avec le bouton gauche appuyé.

3   Cliquez sur **Fin** pour générer le tableau croisé dynamique.

Création achevée du tableau croisé dynamique

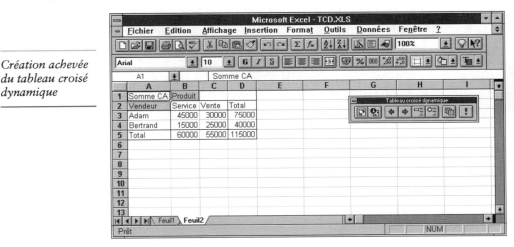

16

Excel affiche le tableau croisé dynamique que vous venez de créer ainsi que la barre d'outils *Tableau croisé dynamique*. Les fonctions de cette barre d'outils sont activables avec la souris. Fermez la barre d'outils en cliquant sur son menu **Système**.

Effectuez une petite modification avant de vous intéresser de plus près au tableau croisé dynamique : renommez les deux feuilles.

1   Cliquez sur l'onglet *Feuil1* avec le bouton droit.

2   Cliquez sur **Renommer** et attribuez le nom "Base".

3   Cliquez sur l'onglet *Feuil2* avec le bouton droit.

4   Cliquez sur **Renommer** et donnez le nom "Tableau croisé" à cette feuille.

5   Enregistrez la feuille sous le nom TCD01.XLS dans le répertoire \STEXCEL\EXEMPLES.

Observons de plus près la feuille Tableau croisé. Les deux groupes de produits Vente et Service sont reportés en tant qu'en-têtes de colonnes. De même les noms des vendeurs Adam et Bertrand sont inscrits en tant qu'en-têtes de lignes.

La somme des chiffres d'affaires est calculée dans la zone de données. Vous pouvez y lire le chiffre d'affaires réalisé par chacun des deux vendeurs dans chaque groupe de produit. Le résultat de groupe est également calculé c'est-à-dire le chiffre d'affaires réalisé par chaque vendeur dans chaque produit. Enfin le chiffre d'affaires global est aussi mentionné. Il s'élève à 115 000. Comparez cette valeur à partir des calculs effectués dans la feuille Base.

Un tableau de plus

L'idée maîtresse du tableau croisé dynamique repose sur le fait qu'il permet d'évaluer confortablement des valeurs. Faites un test vous-même en créant un deuxième tableau croisé dynamique mettant en évidence les chiffres d'affaires réalisés par vendeur et par client.

1   Cliquez en A1 dans la feuille Base.

2   Faites **Données/Tableau croisé dynamique**.

3   Excel ouvre l'Assistant tableau croisé dynamique.

4   Cliquez sur **Suivant >** dans la première boîte de dialogue.

5   La plage de données est déjà proposée par défaut. Cliquez sur **Suivant >**.

6 Il s'agit maintenant de définir la mise en forme du tableau. Il faut que les noms des clients apparaissent dans les colonnes. Cliquez sur Client et tirez le bouton vers la zone COLONNE.

7 Les noms des vendeurs doivent figurer dans les en-têtes de lignes. Cliquez sur Vendeur et tirez le bouton vers la zone LIGNE.

8 La somme du chiffre d'affaires doit apparaître dans la zone de données. Cliquez sur CA et faites glisser le bouton vers DONNEES.

*Champs du
tableau croisé
dynamique*

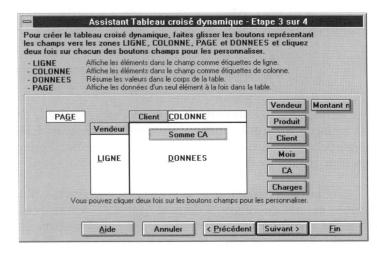

9 Cliquez sur **Suivant >**.

10 Cliquez sur la cellule A9 dans la feuille Tableau croisé.

11 Cliquez sur **Fin** pour générer le tableau croisé dynamique.

16

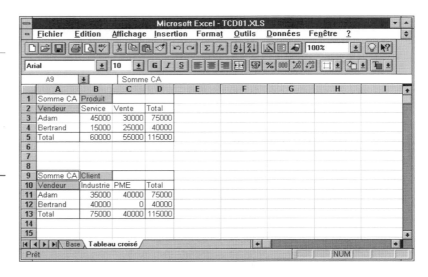

*Deuxième
tableau croisé
dynamique
analysant le
chiffre d'affaires
suivant le
vendeur et le
client*

Le deuxième tableau croisé dynamique met en évidence le chiffre d'affaires réalisé par le vendeur suivant le client et présente la synthèse des divers résultats. Vous pouvez effectuer d'autres analyses pour examiner par exemple le chiffre d'affaires suivant un groupe de produit et un client.

Vous venez de constater que des champs provenant d'une liste peuvent être combinés et mis en relation dans un tableau croisé dynamique. Vous pouvez distribuer à volonté les données entre lignes et colonnes pour effectuer des analyses à votre guise. Les colonnes de nombres peuvent être additionnées dans la zone de données. Les zones de texte peuvent être glissées vers la zone de données. Excel calcule le nombre de champs lorsqu'il ne trouve pas de nombres à additionner.

La création d'un tableau croisé dynamique n'est que la première étape de l'opération. Le tableau une fois créé peut être réorganisé et étendu. Des informations peuvent être ajoutées ou masquées.

Ajouter et supprimer des champs

Vous pouvez personnaliser, agrandir et réduire à votre guise un tableau croisé dynamique. Vous pouvez y ajouter des données, des lignes ou colonnes.

Il faut quand même un peu d'espace à cet effet. Commencez par supprimer le tableau dernièrement créé de façon à garder uniquement le premier tableau.

1 Marquez les lignes contenant le tableau croisé dynamique à supprimer (en marquant l'en-tête de ligne).

2 Faites **Edition/Effacer/Tout**.

Conserver uniquement ce tableau

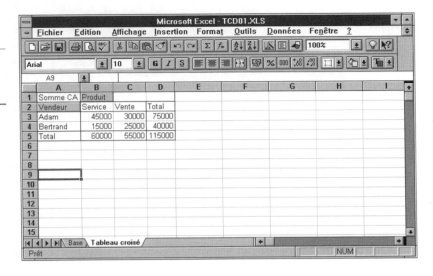

Ajouter des champs

Vous voulez ajouter d'autres valeurs dans le tableau croisé dynamique par exemple les charges et le montant net ? Activez une fois de plus l'Assistant et déplacez les boutons voulus :

16

1 Cliquez sur l'onglet Tableau croisé.

2 Cliquez sur une cellule quelconque.

3 Faites **Données/Tableau croisé dynamique**. Excel ouvre directement la troisième boîte de dialogue de l'Assistant c'est-à-dire l'étape où vous devez définir la structure du tableau.

*Assistant tableau
croisé dynamique
- étape 3*

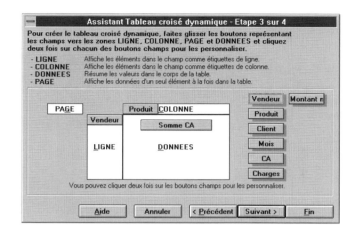

4 Cliquez sur Charges et amenez le bouton vers la zone DONNEES.

5 Cliquez sur Montant net et faites glisser le bouton vers la zone DONNEES.

6 Cliquez sur **Fin** pour générer le tableau croisé dynamique.

*Extension du
tableau croisé
dynamique*

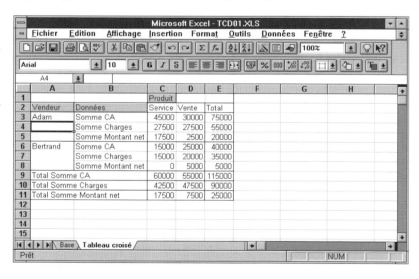

Les coûts ainsi que les montants nets ont été additionnés en plus des chiffres d'affaires.

Supprimer des champs

Vous ne voulez pas faire apparaître les charges dans l'analyse ? Il n'y a aucun problème pour enlever ces données :

1 Cliquez sur une cellule quelconque du tableau croisé dynamique.

2 Faites **Données/Tableau croisé dynamique.** Excel ouvre une fois de plus la troisième boîte de dialogue de l'Assistant.

Modification du choix

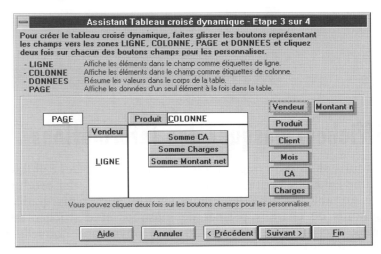

3 Cliquez sur le bouton *Somme - Charges* dans la zone DONNEES et faites glisser ce dernier hors de cette zone.

4 Cliquez sur **Fin.**

16

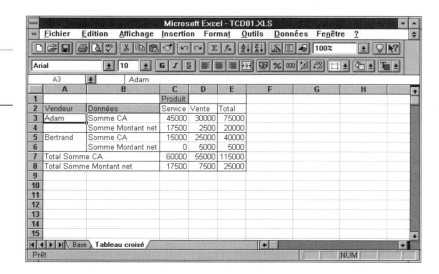

Afficher/masquer des informations

La souris en tant qu'outil permettant de marquer des cellules et plages de cellules est une évidence vérifiée dans la feuille Excel. L'effet produit par un double-clic dans un tableau croisé dynamique est tout aussi remarquable. Un double-clic sur les noms de champs permet de masquer et d'afficher des informations. Un double-clic sur une zone de données ouvre une nouvelle feuille affichant les informations en détail.

Nous n'allons pas décrire toutes les techniques d'édition exécutables dans un tableau croisé dynamique. Nous nous limiterons aux principales options.

Masquer des lignes ou colonnes

Vous avez remarqué que les noms de champs de la liste sont représentés sous forme de boutons dans le tableau croisé dynamique. Cela s'explique par le fait qu'un double-clic sur ces boutons permet d'afficher et de masquer des informations.

Pour effectuer une analyse spécifique, vous vous intéressez uniquement au chiffre d'affaires concernant la rubrique Service. Affichez tout simplement les nombres relatifs à la vente :

1   Double-cliquez sur le bouton Produit dans le tableau croisé dynamique. Ou bien cliquez sur le bouton puis faites **Données/Champ dynamique**.

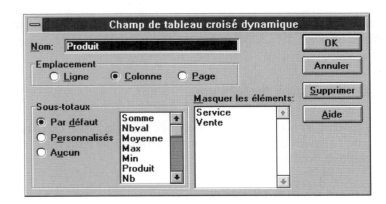

*Boîte de dialogue
Champ de
tableau croisé
dynamique*

Dans la liste *Masquer les éléments*, marquez les informations dont vous n'avez pas besoin, ici Vente.

2 Cliquez sur l'entrée Vente sous *Masquer les éléments*.

3 Confirmez par **OK**.

*Désactivation de
la colonne Vente*

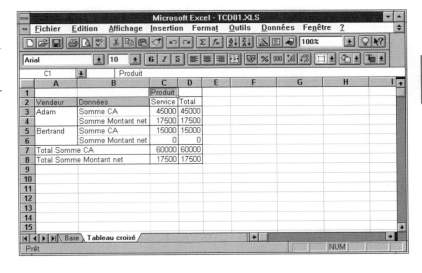

En tant que produit, le tableau croisé dynamique ne contient désormais plus que l'entrée Service. La colonne contenant les valeurs de la vente a disparu. Pour la réafficher :

1 Double-cliquez sur le bouton Produit.

2 L'entrée Vente est encore marquée dans la boîte de dialogue. Cliquez encore une fois sur cette entrée pour réafficher la colonne correspondante dans le tableau croisé dynamique.

3 Confirmez la modification.

Réaffichage de la colonne

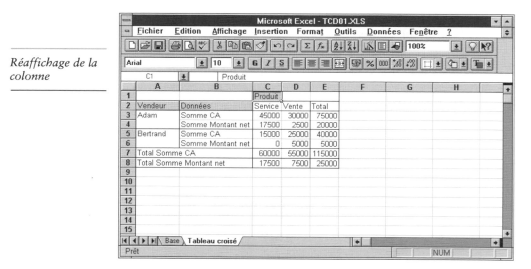

Ajouter des informations complémentaires

Utilisez les boutons pour activer/désactiver des sous-groupes. Les informations peuvent être activées et désactivées de façon plus spécifique. Des détails peuvent être ajoutés ou supprimés suivant chaque en-tête de colonne ou de ligne, par exemple en Service et Vente ou Adam et Bertrand.

Faites un test : Dans la feuille Base, la liste mentionne entre autres le chiffre d'affaires mensuel. Demandez par exemple le relevé du chiffre d'affaires réalisé mensuellement par Adam :

1 Double-cliquez, dans la feuille Tableau croisé, sur le nom Adam en A3.

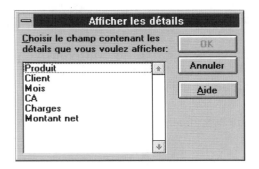

Dans la boîte de dialogue qui s'est ouverte, une liste permet de choisir les informations complémentaires à ajouter.

2 Cliquez sur Mois.

3 Confirmez par **OK**.

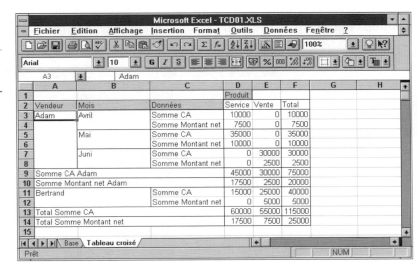

Le chiffre d'affaires réalisé par le vendeur Adam est maintenant analysé par mois. Le principe est simple. Double-cliquez sur le champ dont vous voulez afficher les détails et choisissez les informations voulues dans la liste.

16

Ces informations ajoutées en plus peuvent être supprimées :

1 Double-cliquez sur le bouton dont vous voulez supprimer les données, par exemple Mois. Dans la première ligne de la boîte de dialogue, le nom du bouton cliqué est déjà marqué, ici Mois.

2 Cliquez sur **Supprimer.**

Afficher des données isolées

Une question reste posée dans le tableau croisé dynamique : comment effectuer une synthèse de données ? Quelles données entrent dans le calcul d'une somme ? Une telle analyse peut également être affichée. Pour chaque nombre de la zone de données, vous pouvez générer un extrait à partir des données source listant les valeurs spécifiques à ce résultat. Un double-clic sur le nombre concerné permet d'atteindre ce but.

Double-cliquez sur le total du chiffre d'affaires réalisé par Adam c'est-à-dire sur la valeur 75 000 en E3.

*Synthèse des
données*

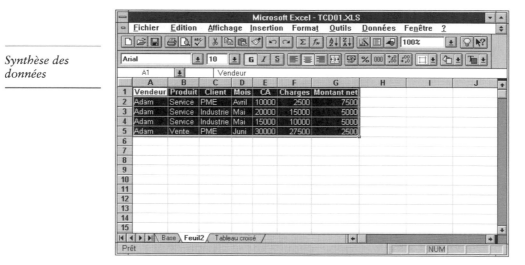

A partir des données source, Excel filtre les données requises, ici les chiffres d'affaires réalisés par Adam. Les données analysées sont présentées dans une feuille indépendante.

Vous pouvez afficher les détails de chaque nombre figurant dans la zone de données. Excel affiche toujours ces données dans une feuille indépendante. Renommez les feuilles qui vous intéressent. Supprimez celles dont vous n'avez pas besoin.

Renommez la feuille que vous venez de créer car elle servira ultérieurement dans un autre exemple.

1 Cliquez avec le bouton droit sur l'onglet.

2 Cliquez sur **Renommer** et entrez le nouveau nom Adam.

*La feuille
renommée*

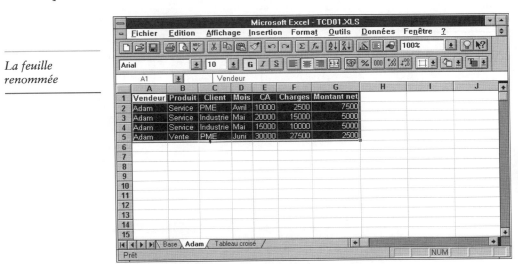

Libre sélection : les champs Page

Toutes les données ont été intégrées dans le calcul des sommes dans les analyses qui viennent d'être effectuées. Prenons le premier tableau croisé dynamique. Tous les chiffres d'affaires, quel que soit le client, sont additionnés selon le vendeur et selon le produit. Et si vous vouliez consulter uniquement le chiffre d'affaires réalisé dans le secteur PME ? Vous devez définir dans ce cas un champ *Page*. Un champ *Page* permet de sélectionner les champs à inclure dans le calcul.

1 Cliquez sur l'onglet Tableau croisé.

2 Cliquez sur une cellule quelconque.

3 Faites **Données/Tableau croisé dynamique.** Excel ouvre la troisième boîte de dialogue de l'Assistant. La zone PAGE est située en haut à droite de la boîte de dialogue.

4 Cliquez sur Client et faites glisser ce bouton vers la zone PAGE.

*Bouton Client
dans la zone Page*

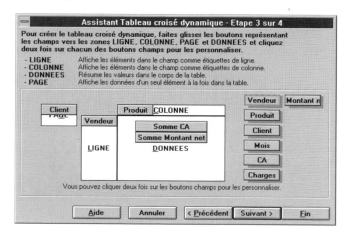

5 Cliquez sur Fin.

*Insertion de la
zone Client*

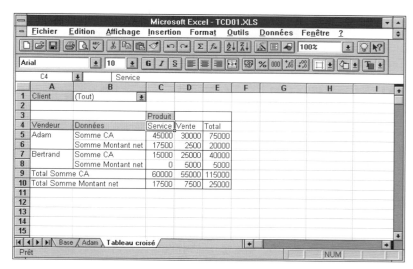

Dans la feuille, marquez le client pour lequel vous voulez évaluer le chiffre d'affaires et le montant net.

L'aspect du tableau croisé dynamique n'a pas changé mais la modification est intervenue dans son contenu. Le nouveau bouton Client est venu s'ajouter dans la première ligne. La cellule B1 s'est transformé en une zone de liste reconnaissable par la petite flèche qui lui est associée. La zone de liste affiche l'indication *(Tout)* c'est-à-dire que le calcul s'est effectué comme précédemment.

1 Cliquez sur la zone de liste pour consulter toutes les entrées relatives au champ Client, ici Industrie et PME. L'entrée *(Tout)* fait partie de cette liste.

2 Cliquez sur les données à calculer, ici "Industrie".

Excel change immédiatement les valeurs du tableau croisé dynamique. Les valeurs calculées ici ne concernent que les clients de la rubrique Industrie. Les clients PME sont ignorés.

Tableau croisé dynamique doté d'un champ Page

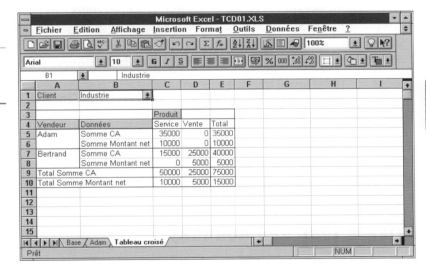

3 Cliquez sur l'entrée PME dans la zone de liste.

Excel ajoute les valeurs concernant les PME. Autre conséquence : le vendeur Bertrand ne figure plus dans la liste. C'est logique puisque les chiffres d'affaires qu'il a réalisés ne concernent que le secteur Industrie (vérifiez cela dans la feuille Base).

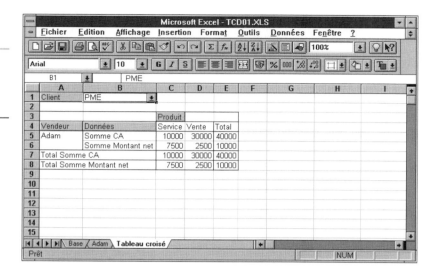

Le champ *Page* permet en fait de restreindre suivant certains critères les données affichées dans le tableau croisé dynamique. Et dès que vous n'avez plus besoin du champ *Page*, n'hésitez pas à le supprimer :

1 Cliquez sur une cellule du tableau croisé dynamique.

2 Faites **Données/Tableau croisé dynamique.** Vous obtenez la troisième boîte de dialogue de l'Assistant.

3 Cliquez sur Client dans la zone PAGE et tirez ce bouton hors de cette zone.

4 Confirmez la modification en cliquant sur **Fin.**

Mise à jour des données

Vous êtes convaincu qu'un tableau croisé dynamique aide à analyser confortablement des listes de valeurs. Et que se passe-t-il lorsque les données subissent des modifications ?

1 Cliquez sur la feuille Base.

2 Cliquez en E6 et entrez un nouveau chiffre d'affaires, par exemple 100 000. Validez par **ENTREE.**

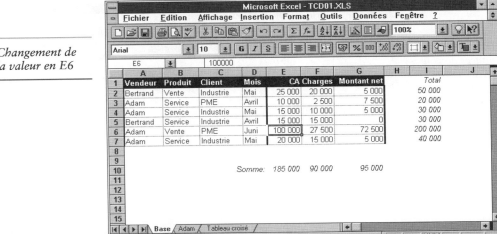

*Changement de
la valeur en E6*

3 Cliquez sur la feuille Adam et contrôlez les chiffres d'affaires. Il ne s'est rien passé. L'ancienne valeur 30000 est restée intacte.

4 Faites un contrôle dans le tableau croisé dynamique. La modification ne s'est pas répercutée là non plus.

La modification des données source ne se répercute pas automatiquement sur le tableau croisé dynamique ni sur les listes qui en dépendent. Vous devez exécuter de façon explicite la commande nécessaire pour mettre à jour les données :

5 Cliquez avec le bouton droit sur une cellule du tableau croisé dynamique.

6 Cliquez sur la commande **Actualiser les données** ou choisissez la même commande dans le menu **Données**.

16

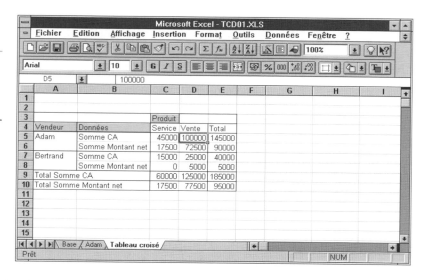

Mise à jour des données dans le tableau croisé dynamique

La commande s'exécute immédiatement sans attendre votre confirmation. Excel ne met à jour les données du tableau croisé dynamique que si la commande est exécutée.

Le classeur prêt à l'emploi se trouve dans le répertoire \STEXCEL sous le nom TCD2.XLS.

Résumé

Vous voulez...	Sélectionnez...	Icône/Clavier
créer un tableau croisé dynamique	**Données/Tableau croisé dynamique**	
ajouter ou supprimer des champs dans le tableau croisé dynamique	le champ puis **Données/Tableau croisé dynamique**	
masquer des lignes ou colonnes	double-cliquez sur le bouton	
afficher des détails	double-cliquez sur la zone de texte	

Vous voulez...	Sélectionnez...	Icône/Clavier
afficher des résultats isolés	double-cliquez sur le champ	
mettre à jour les données	**Données/Actualiser les données**	

Contrôle des connaissances

QUESTIONS

1. **Horizontalement**   Créez un tableau croisé dynamique à l'aide de ce bouton situé dans les boîtes de dialogue de l'Assistant Tableau croisé dynamique.

2. **Horizontalement**   Ce champ permet de sélectionner les champs à inclure dans un calcul.

3. **Horizontalement**   Après la création d'un tableau croisé dynamique, Excel affiche automatiquement la barre d'outils *Tableau croisé ...*.

2. **Verticalement**   Cliquez sur les informations dont vous n'avez pas besoin dans la liste ... *les éléments* de la boîte de dialogue **Champ de tableau croisé dynamique.**

3. **Verticalement**   Dans la troisième étape de l'Assistant Tableau croisé dynamique, déplacez vers cette zone le ou les champs à calculer et afficher.

MOT MYSTÉRIEUX

1. **Verticalement**   A partir d'une ..., un tableau croisé dynamique peut générer un tableau quelconque pourvu d'en-têtes de lignes et de colonnes.

16

Leçon 17 :
Les macros

30 min

Les macros automatisent l'exécution des opérations. Elles conviennent pour des tâches répétitives utilisées fréquemment. La création d'une macro ne pose aucune difficulté. Les commandes et fonctions exécutées sont enregistrées et stockées dans une macro. L'appui sur une touche permet ensuite de déclencher la macro. Une macro peut être créée avec Visual Basic pour Application (VBA). C'est un langage de programmation permettant de concevoir des applications complètes sous Excel.

Dans le cadre de cette leçon, vous étudierez uniquement les fonctions essentielles des macros nommées macros clavier.

A l'issue de cette leçon vous saurez...

- enregistrer une macro avec l'Enregistreur de macros,
- appeler une macro,
- rendre accessibles les macros dans tous les classeurs,
- intégrer des macro dans le menu **Outils**.

17

L'Enregistreur de macros

Comme il a été souligné dans l'introduction, les macros aident à exécuter plus facilement des opérations. Les commandes que vous utilisez de façon répétitive peuvent être incluses dans une macro. Au lieu d'exécuter séparément chacune des étapes de la séquence de commandes, vous pouvez déclencher une macro qui exécute automatiquement en une seule passe toutes les commandes stockées dans la macro.

L'emploi d'une macro peut être illustré par la création d'en-têtes et de pieds de page personnalisés. Vous créez par exemple régulièrement des tableaux dans lesquels les en-têtes et pieds de page sont définis d'une façon spécifique. Vous pouvez stocker cette définition dans une macro. La mise en forme des bordures et des couleurs ainsi que des polices peut également être stockée dans une macro.

La macro ne représente pas toujours la solution idéale pour faciliter l'exécution des routines. Parfois, il est préférable d'utiliser un modèle dans lequel vous avez stocké tous les paramètres de mise en forme (en-tête/pied de page, texte et formule). En bref, vous définissez un modèle servant de base à la création d'autres modèles. Reportez-vous à la leçon 13 qui traite des modèles.

La meilleure solution consiste à créer une macro pour appeler une séquence de commandes stockée dans l'Enregistreur de macros. Toutes les commandes que vous utilisez sont retranscrites par l'Enregistreur. La macro ainsi créée peut être appelée et exécutée à n'importe quel moment.

Nous allons commencer la leçon avec une macro simple. Les tableaux sont dotés généralement de bordures et de traits. Parfois, leur mise en forme comporte des traits pointillés. Par ailleurs, la plage marquée est souvent mise en évidence par un trait fin continu. Pour appliquer une telle mise en forme, vous devez recourir à l'onglet **Bordure**. La macro peut changer cet état de fait en automatisant ces diverses tâches de mise en forme.

Pour cet exemple, ouvrez le fichier CA.XLS situé dans le répertoire \STEXCEL.

Tableau du chiffre d'affaires

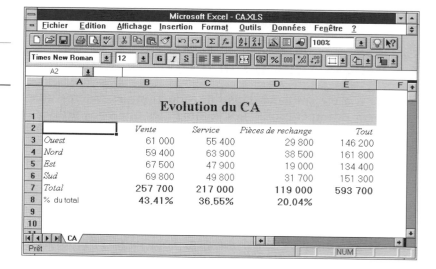

Ce tableau n'a rien de compliqué. Il montre le chiffre d'affaires réalisé par trois produits dans quatre régions différentes. Les chiffres d'affaires sont additionnés et représentés en pourcentages.

Quant à la mise en forme avec des traits et bordures, elle doit être enregistrée dans une macro pour être utilisable dans d'autres applications.

Petit conseil à ce propos : La plupart des commandes Excel nécessitent de sélectionner une zone avant de pouvoir être appelées. Cette sélection n'est pas prise en compte dans la macro. L'enregistrement de la macro ne peut commencer que si la sélection est effectuée.

Vous vous demandez ce qui pourrait se passer si la sélection était incluse dans la macro ? Excel marque, dans ce cas, la même zone et applique à chaque fois la macro sur cette sélection. Si vous enregistrez seulement la séquence de commandes, cette dernière pourra être exécutée en un endroit quelconque du document.

Avant d'enregistrer une macro, soyez sûr des commandes dont vous avez réellement besoin. Les erreurs que vous enregistrez dans une macro seront exécutées telles quelles. Une macro peut être corrigée manuellement mais cela est difficile. N'hésitez pas à tester auparavant la séquence de commandes avant de l'enregistrer.

1 Marquez la plage B3-E6.

Plage à sélectionner

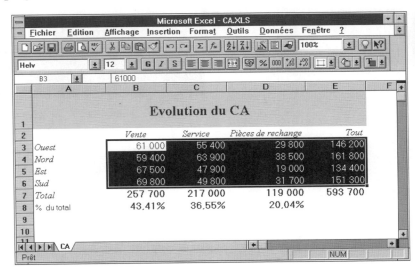

2 Faites **Outils/Enregistrer une macro/Nouvelle macro.**

Démarrage de l'Enregistreur de macros

Excel ouvre une boîte de dialogue attendant le nom de la macro à créer.

3 Tapez "Bordure".

4 Cliquez sur **OK**.

Maintenant prudence ! Chaque appui sur une touche et chaque clic sera enregistré.

Ecran lors de l'enregistrement d'une macro

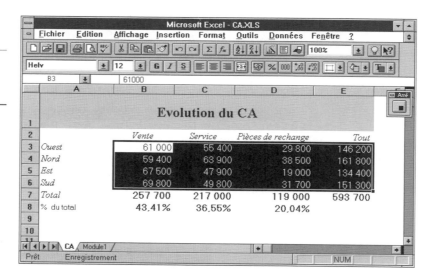

Observez les modifications intervenues sur l'écran :

- Un nouvel onglet nommé *Module1* s'est ajouté au bas de l'écran. La macro sera stocké dans cet onglet.

- Une petite barre d'outils nommée *Arrêter l'enregistrement* est apparue.

Exécutez les commandes à stocker dans la macro :

1 Cliquez sur **Format/Cellule/Bordure.**

2 Sous *Style*, cliquez sur la ligne pointillée. Cliquez successivement sur *Gauche*, *Droite*, *Haut* et *Bas*.

3 Cliquez sur *Contour*. Cliquez sur le trait fin continu sous *Style*.

Paramètres de la bordure

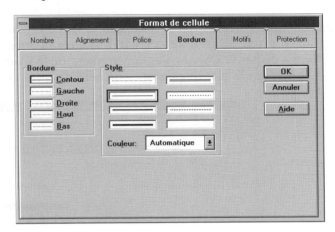

4 Confirmez par **OK**.

5 Cliquez sur le bouton de la barre d'outils *Arrêter l'enregistrement*.

17

Mise en forme de la plage marquée

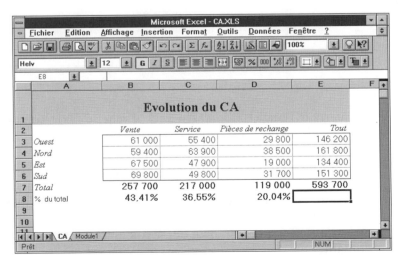

Lors de l'enregistrement d'une macro, il vous arrivera facilement de cliquer sur une commande que vous n'aviez pas du tout prévu d'inclure dans l'enregistrement. Dans ce cas, terminez l'enregistrement en cliquant sur Arrêter l'enregistrement puis redémarrez l'opération. Attribuez le même nom à la macro lors de la deuxième tentative. Excel vous demande de confirmer si vous voulez remplacer la macro existante. Répondez par Oui.

Lors de l'enregistrement, vous devez exécuter les commandes voulues. Dans le cas du tableau, il s'agit de commencer par formater la zone sélectionnée. La petite barre d'outils disparaît dès que l'enregistrement de la macro est effectué. L'onglet *Module1* contenant la macro est resté affiché. Observez ce qu'il contient :

Texte de la macro enregistrée

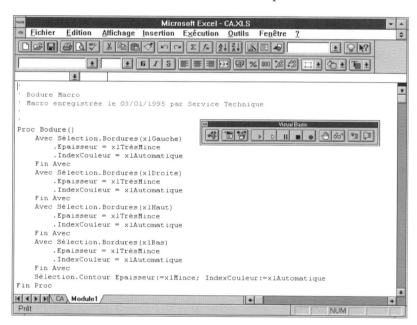

1 Cliquez sur l'onglet *Module1*. Excel affiche le texte correspondant. La barre d'outils *Visual Basic* est affichée automatiquement.

2 Parcourez le texte avec la barre de défilement ou les touches de direction.

La macro se compose essentiellement de texte. Théoriquement, vous pouvez éditer le texte de la macro pour corriger éventuellement des erreurs. Mais cette opération nécessite un peu de savoir-faire et un peu d'expérience en ce domaine.

3 Cliquez sur l'onglet CA pour retourner dans le tableau où vous allez appliquer la macro.

Appeler une macro

Pour mettre en forme le reste du tableau, vous pouvez vous contenter maintenant d'appliquer la macro :

1 Marquez B2-E2.

2 Faites **Outils/Macro**.

Appel d'une macro

3 La liste des macros existantes est affichée dans la boîte de dialogue. Cliquez sur la macro à exécuter, ici Bordure.

4 Cliquez sur **Exécuter**. Des inscriptions apparaissent puis disparaissent rapidement sur l'écran et la zone marquée est formatée comme il a été spécifié.

Exécutez la macro sur d'autres plages du tableau :

1 Marquez A3-A8.

2 Faites **Outils/Macro**.

3 Cliquez sur Bordure puis sur **Exécuter**.

17

4   Marquez B7-E8.

5   Refaites **Outils/Macro.**

6   Cliquez sur Bordure puis sur **Exécuter.**

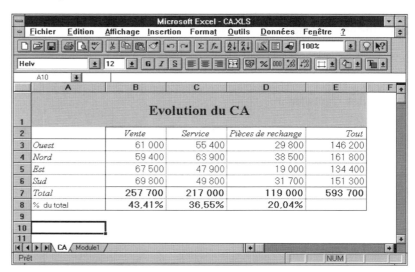

La mise en forme est appliquée en quelques secondes sur le tableau entier. La macro ainsi créée comporte un léger désagrément : elle ne peut être appelée que si le classeur CA est ouvert. La macro fait partie intégrante du classeur et elle n'est disponible que dans ce classeur.

Classeur de macros personnelles

Les macros exécutant des fonctions d'ordre général pour créer par exemple des en-têtes et pieds de page doivent être accessibles dans chaque feuille de calcul. Cela est possible à condition de stocker la macro dans le classeur adéquat, notamment dans le classeur propre aux macros. Elle sera stockée sous le nom PERSO.XLS dans le répertoire XLOUVRIR Excel. Ce classeur crée et enregistre automatiquement Excel dès que vous intégrez une macro dans ce dernier.

1   Enregistrez la feuille sous le nom CA01.XLS dans le répertoire \STEXCEL\EXEMPLES. Faites **Fichier/Fermer.**

2   Définissez un nouveau classeur vierge via **Fichier/Nouveau.**

3 Démarrez l'enregistrement de la macro avec la commande **Outils/Enregistrer une macro/Nouvelle macro.**

4 Attribuez un nom à la future macro, ici "PiedPage".

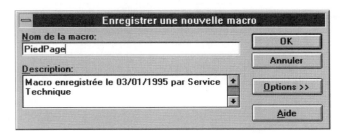

Spécification du nom de la macro

5 Cliquez sur **Options >>.**

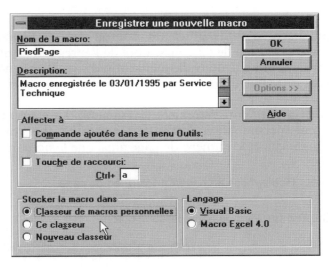

Options de la macro à créer

6 Indiquez, entre autres, l'endroit où la macro est stockée. Activez l'option *Classeur de macros personnelles* sous *Stocker la macro dans*. La macro que vous allez créer sera enregistrée dans le classeur PERSO.XLS pour qu'elle soit disponible dans tous les classeurs.

7 Cliquez sur **OK** pour démarrer l'enregistrement de la macro.

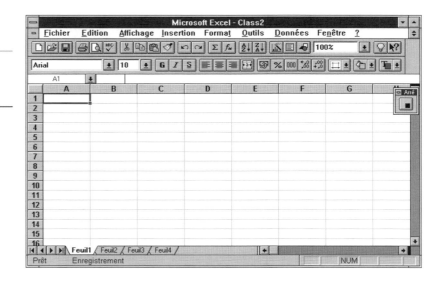

*Affichage de la
mini barre
d'outils*

La mini barre d'outils dotée du bouton *Arrêter l'enregistrement* apparaît de nouveau dans la feuille en cours. Lors de l'enregistrement de la première macro, Excel avait défini une nouvelle feuille afin d'y stocker la nouvelle macro. Tel n'est pas le cas cette fois-ci car la macro est stockée dans un classeur spécifique.

Commencez par l'enregistrement de la macro. La macro est destinée à définir un pied de page personnalisé. Ce pied de page doit afficher votre nom et votre domicile en bas à gauche et le numéro de page ainsi que le nom du fichier en bas à droite.

1 Faites **Fichier/Mise en page/En-tête/Pied de page**.

2 Cliquez sur **Pied de page personnalisé**.

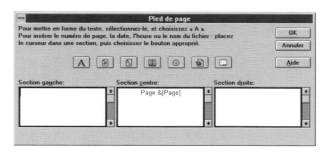

*Définition du
pied de page*

3 Indiquez votre nom sous *Section gauche*. Validez par **ENTREE** et tapez votre domicile.

4 Sous *Section centre*, marquez et supprimez l'entrée existante.

5 Sous *Section droite*, l'expression doit contenir le numéro de page en cours ainsi que le nombre total de page sous la forme "Page 1 sur 4". Tapez d'abord le mot *Page* suivi d'un espace.

6 Cliquez sur l'icône permettant d'ajouter le numéro de page.

7 Ajouter un espace puis tapez le texte "sur". Insérez de nouveau un espace et cliquez sur l'icône servant à ajouter le nombre total de pages.

8 Tapez **ENTREE** et écrivez le texte "Nom:" suivi d'un espace dans la deuxième ligne.

9 Cliquez sur l'icône permettant d'insérer le nom du fichier.

10 Marquez vos nom et domicile puis cliquez sur l'icône A qui ouvre la boîte de dialogue **Police**. Cliquez sur Gras et sur **OK**.

11 Marquez les indications de page et appliquez également le style Gras.

12 Marquez la ligne du nom de fichier et affectez une police italique en 8 points.

Mise en forme des entrées du pied de page

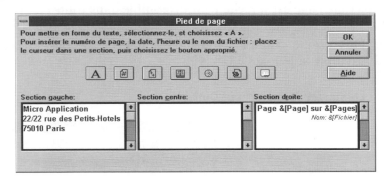

13 Cliquez sur **OK** pour valider la définition.

14 Dans la boîte de dialogue **En-tête/Pied de page**, cliquez sur l'entrée *(aucun)* située tout en haut de la liste *En-tête*.

*L'en-tête ne
contient pas
d'entrée*

15 Cliquez sur **OK** pour terminer le traitement de l'en-tête/pied de page.

16 Terminez l'enregistrement de la macro. Cliquez sur l'icône *Arrêter
l'enregistrement.*

 *Vous pouvez ajouter des options d'impression complémentaires dans
la macro concernant par exemple la désactivation du quadrillage ou le
centrage de la page. Vous pouvez enregistrer également plusieurs
macros pour des options différentes.*

Le pied de page est-il réellement disponible dans toutes les feuilles ?

1 Ouvrez un exemple étudié dans une des leçons précédentes, par
exemple la feuille CLUB.XLS.

2 Démarrez la macro via **Outils/Macro**.

*Exécution d'une
macro*

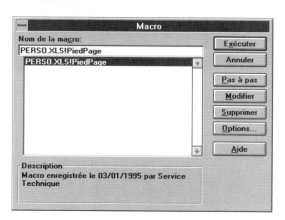

Précisez le nom de la macro dans la liste qui contient en plus le nom de la feuille renfermant la macro.

3 Cliquez sur le nom PERSO.XLS!PiedPage.

4 Cliquez sur **Exécuter**. Le sablier montre que la macro est en train d'être exécutée. En fin d'exécution, vérifiez que le pied de page a été effectivement ajouté.

5 Cliquez sur l'icône *Aperçu avant impression*.

Affichage du pied de page dans l'Aperçu avant impression

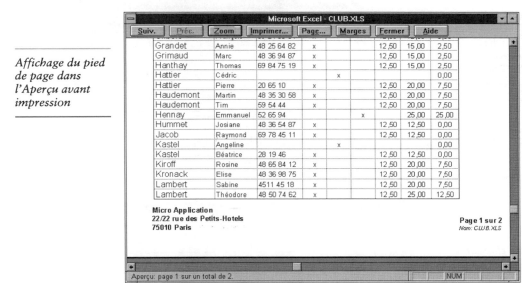

Macro comme une commande de menu

Dans les leçons précédentes, nous avons souligné maintes fois combien il était facile d'appeler des fonctions et d'atteindre une commande Excel. Et maintenant vous souhaitez accéder aux macros sans passer par la boîte de dialogue où vous devez spécifier laborieusement les noms voulus ?

Personne ne vous y oblige. Affectez par exemple une macro à une commande spécifique que vous intégrez dans le menu **Outils**.

Classeur de macros personnelles

Il s'agit de savoir tout d'abord où se trouve la macro. Elle est stockée dans le classeur des macros personnelles PERSO.XLS. Excel ouvre automatiquement ce classeur dès que vous exécutez une macro à partir de là. De même, Excel ferme ce classeur en fin d'exécution comme si de rien n'était. Vous devez afficher le classeur pour éditer une macro.

1 Faites **Fenêtre/Afficher**.

*Affichage du
classeur
PERSO.XLS*

2 Cliquez sur le classeur à afficher ici PERSO.XLS.

3 Confirmez par **OK**.

*Le classeur
PERSO.XLS*

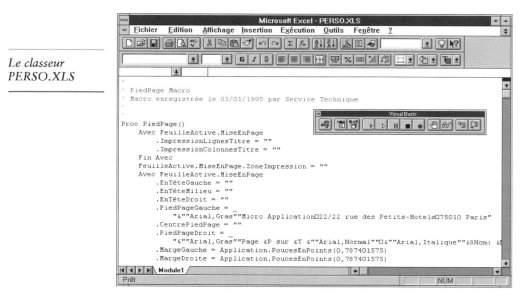

Définissez les options de cette macro une fois le classeur ouvert.

Une macro peut être intégrée sous un nom, librement définissable; dans le menu
Outils.

1   Faites **Outils/Macro.**

2   Cliquez sur le nom de macro à inclure dans le menu **Outils,** ici PiedPage.

3   Cliquez sur **Options.**

4   Cochez l'option *Commande ajoutée dans le menu Outils.*

5   Dans la zone de texte de cette option, entrez le nom à afficher dans le menu,
par exemple PiedPage.

Options de macro

6   Confirmez par **OK.**

7   Cliquez sur **Fermer.**

8   Testez le bon déroulement de la commande. Cliquez sur l'entrée **PiedPage** dans
le menu **Outils.**

*Commande
PiedPage intégrée
dans le menu
Outils*

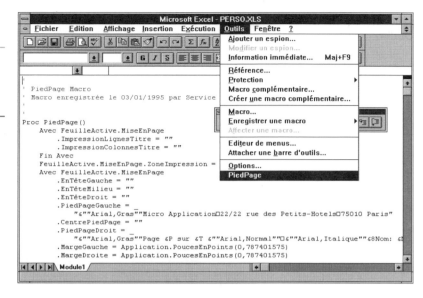

Dorénavant, un simple clic sur **Outils/PiedPage** déclenchera l'exécution de la macro correspondante.

Pour supprimer l'entrée ajoutée dans le menu, décochez l'option correspondante :

1 Faites **Outils/Macro**.

2 Marquez l'entrée PiedPage.

3 Cliquez sur **Options**.

4 Désactivez l'option *Commande ajoutée dans le menu Outils*.

5 Confirmez par **OK**.

6 Cliquez sur **Fermer**.

7 Vérifiez que l'entrée a bien été enlevée du menu **Outils**.

Masquer le classeur de macros

Après avoir effectué les modifications dans le classeur de macros, enregistrez les définitions en cliquant sur l'icône *Enregistrer*.

Dans tous les cas, vous devez masquer le classeur de macros une fois l'édition terminée :

1 Assurez-vous que le classeur de macros est affiché.

2 Cliquez sur **Fenêtre/Masquer**.

Résumé

Vous voulez...	Sélectionnez...	Icône/Clavier
enregistrer une macro	**Outils/Enregistrer une macro/Nouvelle macro**	
terminer l'enregistrement d'une macro	icône *Arrêter l'enregistrement*	
appeler une macro	**Outils/Macro**	
créer un classeur de macros personnelles	**Outils/Enregistrer une macro/Nouvelle macro/Options**	
ajouter une macro dans un menu	**Outils/Macro/Options**, option *Commande ajoutée dans le menu Outils*	
afficher un classeur de macros	**Fenêtre/Afficher**	
masquer un classeur de macros	**Fenêtre/Masquer**	

17

Contrôle des connaissances

QUESTIONS

1. **Horizontalement**   Feuille ajoutée après l'enregistrement de la macro (sans le numéro).

2. **Horizontalement**   Nom (sans l'extension) du classeur de macros personnelles.

3. **Horizontalement**   Cliquez sur ce bouton de la boîte de dialogue **Macro** pour lancer une macro existante.

4. **Horizontalement**   Excel affiche automatiquement cette barre d'outils lorsque vous cliquez sur l'onglet *Module1*.

2. **Verticalement**   Menu permettant d'afficher/de masquer le classeur de macros personnelles.

3. **Verticalement**   Ce menu contient la commande **Enregistrer une macro**.

MOT MYSTÉRIEUX

1. **Verticalement**   Les commandes et fonctions que vous exécutez sont enregistrées et stockées dans une ....

17

PARTIE F

Annexes

Annexe A :
Glossaire

Alignement

Désigne l'emplacement des textes et valeurs dans une cellule. Par défaut, les nombres sont alignés à droite, les textes à gauche. L'alignement peut être modifié.

Aperçu avant impression

Visualisation à l'écran de la plage à imprimer. L'affichage révèle tous les attributs de mise en forme (en-tête/pied de page).

Argument

Un argument est une information requise par Excel pour calculer une fonction. Pour la fonction Somme, Excel attend en argument la spécification de la plage à additionner. Les arguments figurent toujours à droite du nom de la fonction, entre parenthèses. Les divers arguments sont séparés par un point-virgule.

Assistant Conseil

Icône figurant dans la barre d'outils *Standard*. Excel renvoie ici des conseils facilitant l'utilisation du programme.

Assistant Fonction

Il aide à créer facilement des fonctions complexes. Il convient de choisir une fonction parmi une liste. Excel demande de préciser les arguments dans une boîte de dialogue.

Assistant Graphique

Il vous guide pas à pas dans la création de graphiques.

Assistant Tableau croisé dynamique

Il vous guide dans la création d'un tableau à travers des boîtes de dialogue. L'Assistant demande de spécifier la structure du tableau croisé dynamique et les données à calculer.

Barre de formule

Située en haut de la fenêtre Excel, la barre de formule sert à entrer et éditer des valeurs ou formules.

Base de données

Une base de données est une liste rangée en lignes portant des en-têtes de colonnes (noms de champs). Dans Excel, une liste peut être générée comme une base de données sans nécessiter de préparatifs. La base de données permet de filtrer et trier confortablement les données.

Cellule active

Cellule qui a été cliquée avec la souris ou sélectionnée par une touche de direction. Les entrées et les paramètres de mise en forme s'appliquent à la cellule active. Une sélection de plusieurs cellules s'appelle une plage de cellules.

Classeur

L'exécution des calculs ou la création de graphiques se fait dans un classeur. Les feuilles de calcul ou les feuilles graphiques peuvent être ajoutées ou supprimées. Un classeur Excel est pourvu par défaut de 16 feuilles.

Coordonnées

Lettre de colonne et numéro de ligne pour identifier explicitement les cellules à l'intérieur de la feuille, par exemple A1.

Coordonnées absolues

Coordonnées d'une formule qui restent inchangées lors d'une copie. Le caractère dollar ($) précédant la lettre de colonne ou le numéro de ligne désigne les coordonnées absolues.

A

Coordonnées relatives

Les coordonnées précisées dans une formule ou une fonction s'adaptent au nouvel emplacement dans la feuille lorsque la formule est copiée. Ces coordonnées qui s'ajustent automatiquement s'appellent des coordonnées relatives.

En-tête

Un en-tête se répète sur toutes les pages imprimées. Les informations à imprimer dans l'en-tête se définissent dans une boîte de dialogue.

En-tête de ligne/colonne

Un en-tête peut être défini pour l'affichage ou l'impression. A l'écran, l'en-tête peut rester affiché dans la ligne supérieure ou dans la colonne gauche lorsque vous parcourez la feuille (cf. Figer). Lors de l'impression, l'en-tête de ligne ou de colonne se répète sur chaque page d'impression.

Enregistreur de macros

Il transcrit vos actions (appuis sur des touches, clics de la souris) et convertit les entrées en une macro.

Feuille graphique

Feuille de classeur qui contient uniquement un graphique.

Filtre

Un filtre permet de sélectionner des listes. Il est particulièrement facile de travailler avec des filtres automatiques.

Filtre automatique

Filtrer une liste permet d'extraire des données de la liste et de traiter uniquement cette quantité partielle. La commande **Filtre automatique** facilite la définition d'une telle sélection. Dans une zone de liste, il convient de choisir le critère à partir duquel vous souhaitez filtrer la liste.

Fonctions

Ce sont des formules prédéfinies facilitant le calcul d'opérations complexes. Excel est équipé d'innombrables fonctions couvrant des domaines divers (fonctions calculant une simple colonne de nombres (somme), fonctions financières, fonctions trigonométriques, etc.).

Format automatique

Le format automatique applique un format prédéfini à une plage marquée dans une feuille. Excel est équipé de nombreux formats prédéfinis dans lesquels le format numérique, l'alignement, la police, la bordure, le motif, la largeur de colonne et la hauteur de ligne sont combinés.

Format de nombre

Le format de nombre détermine le mode d'affichage des nombres dans la feuille.

Formatage

Mise en forme de la feuille de calcul portant sur les bordures, motifs, polices, etc. Les commandes de formatage sont accessibles par le menu **Format** ou par la barre d'outils *Format*.

Graphique

Conversion graphique des valeurs de la feuille. Excel fournit de nombreux types de graphiques prédéfinis allant d'un graphique à barres simple jusqu'à des modèles 3D. Les graphiques peuvent être personnalisés avec des couleurs, bordures, motifs et polices.

Graphique incorporé

Il s'agit d'un graphique inclus dans une feuille. Un graphique peut être créé également sur une feuille séparée du classeur.

Itération

On parle d'itération ou de référence circulaire lorsqu'une formule se réfère à la cellule dans laquelle elle se trouve.

Légende

La légende contient des informations à propos des valeurs affichées dans un graphique. La légende est affichée généralement dans une zone séparée à droite du graphique. Elle peut être déplacée et mise en forme à volonté.

Macro

Une macro automatise des processus, actions et opérations. Elle facilite le traitement ou la création de feuilles et graphiques.

Menu contextuel

Menu activé à la suite d'un clic sur le bouton droit de la souris. Le menu contextuel contient toujours des commandes se rapportant à la situation de travail en cours.

Modèle

Un modèle est un classeur de type particulier. Il peut être utilisé comme un modèle pour créer d'autres classeurs similaires.

OLE

OLE (Object Linking and Embedding) est une méthode permettant de lier et incorporer des objets. Des programmes compatibles OLE tels que Excel 5 ou Word 6 pour Windows peuvent réceptionner des objets à partir d'autres programmes pour les incorporer dans leur application spécifique. C'est ainsi qu'un graphique Excel peut être inclus dans un document Word.

Onglets de feuille

La barre des onglets située au bas de l'écran contient les noms des feuilles du classeur en cours. Cette barre permet de déplacer, copier et renommer les feuilles du classeur.

Pied de page

Un pied de page est une ligne se répétant au bas de toutes les pages imprimées. Les informations à spécifier dans le pied de page se définissent dans une boîte de dialogue.

Plage

Elle représente une sélection englobant plusieurs cellules.

Quadrillage

Lignes horizontales ou verticales servant à structurer le graphique.

Référence circulaire

Excel génère une référence circulaire lorsqu'une formule se réfère à la cellule dans laquelle elle se trouve. Excel ne résout pas automatiquement une référence circulaire, c'est pourquoi le programme renvoie un message d'erreur dans un tel cas.

Tableau croisé dynamique

Un tableau croisé dynamique aide à évaluer confortablement des listes. Vous définissez les champs d'après lesquels vous voulez évaluer la liste et spécifiez les données à inclure dans le tableau croisé dynamique.

Titre d'impression

Dans des feuilles composées de plusieurs pages, des lignes ou colonnes peuvent être répétées sur toutes les pages imprimées bien qu'elles n'apparaissent que sur la première page de la feuille. Le titre d'impression sert à définir les lignes ou colonnes à répéter.

Valeurs nulles

Le résultat d'une formule ou d'une fonction est 0. Les valeurs nulles peuvent être désactivées via **Outils/Options**.

Visual Basic pour Applications

Visual Basic pour Applications (VBA) est un langage de programmation dans lequel s'effectue la création des macros Excel.

Vue

Une vue permet d'afficher sans problème les données avec des options d'affichage variées, par exemple en mode zoom, avec un quadrillage ou des couleurs. La zone d'impression est considérée comme une vue. Le Gestionnaire de vues crée et gère les vues d'une feuille de calcul.

A

Annexe B :
Explication et installation du test final

Après avoir étudié les leçons du livre, *MA Formation Excel 5* vous invite à mettre vos connaissances noir sur blanc. Vous pouvez prétendre à l'obtention d'un certificat digne de votre savoir-faire après avoir passé avec succès le Test Final. N'hésitez pas à demander à Micro Application de vous faire parvenir l'original du certificat (consultez pour cela les dernières pages de ce livre).

L'accès au Test Final est protégé par un mot de passe. Celui-ci est construit à partir de six lettres provenant chacune des mots mystérieux découverts à la fin des contrôles de connaissances. Le mot de passe *MA Formation Excel 5* se compose comme suit :

Mot de passe : <u>1</u> <u>2</u> <u>3</u> <u>4</u> <u>5</u> <u>6</u>

1 = 1ère lettre du mot mystérieux trouvé dans la leçon 2

2 = 1ère lettre du mot mystérieux trouvé dans la leçon 4

3 = 1ère lettre du mot mystérieux trouvé dans la leçon 6

4 = 1ère lettre du mot mystérieux trouvé dans la leçon 8

5 = 1ère lettre du mot mystérieux trouvé dans la leçon 10

6 = 1ère lettre du mot mystérieux trouvé dans la leçon 12

Vous devez d'abord installer la disquette du livre avant de démarrer le Test Final.

Démarrage du Test Final

Pour démarrer le test, vous devez connaître le mot de passage et avoir installé la disquette du livre. Les explications nécessaires à l'installation de la disquette sont fournies dans l'introduction.

Cette installation crée le répertoire \STEXCEL avec le sous-répertoire \TEST. Ce dernier contient le fichier à exécuter que vous appelez comme suit :

B

1 Basculez vers le *Gestionnaire de programmes* de Windows et ouvrez le menu **Fichier** par simple clic.

2 Cliquez sur **Exécuter** puis sur **Parcourir**.

Boîte de dialogue
Parcourir

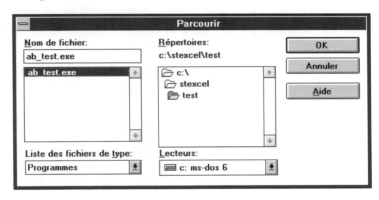

3 Sélectionnez le répertoire \STEXCEL\TEST. Sous *Nom de fichier*, vous apercevez le fichier AB_TEST.EXE.

4 Cliquez sur le fichier et confirmez votre choix avec **OK**. Vous obtenez de nouveau la boîte de dialogue **Exécuter** où la ligne de commande est maintenant remplie.

Boîte de dialogue
Exécuter avec
ligne de
commande
complétée

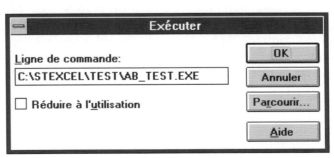

5   Cliquez sur **OK** pour démarrer le test final. L'écran de démarrage du test apparaît.

Tapez le numéro de série dans le champ approprié. Ce numéro figure sur l'étiquette de la disquette du livre. Appuyez ensuite sur **TAB** et entrez le mot de passe que vous avez construit à la fin de votre étude. Veillez à préciser le mot de passe qui convient. En cas d'erreur, le test sera annulé et vous devrez le redémarrer.

Ecran de démarrage du test final

Au bas de la fenêtre se trouvent trois boutons **Aide, Annuler** et **Démarrer**. Cliquez sur **Démarrer** après avoir donné les indications demandées dans l'écran de démarrage.

Types de questions posées dans le Test Final

Trois types de question peuvent intervenir dans le Test Final :

1   Questions à choix multiples

2   Questions image-clic

3   Questions image-sélection

Questions à choix multiples : Plusieurs réponses sont proposées pour une seule question. Une, plusieurs ou toutes les réponses peuvent convenir. La question est considérée comme résolue lorsque toutes les bonnes réponses sont cochées sans qu'aucune fausse réponse soit donnée. Un clic sur la case ou sur le texte de la réponse permet de cocher une case ou d'enlever une coche existante.

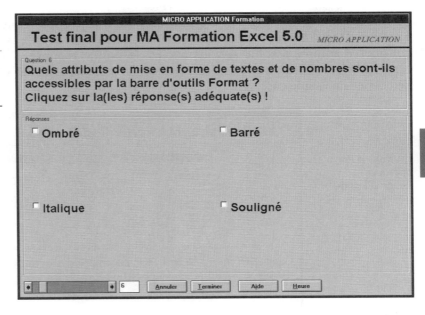

Questions image-clic : Ici, vous apercevez une image dans laquelle vous devez cliquer en un emplacement donné. La question figurant au-dessous détermine la zone à cliquer. Le point d'intersection du réticule (qui apparaît dès que le pointeur se trouve sur l'image) doit se trouver dans la zone concernée avant l'action sur la souris. L'endroit où vous venez de cliquer est délimité par un cercle muni d'une croix. Vous pouvez corriger votre choix en cliquant tout simplement avec la souris.

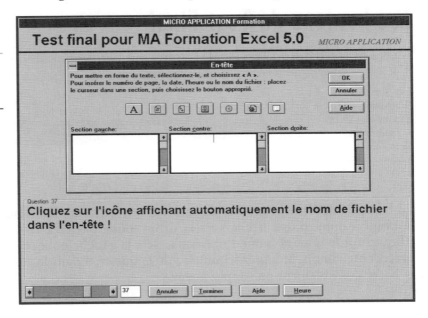

Question image-sélection : Vous apercevez une image sous laquelle est posée la question. Une seule réponse est correcte parmi les choix proposés. La question est considérée comme résolue si vous cochez la bonne réponse. Pour corriger une erreur, cliquez sur une autre case. La croix existante disparaît car vous avez le droit de cocher une seule case.

Exemple d'une question image-sélection

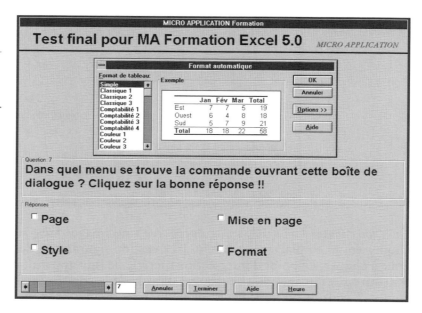

Les boutons du Test Final

Au bas de la fenêtre du Test Final se trouve une barre munie de différents boutons :

Boutons disponibles dans la fenêtre du Test Final

La barre de défilement permet de passer d'une question à une autre. Cliquez sur le bouton muni d'une flèche vers la droite pour passer à la question suivante. Cliquez sur le bouton muni d'une flèche vers la gauche pour revenir à la question précédente. Sinon, indiquez le numéro de la question dans la case située à côté de la barre de défilement puis tapez **Entrée**.

Pour interrompre le Test Final prématurément, parce que vous vous rendez compte que vos connaissances sont insuffisantes, cliquez sur **Annuler**. Confirmez par **Oui** le message demandant si vous voulez réellement annuler le Test Final. Vous quittez ainsi le programme sans que l'évaluation de vos performances ait pu avoir lieu.

Cliquez sur **Terminer** après avoir répondu à toutes les questions du Test Final et en étant bien sûr de ne plus avoir de corrections à effectuer. Le message qui s'ensuit vous demande si vous êtes réellement prêt. Cliquez sur **Oui** pour évaluer le Test Final. Selon le nombre de réponses correctes, vous serez félicité pour votre prestation ou plutôt invité à réviser les leçons pour renouveler l'examen à une date ultérieure.

Cliquez sur **Aide** pour obtenir des informations sur la manière de répondre au type de la question posée. La boîte de dialogue **Aide** donne aussi des informations générales sur le fonctionnement du Test Final.

Le bouton **Heure** indique le temps qui vous reste pour achever le Test Final. Le temps est affiché en haut à droite au-dessus de l'inscription Micro Application. Cette fonction apparaît automatiquement 2 minutes avant la fin du Test Final pour vous avertir que la fin est imminente.

La fin du Test Final

Si vous avez donné un nombre minimum de réponses correctes, un message vous congratule aussitôt pour annoncer votre réussite. Ce message vous informe aussi sur la manière d'opérer pour recevoir votre Certificat de réussite au bilan.

Faites attention de donner le bon numéro de série car le programme détermine un chiffre-clé pour chaque numéro de série. Micro Application vérifie ensuite l'exactitude de ces deux indications. Micro Application risque de ne jamais vous attribuer votre certificat si vous omettez d'indiquer le numéro de série. Un seul certificat est délivré par utilisateur et par numéro de série. Autrement dit, chaque numéro de série est associé respectivement à un nom !

Cliquez sur **Continuer** après avoir comparé et corrigé le numéro de série. Dans la boîte de dialogue suivante, ce chiffre-clé, votre chiffre personnel, est affiché. Vous trouverez à la fin de cet ouvrage, un coupon sur lequel vous devrez reporter vos coordonnées exactes ainsi que le numéro de série et votre numéro personnel, généré par le programme. Vous retournerez ensuite ce coupon à MICRO APPLICATION qui vous enverra votre certificat, authentifiant vos connaissances.

Annexe C :
Installation d'Excel 5

Voici quelques indications sur l'installation du programme Excel si vous ne l'avez pas encore installé sur votre ordinateur.

Configuration matérielle

Pour installer adéquatement Excel, vous devez disposer des éléments suivants :

- PC équipé au moins d'un processeur 80286,
- Au moins 4 Mo de mémoire vive,
- Microsoft Windows à partir de la version 3.1,
- Système d'exploitation MS-DOS 3.1 ou supérieur,
- 6 à 30 Mo de place disque (selon le type d'installation choisi),
- Moniteur EGA ou résolution supérieure compatible avec Windows 3.1 ou version postérieure.

Copies de secours des disquettes programme

Par mesure de sécurité, préparez toujours des copies de secours des disquettes originales et utilisez uniquement ces dernières. Conservez les disquettes originales en un lieu sûr après la copie.

Une méthode simple et rapide pour copier les disquettes consiste à passer par le Gestionnaire de fichiers de Windows. Démarrez Windows puis double-cliquez sur l'icône du *Gestionnaire de fichiers*. Sélectionnez la commande **Disque/Copier une disquette.**

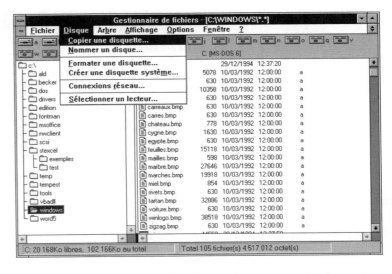

Copie de disquettes avec le Gestionnaire de fichiers de Windows

Indiquez le lecteur source et la destination. Confirmez la commande de copie par **OK**.

Spécification des lecteurs source et destination

Lorsque les données de la disquette source seront lues, vous serez invité à insérer la disquette cible. Ensuite, attendez tout simplement que la copie soit exécutée.

Installer Excel

Une fois les conditions matérielles remplies et les copies de secours effectuées, vous pouvez commencer l'installation proprement dite.

L'installation se déroule sous Windows. Exécutez la commande **Fichier/Exécuter** depuis le *Gestionnaire de programmes* et insérez la première disquette d'installation dans le lecteur. Dans la boîte de dialogue obtenue, entrez l'indication suivante si la disquette se trouve dans le lecteur A:.

    A:INSTALL

confirmez par **OK**.

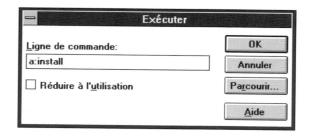

*Boîte de dialogue
Exécuter du
Gestionnaire de
programmes*

Changez l'indication du lecteur si la disquette Excel est insérée dans un autre lecteur.

Suivez ensuite les instructions du programme d'installation. Validez le premier message de bienvenue. Lors de la première installation d'Excel, vous devrez préciser votre nom ou celui de la société.

Si vous avez déjà utilisé le jeu de disquettes Microsoft Excel, le programme d'installation vous fera part de cette circonstance en renvoyant un avertissement mettant en garde contre une violation des droits de copyright. En tant qu'utilisateur respectable de Microsoft Excel, contentez-vous d'ignorer ce message en cliquant sur **OK**.

Vous devrez spécifier ensuite le lecteur cible. Le programme d'installation propose par défaut le lecteur C: suivi du répertoire C:\EXCEL. Changez de lecteur si cette proposition ne vous convient pas. Notez simplement que Microsoft Excel ne peut pas être installé sur un lecteur de disquettes.

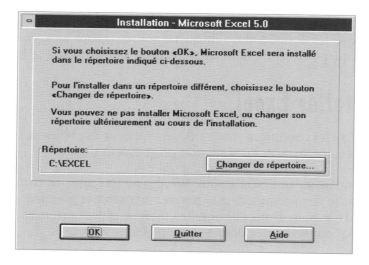

*Spécification du
répertoire Excel*

Contentez-vous d'approuver cette proposition si vous n'avez pas de besoin particulier. Sinon cliquez sur **Changer de répertoire.**

*Modification du
répertoire cible*

Si le répertoire n'existe pas, le programme d'installation vous demande si vous souhaitez le créer. Répondez par **Oui** ou sélectionnez un autre répertoire existant.

Une fois le répertoire Excel spécifié, le programme d'installation vérifie la quantité d'espace disponible. Le programme contrôle également l'existence d'une autre version d'Excel sur le disque dur. Vous obtenez ensuite une boîte de dialogue permettant de choisir les types d'installation du tableur.

*Choix du type
d'installation*

Trois types d'installation sont proposés dans cette boîte de dialogue. Vous avez le choix entre une *installation par défaut*, une installation *complète/personnalisée* et une installation sur minimum (sur ordinateur portatif). Le choix dépend essentiellement de la place disque disponible. L'installation complète nécessite 30 Mo, l'installation standard 15 Mo et l'installation minimale 6 Mo.

La dernière étape de l'installation consiste à préciser un groupe de programme devant contenir les icônes Microsoft Excel. L'option par défaut s'appelle *Microsoft Office*. Rien ne vous empêche de choisir un nouveau groupe ou un groupe existant.

Sélection du groupe de programme

En dernier lieu, le programme vous informe que l'installation de Microsoft Excel 5 s'est déroulée correctement.

Installation achevée

Cliquez sur **OK** pour quitter le programme d'installation. Les icônes du programme Excel sont affichées dans le groupe spécifié auparavant.

Icônes du programme Excel

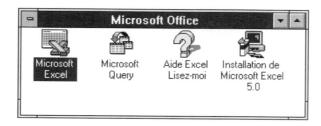

Annexe D :
Les barres d'outils

Barre d'outils Standard

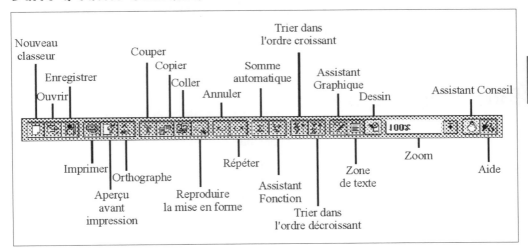

Barre d'outils Format

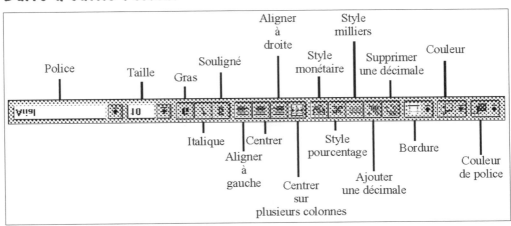

Barre d'outils Tableau croisé dynamique

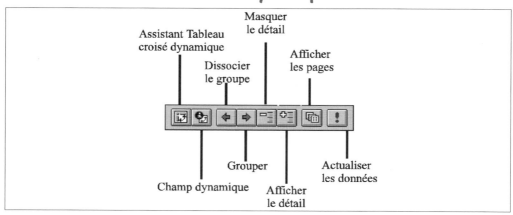

Barre d'outils Graphique

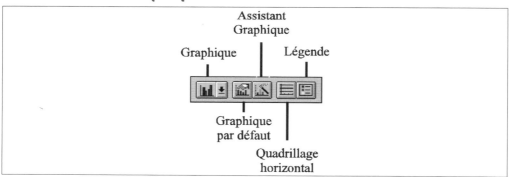

Barre d'outils Dessin

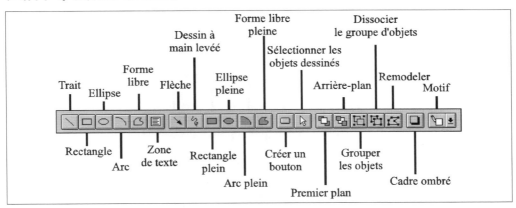

Barre d'outils Assistant Conseil

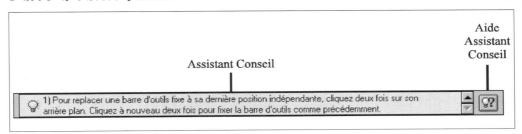

Barre d'outils Dialogue

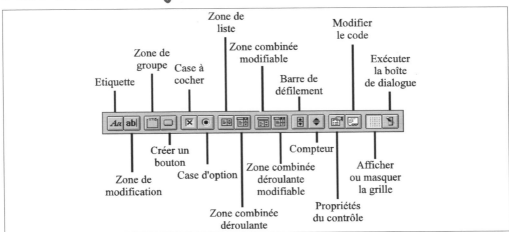

Barre d'outils Visual Basic

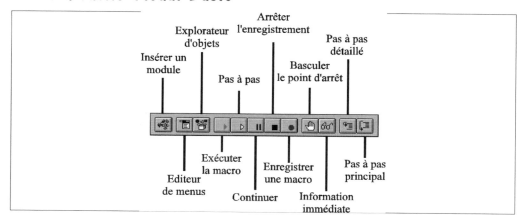

Barre d'outils Audit

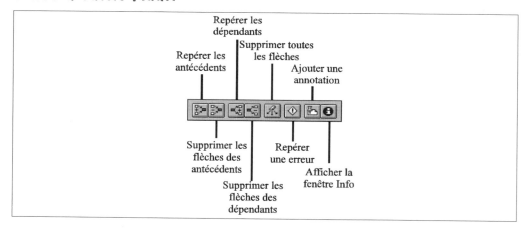

Barre d'outils Groupe de travail

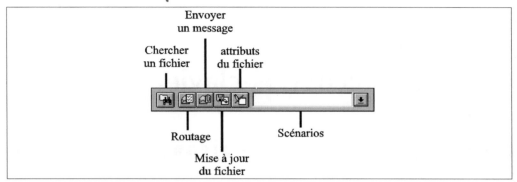

Barre d'outils Microsoft

D

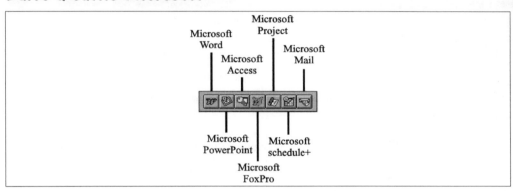

Barre d'outils Plein écran

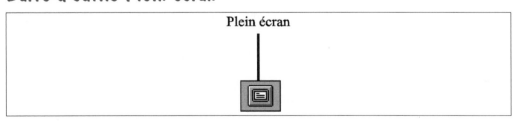

Annexe E :
Liste des raccourcis-clavier

Les touches et combinaisons de touches importantes dans Windows

Touche(s)	Fonction
Ctrl + Echap	Active la Liste des tâches à partir de laquelle on peut basculer vers une autre application.
Alt + Echap	Active la fenêtre d'application suivante, ou à son icône.
Alt + Maj + Echap	Active la fenêtre d'application précédente, ou à son icône.
Alt + Tab	Active la dernière application utilisée. Les applications en icônes sont restaurées.
Alt + Espace	Ouvre le menu Système d'une fenêtre d'application, d'une fenêtre d'aide ou d'une boîte de dialogue.
Alt + -	Ouvre le menu Système d'une fenêtre de document.
Alt + F4	Quitte l'application active, invite à enregistrer les fichiers non sauvegardés et rend le contrôle au Gestionnaire de programmes. Une boîte de dialogue ou une fenêtre d'aide peut aussi être fermée avec cette combinaison de touches.
Alt ou F10	Sélectionne le premier menu de la barre de menus.
Alt + lettre	Active la commande ou l'option contenant la lettre soulignée.
Tab	Active le champ suivant dans une boîte de dialogue.
Maj + Tab	Active le contrôle précédent.
Ctrl + Tab	Active l'onglet suivant.
Ctrl + Maj + Tab	Active l'onglet précédent.
Espace	Active ou désactive une option.
Echap	Annule une commande.
Entrée	Valide une commande ou une sélection.

Touches de fonctions et combinaisons de touches dans Excel 5

Touche(s)	Fonction
F1	Ouvre la fenêtre d'aide et affiche des informations relatives à la commande de menu sélectionnée ou à la boîte de dialogue affichée.
F2	Active la barre de formule.
F3	Affiche la boîte de dialogue Coller un nom si des noms sont définis.
F4	Répétition d'une commande. Dans la barre de formule, modification du type de référence.
F5	Permet d'atteindre une adresse de cellule déterminée ou une plage nommée. Des cellules spéciales peuvent aussi être sélectionnées (Edition/Atteindre).
F6	Volet suivant.
F7	Lance le vérificateur d'orthographe.
F8	Active ou désactive le mode Extension (EXT).
F9	Calcule toutes les feuilles de calcul dans tous les classeurs ouverts.
F10	Active la barre de menus.
F11	Insère une nouvelle feuille graphique.
F12	Commande Enregistrer sous (menu Fichier).
Maj + F1	Active l'icône d'aide contextuelle.
Maj + F2	Commande Insertion/Annotation.
Maj + F3	Affiche l'Assistant Fonction.
Maj + F5	Commande Edition/Chercher.
Maj + F6	Volet précédent.
Maj + F8	Active ou désactive le mode Ajout.
Maj + F9	Calcule la feuille de calcul active.
Maj + F10	Active le menu contextuel.
Maj + F11	Insère une nouvelle feuille de calcul.
Maj + F12	Commande Enregistrer (menu Fichier).
Ctrl + F2	Affiche la fenêtre Info.

E

Touche(s)	Fonction
Ctrl + F3	Commande Insertion/Nom/Définir.
Ctrl + Maj + F3	Commande Insertion/Nom/Créer.
Ctrl + F4	Ferme la fenêtre active.
Ctrl + F5	Rétablit la taille de la fenêtre.
Ctrl + F6 ou Ctrl + Tab	Active la fenêtre suivante.
Ctrl + Maj + F6 ou Tab	Active la fenêtre précédente.
Ctrl + F7	Commande Déplacement (menu Système du classeur).
Ctrl + F8	Commande Dimension (menu Système du classeur).
Ctrl + F9	Commande Réduction (menu Système du classeur).
Ctrl + F10	Commande Agrandissement (menu Système du classeur).
Ctrl + F11	Insère une nouvelle feuille macro Microsoft Excel 4.0.
Ctrl + F12	Commande Fichier/Ouvrir.
CTRL + MAJ + F12	Commande Fichier/Imprimer.
Ctrl + 1	Commande Format/Cellule.
Ctrl + G	Applique ou supprime l'attribut gras.
Ctrl + I	Applique ou supprime l'attribut italique.
Ctrl + U	Applique ou supprime l'attribut souligné.
Ctrl + 5	Applique ou supprime l'attribut barré.
Ctrl + .	Alterne entre l'affichage des objets, leur masquage et l'affichage des espaces réservés pour des objets graphiques.
Alt + (	Masque les colonnes sélectionnées.
Alt +)	Affiche les colonnes masquées.
Alt + "	Masque les lignes sélectionnées.
Alt + _	Affiche les lignes masquées.
Ctrl + N	Commande Fichier/Nouveau.
Ctrl + O	Commande Fichier/Ouvrir.
Ctrl + P	Commande Fichier/Imprimer.
Ctrl + S	Commande Fichier/Enregistrer.
Ctrl + D	Commande Edition/Recopier à droite.
Ctrl + B	Commande Edition/Recopier vers le bas.
Ctrl + V	Commande Edition/Coller.

Touche(s)	Fonction
Ctrl + C	Commande Edition/Copier.
Ctrl + X	Commande Edition/Couper.
Ctrl + Z	Commande Edition/Annuler.
Ctrl + Maj + +	Commande Insertion/Cellule.
Ctrl + -	Commande Edition/Supprimer.
Ctrl + ;	Entre la date système dans la cellule.
Ctrl + :	Entre l'heure système dans la cellule.
Ctrl + *	Sélectionne la plage en cours.
Ctrl + Espace	Sélectionne la totalité de la colonne.
Maj + Espace	Sélectionne la totalité de la ligne.
Ctrl + A	Sélectionne la totalité de la feuille de calcul.
Ctrl + PgPréc	Active la feuille précédente du classeur.
Ctrl + PgSuiv	Active la feuille suivante du classeur.
Maj + Retour arrière	Réduit la sélection à la cellule active.
Alt + F4	Quitte Excel.
Alt + '	Affiche la boîte de dialogue Style.
ALT + =	Insère la formule =SOMME().

E

Annexe F :
Solutions des mots croisés

Leçon 1

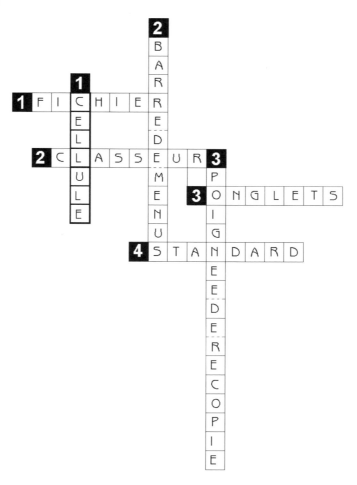

Leçon 2

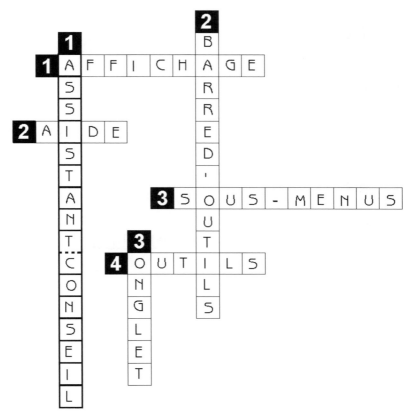

F

Leçon 3

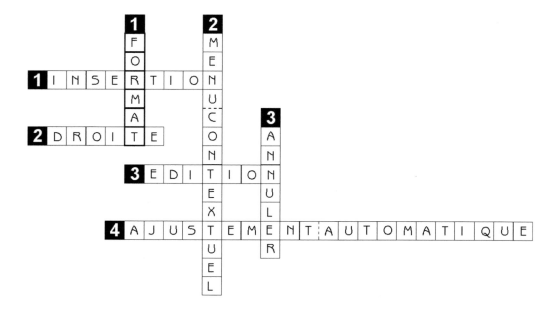

Leçon 4

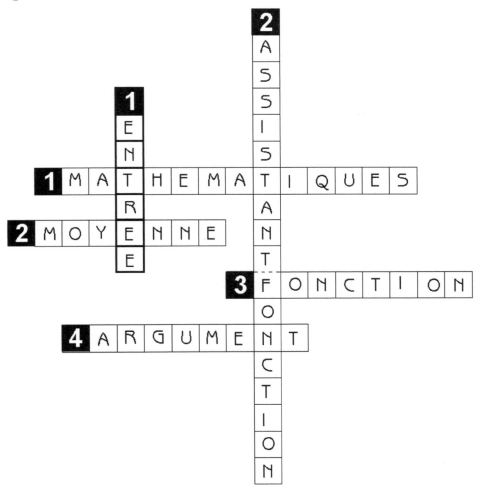

Leçon 5

Leçon 6

Leçon 7

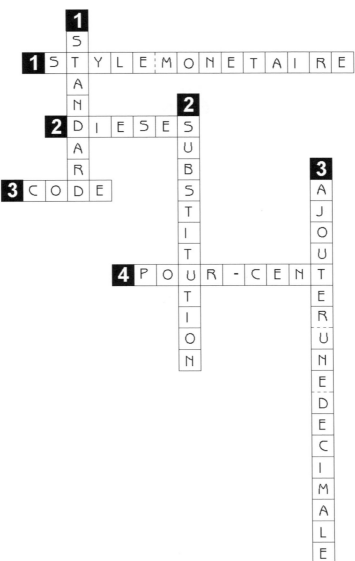

1 STYLE MONETAIRE

2 DIESE

3 CODE

4 POUR - CENT

Down clues:
1 STANDAR
2 SUBSTITUTION
3 AJOUTER UNE DECIMALE

F

Leçon 8

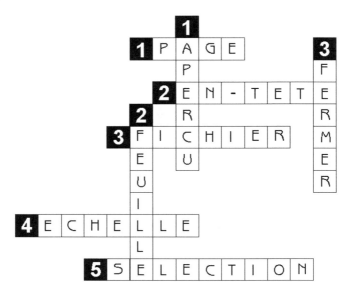

Leçon 9

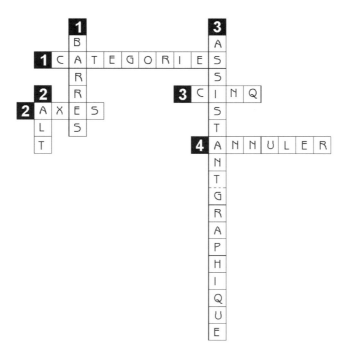

Leçon 10

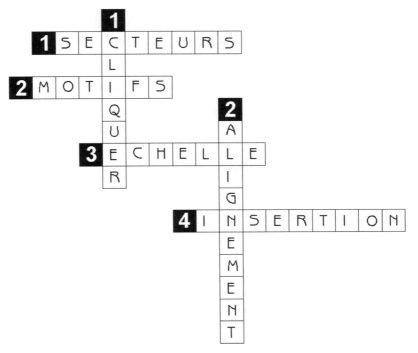

Leçon 11

Leçon 12

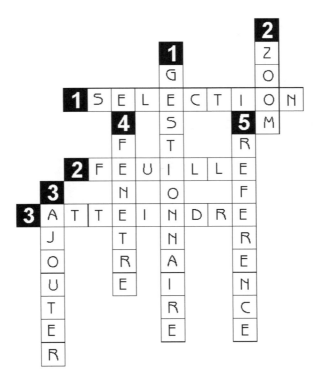

F

Leçon 13

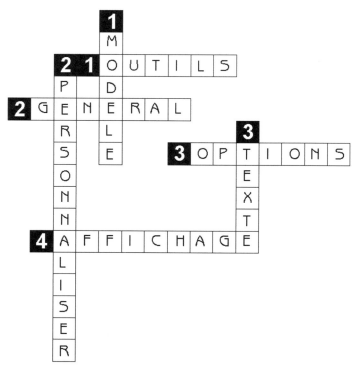

Leçon 14

Leçon 15

Leçon 16

Leçon 17

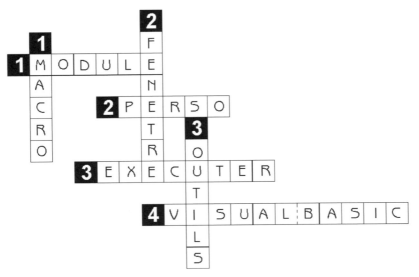

F

INDEX

A

B

C

G

H

I

L

N

O

P

T

V

W

X

Z

Le Certificat
MA Formation

Coupon

Pour recevoir votre
**Certificat
MA Formation,**
envoyez ce coupon
accompagné d'un chèque
de 35,00 FF
libellé à l'ordre
de MICRO APPLICATION
à l'adresse suivante :

MICRO APPLICATION
SERVICE VENTES DIRECTES
20-22, RUE DES Petits-Hôtel
75010 PARIS - FRANCE

Si vous habitez en Belgique,
en Suisse ou au Canada,
veuillez vous adresser
directement
à notre distributeur.

Pour recevoir le
Certificat MICRO APPLICATION
de l'ouvrage
MA Formation Excel 5

Nom : _____ Prénom : _____

Rue : _____

_____

Code postal : _____ Ville : _____

Pays : _____

Numéro de série : _____

Numéro personnel : _____

Je déclare sur l'honneur n'avoir reçu aucune aide lors de la
réalisation du test final de l'ouvrage mentionné ci-dessus.

Le : _____ à : _____

Signature :

Achevé d'imprimer
sur les presses de l'imprimerie SAGER
28240 La Loupe
Dépôt légal - Janvier 1995

7